Cuentos para cada día

366 y más cuentos para leer en familia

©2011, Luisa Fernanda López Carrascal y Pablo Nicolás Burgos Bernal
©2011, Intermedio Editores S.A.S.

Edición
Leonardo A. Archila Ruiz

Diseño y diagramación
Claudia Milena Vargas López

Ilustraciones
María Jiménez

***Collage* y color**
Ana Lucía Retamozo Mora

Intermedio Editores S.A.S.
Av. Jiménez No. 6A-29, piso sexto
www.circulodelectores.com.co
Bogotá, Colombia

Segunda edición, julio de 2014
Primera edición, marzo de 2011

ISBN: 978-958-757-311-4

Impresión y encuadernación:

Bogotá, Colombia

Impreso en Colombia – *Printed in Colombia*

Cuentos

para cada día

366 historias
para leer en familia

Luisa López
Pablo Burgos
Ilustrado por María Jiménez

Segunda edición

intermedio

A los abuelitos de Pablo Ernesto

A Sara Galdiero Donato y Matías Cano Sánchez

A mi familia, a mis amigos y a la mujer que amo

Contenido

Enero

Caperucita roja

Primero de enero

Rosalía tenía siete años y era la nieta consentida de la abuelita Teresa, A Rosalía le gustaba salir al bosque a perseguir conejos y a recoger flores, por eso la abuelita le había tejido una bonita capa roja con gorrito para el frío. En su ciudad a esa capa con gorro le llaman caperuza, y como casi nunca salía sin ella, todos la llamaban Caperucita Roja, no Rosalía.

Un día a la abuelita le dio un tremendo resfriado y la mamá de Caperucita le hizo un jarabe especial de flor de saúco y una rica torta de zanahoria. Metió todo en una canasta y le pidió a Caperucita que se lo llevara a la abuelita Teresa, pero sin perseguir conejos ni recoger flores, pues ya iba a oscurecer y no era bueno que estuviera sola por allí a la hora en que el lobo sale a buscar comida. Caperucita le prometió a su mamá que no se iba a distraer y que tenía muchas ganas de ver a su abuelita. Salió corriendo por el camino que siempre tomaba y de repente se le apareció detrás de un árbol un conejo que le sacaba la lengua. Caperucita se enojó mucho y decidió perseguirlo. Pero el conejo daba grandes saltos y, aunque a veces la esperaba, ella volvía a quedarse atrás. Cuando ya lo tenía casi de una oreja, el conejo abrió los ojos y corrió despavorido. Detrás de Caperucita estaba el lobo apoyado en un árbol con una enorme sonrisa que dejaba ver sus dientes afilados.

—Se te escapó el conejo maleducado, ¿no? —preguntó el lobo.

—Sí —dijo Caperucita—, además ya no sé cómo llegar a la casa de mi abuelita.

El lobo quiso tranquilizarla y le dijo que si tomaba el camino que estaba entre los cedros llegaría más rápido. Caperucita le agradeció y pensó que su mamá exageraba con el carácter del lobo, pues le pareció muy amable.

Pero la verdad es que la mamá no exageraba: el lobo era malo y astuto, además tenía hambre. Le indicó el camino largo y él llegó primero a la casa de la abuelita Teresa. La abuelita, que sabía que Caperucita estaba en camino, le abrió la puerta al lobo sin preguntar quién era, y este, al entrar, de un bocado se la comió. Después buscó en el armario alguna ropa de la abuelita y se la puso. Tuvo tiempo hasta para pintarse las uñas y comerse un sánduche mientras esperaba a Caperucita, pues seguía con hambre.

Caperucita logró llegar a la casa de la abuelita y tocó en la puerta. El lobo corrió a la cama, se acostó y dijo con voz suave, lo más suave que puede un lobo:

—¿Quién es?

Caperucita notó lo ronca que estaba la voz de su abuelita y pensó lo oportuno que resultaría el jarabe de saúco.

—Soy yo, Caperucita.

El lobo le pidió que pasara y se acercara a su cama. Caperucita se acercó y como era una

niña muy curiosa, seguía notando cosas raras. Vio que del gorro de dormir de la abuelita salían unas orejas grandes y peludas. Entonces le preguntó:

—Abuelita, ¿por qué tienes esas orejas tan grandes?

—Es que a esta edad los abuelitos no escuchamos bien y entonces las orejas crecen, para escuchar mejor —dijo el lobo.

—Ah, qué bueno saberlo —dijo Caperucita y prefirió no preguntar nada sobre sus peludas orejas, pues la abuelita podría sentirse mal—. Pero, ¿por qué tienes los ojos tan grandes?

—Es por los lentes que uso y que funcionan como lupas. Los abuelitos, cuando envejecemos, vemos todo más pequeño, así puedo verte mejor.

—Mmmm... No lo sabía —dijo un poco extrañada Caperucita—. ¿Y tienes mucho frío, abuelita? Veo que tienes un gran abrigo debajo del pijama.

—¿Por qué tienes la boca tan grande abuelita?

El lobo, cansado de inventar excusas y ya desesperado de hambre, le respondió:

—Es para comerte mejor —y se la comió también de un solo bocado.

El lobo estaba tan cansado que se quedó dormido, pero lo despertó un hipo que no podía controlar. Pensó que había comido muy rápido, pero lo que sucedía es que la abuelita había sentido tanto frío en la barriga del lobo, que empezó a toser y toser. Tosió tanto que salió disparada por la boca del lobo con Caperucita de la mano. Muy enojadas, las dos persiguieron al lobo por todo el bosque y le dieron su lección. Volvieron a la casa, la abuelita tomó su jarabe y las dos disfrutaron de la deliciosa torta de zanahoria.

—Sí, estos días han estado un poco fríos, ¿no lo crees?

—Claro, abuelita, menos mal yo uso siempre esta caperuza que me regalaste.

Caperucita se disponía a sacar el jarabe para la tos cuando notó cuán grande era la boca de la abuelita, y le dijo:

El origen del mundo, según los cristianos

Dos de enero

Así cuentan los cristianos cómo dios creó el mundo: el primer día creó dios el cielo y la tierra. Y creó la luz. Separó la luz de las tinieblas. A la luz la llamó día, a las tinieblas las llamó noche. El segundo día creó dios el firmamento. Separó las aguas de arriba de las aguas de abajo. Abajo fue el mar, arriba el firmamento. El tercer día separó lo árido de las aguas.

A lo árido lo llamó tierra y a las aguas las llamó mares. En la tierra creó a los árboles y las semillas y los frutos. El cuarto día creó dios la Luna y el Sol y las estrellas. Así señaló los tiempos y los días y los años. El quinto día creó dios a las aves y los peces y los animales. Les pidió a las aves que poblaran el cielo, a los peces que poblaran el mar, a los animales que poblaran la tierra. Y les dijo: «Creced y multiplicaos». El sexto día creó dios al ser humano a imagen y semejanza suya. Lo creó hombre y mujer. El séptimo día dios descansó. Descansó, y bendijo y santificó el séptimo día.

Así creó dios el mundo y todo lo que hay en él.

Casandra

Tres de enero

Casandra vivía en los tiempos de la antigua Grecia. Cuando muchos dioses y diosas decidían el destino de los hombres y las mujeres. Los dioses tenían rivalidades entre ellos. Un dios, al que Casandra le caía muy bien, le regaló el don de la profecía. Casandra sabía el futuro, lo podía predecir. Supo así, por ejemplo, que la ciudad donde vivían sería destruida por sus enemigos.

Quiso advertirles a los habitantes de su ciudad, que eran sus familiares, amigos y conocidos. Pero otro dios, a quien no le caía bien el dios que le hizo el regalo a Casandra, la castigó con la maldición del escepticismo.

Casandra podía predecir el futuro, ese era su don, pero nadie le creía, esa era su maldición.

Pedro y el lobo

Cuatro de enero

Pedro era un niño pastor que cuidaba sus ovejas cerca de un pueblo. Todos los días tenía la misma rutina, cuidar de sus ovejas. Como cualquier niño, Pedro empezó a aburrirse. Un día pensó una broma para salir del aburrimiento. Entró al pueblo gritando: «¡Viene el lobo, viene el lobo!». Los habitantes del pueblo salieron corriendo con hachas, cuchillos y garrotes hacia el prado donde Pedro cuidaba de sus ovejas. Cuando llegaron, encontraron a las ovejas tranquilas pastando y Pedro, que venía detrás de ellos, riéndose a carcajadas.

Pasaron varias semanas y Pedro empezó a aburrirse de nuevo. Corrió entonces hacia el pueblo gritando: «¡Viene el lobo, viene el lobo!». Pero tras de él nadie venía. Los habitantes del pueblo le creyeron una vez más y corrieron con hachas, cuchillos y garrotes hacia el prado donde Pedro cuidaba de sus ovejas. Cuando llegaron encontraron a las ovejas pastando y Pedro, que venía detrás de ellos, riéndose a carcajadas. Meses pasaron otra vez y Pedro se aburría. Hasta que un día al atardecer apareció en verdad un lobo hambriento en el prado donde pastaban las ovejas. Pedro corrió hacia el pueblo llorando y gritando desesperado: «¡Un lobo, un lobo se come mis ovejas!». Los habitantes del pueblo se rieron con la broma y continuaron con sus trabajos.

La creación según los kogui

Existe en un lugar en el mundo, una montaña muy alta que queda al lado del mar. Allí viven desde el comienzo del tiempo los kogui. Ellos son nuestros hermanos mayores, así dicen. Todos los demás hombres y mujeres somos sus hermanos menores. Si los taitas kogui no se levantasen cada mañana a rezar por nosotros, antes que salga el sol, el sol no saldría. Ellos invocan cada amanecer desde el comienzo del tiempo.

Antes de ellos, antes del comienzo del tiempo, solo estaba el mar, y el mar era la madre y la madre era todo. La madre no era cosa alguna, sino algo llamado Aluna.

Ella era el agua y la noche. Y era el primer mundo.

Fue sobre ella, sostenidos en ella, que surgieron otros ocho mundos. El primer mundo era la madre. El segundo mundo era como un tigre, pero no como el animal, sino tigre en Aluna. El tercer mundo era de gusanos y lombrices, aún sin huesos ni cosas sólidas.

En el cuarto mundo hubo por vez primera un padre, que ya supo cómo seríamos los seres humanos. Hubo entonces un quinto mundo en el que apareció la primera casa y el primer hombre, pero la casa aún no era casa, solo casa en Aluna, la idea de casa, el espíritu de la casa; y así también el primer hombre que solo era pies, y aún sin lengua decía «noche, noche, noche» y nada más decía. Surgió el sexto mundo, en que hubo dos dioses, el azul y el negro, y el mundo se separó así, azul y negro. Surgió el séptimo mundo, en el que ya estaba todo lo que viviría luego en nuestro mundo pero sin huesos, solo sangre. Se formó entonces el octavo mundo, con 36 dioses y todo lo que somos, pero todo era aún agua y aún no había amanecido.

Se formó entonces el noveno mundo, el nuestro, y los dioses hicieron en él un árbol enorme. Sobre ese árbol, una ceiba, hicieron la casa de todos.

Y entonces amaneció.

La creación de la selva

Seis de enero

Cuando antes era la nada, tampoco era la selva. Hasta que un día el gran elefante Tha sacó con su trompa la selva de lo más profundo de las aguas. Con sus colmillos marcó sobre la tierra los caminos, que llenó con agua y se formaron los ríos. Dando golpes con sus patas, aparecieron los lagos y manantiales. Finalmente, con un fuerte sonido que sacó de su trompa empezaron a caer árboles de todos los tamaños, de formas variadas y bellos colores. Hizo a todos los animales que hoy viven en la selva, pero en ese entonces se alimentaban solo de pastos, frutas, raíces y semillas. Había comida y agua suficiente, vivían en armonía y eran un solo pueblo.

Como Tha debía trabajar en la creación de otras selvas, encargó al primer tigre para que fuera el rey de la selva. Este primer tigre no tenía rayas, su cuerpo estaba cubierto por una piel naranja muy brillante. La vida era tan tranquila y apacible en la selva que los animales se fueron volviendo perezosos, no querían ni siquiera levantarse para comer. Así fue que dos gamos pelearon por el pasto que tenían al frente, enojaron al tigre, se iniciaron las peleas y empezaron a resolver todo con patadas, riñas de cuernos, mordiscos y palabrotas. Tha se enojó muchísimo y los castigó con temporadas de sequía, donde no hay agua y escasea la comida. Desde entonces, los animales de la selva deben seguir algunas leyes para poder sobrevivir, deben cazar, correr, trabajar y esforzarse para conseguir su alimento.

La zorra y el leñador

Siete de enero

Corría una zorra por el bosque a toda velocidad. La perseguían unos cazadores. Encontró finalmente una casa donde pensó podría esconderse. Era la casa de un leñador con cara de pocos amigos. La zorra, sin embargo, le preguntó:

—Señor leñador, ¿sería tan amable de dejarme esconder en su casa? Me persiguen hace rato unos cazadores.

El leñador murmuró algo entre los dientes y le dijo que pasara.

Al poco rato llegaron los cazadores a la casa del leñador y le preguntaron si había visto una zorra. El leñador les dijo que no, pero hizo un gesto con su cara y sus manos señalando dónde estaba escondida. Los cazadores no entendieron nada y pensaron que el leñador era un hombre muy raro. Se despidieron y continuaron su cacería.

La zorra pudo ver desde su escondite todo lo ocurrido y salió de la casa del leñador sin decir nada. Por lo que el leñador la increpó:

—¿Te vas así, nada más? ¿Te he salvado la vida y ni las gracias me das?

La zorra le respondió:

—Te lo hubiera agradecido de corazón si tus palabras hubieran correspondido con tus gestos.

Y diciendo esto, se marchó.

El origen del mundo según los Barí

Ocho de enero

Los Barí habitan la región del Catatumbo colombiano desde antes de la memoria. Antes, ellos vivían en un lugar en el cielo. Muy arriba de la tierra. Era un paraíso. Un día, alcanzaron a ver a través de las nubes la tierra. Se asomaron todos y les dio mucha curiosidad. Vieron ríos llenos de peces, árboles llenos de frutas, tierras fértiles y muchos animales. Armaron entonces una larga cuerda hecha de bejucos y bajaron todos a la tierra. Cuando ya habían bajado todos, un chulo rompió la cuerda con su pico.

Desde entonces, vive el pueblo barí divagando por el Catatumbo, pensando en cómo volver a casa.

El traje nuevo del emperador

Nueve de enero

Había una vez un emperador al que no le gustaban los caballos, tampoco ir de caza y odiaba tener que reunirse con los ministros para hablar de los temas de su país. Solo le gustaba una cosa y a ello se dedicaba todo el día: a la ropa. Se dice que se cambiaba más de doce veces en el día y que nunca repetía una capa, un sombrero o un pantalón.

Su palacio estaba lleno de habitaciones con ropa de todos los colores.

Un par de malhechores, que sabían del gusto del emperador por la ropa, llegaron un día a su palacio haciéndose pasar por sastres y le ofrecieron algo muy especial. Dijeron que no solo hacían las ropas más bellas, con colores y dibujos hermosísimos, sino que las prendas que ellos hacían tenían la milagrosa virtud de ser invisibles a toda persona que no fuera apta para su cargo o que fuera irremediablemente tonta. El emperador pensó no solo en lo bien que se vería con estas prendas, sino que, además, podría saber qué personas eran las adecuadas para trabajar en su palacio. Aceptó pagarles una suma muy alta a los sastres y entonces los farsantes montaron un telar mientras simulaban que trabajaban. Un día el emperador quiso saber cómo iba su traje y mandó a uno de sus ministros. Cuando este llegó no vio nada en el telar, pero recordó que quien no veía nada era porque no era merecedor de su cargo o porque era muy tonto, así que disimuló y le dijo al emperador que el traje era la obra de arte más bella que jamás hubiera visto.

Llegó el día en que el emperador luciría su majestuoso traje y todo el pueblo salió a las calles para admirarlo. Cuando quiso vestirse el emperador no vio nada por lo que tuvo que disimular. Los farsantes ayudaron a ponerse el traje que no existía y así fue que salió a la calle ¡desnudo! La gente se sorprendió mucho, pero para no pasar por tontos, exclamaban: «¡Oh, que bonito traje!», «¡es maravilloso!». Solo un niño que no entendía qué pasaba dijo: «¡El emperador está desnudo!». Las personas entonces se atrevieron a decir lo que verdaderamente veían, y el murmullo empezó a difundirse por todo el pueblo: «¡El emperador va desnudo!». Así fue que con mucha vergüenza tuvo que volver a su palacio y dedicarse más a los asuntos de su pueblo que a los detalles de su ropa.

Las mil noches y una noche

Diez de enero

El rey de una comarca muy rica era engañado por su esposa. Ella decía amarlo a él, pero en realidad amaba a uno de sus esclavos. Cuando el rey se enteró, no soportó el desengaño y mató a su esposa y al esclavo con una espada de oro.

Desde entonces este rey odió a las mujeres. Todas las noches pedía que le llevaran una doncella. Pasaba la noche con ella y en la madrugada, la mandaba decapitar.

Así hizo hasta que la hija de uno de sus ministros más queridos, una hermosa doncella llamada Sharazad, se ofreció para pasar la noche con el rey. Sharazad empezó a contarle historias. Se cuidaba de nunca terminarlas antes del amanecer. Al alumbrar el alba decía Sharazad: «Si el rey lo permite, contaré el final de esta historia en la noche». El rey siempre lo permitía, porque las historias de Sharazad eran maravillosas. Así salvó su vida durante mil y una noches.

Pasada la noche número mil y una, con las primeras luces del alba, el rey besó a Sharazad con pasión y le ofreció amor eterno. No solo estaba enamorado como nunca antes se había enamorado de mujer alguna, sino que también había Sharazad sanado su corazón lleno de odio.

El león y la cabra

Once de enero

Una cabra comía algunas flores que crecían entre las rocas. No eran muchas, pero la cabra las disfrutaba. Un león la vio a lo lejos. Él merodeaba desde la verde pradera, ella comía arriba entre las rocas. El león pensó que esa bonita cabra sería un rico plato para el almuerzo y le gritó desde abajo:

—Oye, amiga: por qué no vienes aquí a la pradera. Hay más flores y pasto fresco. La cabra, que sabía de las intenciones del león, le respondió:

—Claro que bajaré y comeré de ese verde pasto, pero cuando tú estés bien, bien lejos.

El león no tuvo nada más que decir y se fue a buscar alimento en otra parte.

La carreta de Hermes y los malvados

Doce de enero

Iba el mensajero de Zeus, llamado Hermes, con una nueva misión a la Tierra. Llevaba una carreta cargada de mentiras, ofensas, malas palabras y odios. Su misión era repartir un poco de cada cosa de pueblo en pueblo, de ciudad en ciudad, de país en país. Cuando llegó al país de los malvados, se llevó una sorpresa: astutos, aprovechados y ladrones se lanzaron sobre su carreta y se llevaron todo el cargamento. Se quedó Hermes sin nada que repartir y por ello en algunos países no hay odios ni mentiras. Nadie sabe, eso sí, dónde quedan esos países.

Los siete cabritos y el lobo

Trece de enero

Mamá cabrita tenía siete hijos muy bonitos y traviesos. Un día tuvo que ir de compras y les pidió que jugaran en la casa y no le abrieran la puerta a nadie mientras ella llegaba. Los cabritos se lo prometieron y se dispusieron a jugar. El lobo, que siempre estaba al acecho, se había escondido detrás de un árbol esperando que los cabritos se quedaran solos. De repente escucharon la puerta: «Toc, toc». «¿Quién es?», preguntaron los cabritos. El lobo creyó poder engañarlos y respondió: «Soy yo, su mamá». Los cabritos recordaron la advertencia de la mamá y dijeron: «La voz de nuestra mamá no es tan ronca, no te abriremos». El lobo pensó que esto se resolvería muy fácil comiendo muchas claras de huevo y un frasco de miel. Así lo hizo y volvió.

«Toc, toc». «¿Quién es?» preguntaron los cabritos. El lobo respondió con voz muy suave: «Soy yo, su mamá». Los cabritos estuvieron a punto de abrirle, pero uno de ellos insistió en que debía mostrarles la pata debajo de la puerta. El lobo nuevamente creyó poder engañarlos y metió su pata debajo de la puerta. Los cabritos dijeron: «La pata de nuestra mamá es blanca, no negra. No te abriremos».

El lobo corrió hacia la panadería y metió su pata en un saco de harina. Volvió y metió la pata bajo la puerta. Esta vez los cabritos sí le creyeron y abrieron la puerta. Al ver al lobo, todos salieron corriendo, pero uno, dos, tres, cuatro, cinco y seis cabritos terminaron en la barriga del lobo. El otro, que era el más pequeño, alcanzó a esconderse detrás de un reloj.

Cuando la mamá llegó, vio el desastre y se puso a llorar. El cabrito más pequeño salió de su escondite y le contó todo. Entonces fueron al bosque a buscar al lobo. Y, como lo suponían, había comido tanto que estaba haciendo una siesta debajo de un árbol. En silencio, la mamá abrió con unas tijeras la barriga del lobo y fue sacando a cada uno de sus hijos. Después, para que el lobo no notara nada, metió una, dos, tres, cuatro, cinco, seis piedras en la barriga del lobo y lo volvió a cocer. Al despertarse, el lobo sintió mucha sed, fue a tomar agua al río y el peso de las piedras hizo que se hundiera.

Desde ese día los siete cabritos pueden jugar más tranquilamente en el bosque porque el lobo ya no está.

El flautista de Hamelín

Catorce de enero

Un grito estruendoso despertó un día a los habitantes de Hamelín, una pequeña ciudad de Alemania. La pastelera del pueblo había encontrado a seis ratones comiéndose las uvas que usaría para hacer el pan de ese día. De repente se escuchó otro grito y uno más: era la profesora al ver que los cuadernos de los niños estaban mordidos, y el sastre horrorizado al descubrir la cantidad de ratones durmiendo bajo los trozos de cuero. El pueblo entero estaba invadido de ratones y nadie sabía cómo habían llegado allí. La situación llegó al límite cuando a los ratones ya no les fue suficiente saquear las tiendas, además perseguían y atemorizaban a los gatos y a los perros. ¡Se atrevían incluso a meterse en las faldas de la mujeres!

Entonces el pueblo se unió para protestar frente a la alcaldía. Estaban furiosos, no podían seguir viviendo así. El alcalde temblaba del susto y no sabía qué hacer. De repente, apareció ante él un hombre vestido de manera muy extraña: usaba una capa larga y colorida que le llegaba a los tobillos, y de su cuello colgaba una flauta. El hombre le dijo que tenía un don: «Con la música de mi flauta puedo hacer que cualquier ser viviente que camine, nade o vuele, me siga a donde yo quiera. Puedo sacar a las ratas, pero soy pobre y necesito diez monedas oro».

«¿Diez monedas por sacar a las ratas? ¡Hasta cien monedas de oro te daré si lo logras!», dijo el alcalde.

Entonces el flautista empezó a tocar una melodía mientras caminaba por las calles del pueblo. Las ratas salieron embelesadas con la música y lo siguieron hasta el río, donde se ahogaron una a una.

Volvió entonces por su dinero y el alcalde se rió en su cara: «¿Crees que te voy a pagar solo por haber tocado la flauta? Vete de aquí». El flautista se enojó y al día siguiente volvió al pueblo. Esta vez tocaba una melodía diferente y los niños empezaron a salir de sus casas para ir detrás del flautista. Eran 130 niños en total que el flautista escondió en una cueva.

Todos en el pueblo estaban muy tristes y desesperados. El alcalde se arrepintió de no haber cumplido su promesa y buscó durante muchos días al flautista para pedirle disculpas y pagar lo acordado. Finalmente lo encontró y al ritmo de nuevas melodías, los niños fueron llegando uno a uno a sus casas con sus familias.

Los hermanos Ayar

Quince de enero

Luego de un devastador diluvio, de una cueva salieron los hermanos Ayar: cuatro hombres y cuatro mujeres. Buscaban un lugar adecuado para vivir y emprendieron camino entre quebradas y montañas. Uno de ellos tenía poderes especiales: con un solo tiro de su cauchera podía derribar montañas o hacer que nacieran arroyos. Sus hermanos temían y envidiaban sus poderes, así que lo engañaron diciéndole que debía volver a la cueva por unas cosas que habían olvidado. Así hizo y cuando estuvo adentro, los otros cerraron la cueva y allí mismo lo dejaron.

Continuaron su camino y se quedaron un tiempo en un lugar en el que sembraron y cosecharon. Pero decidieron buscar más tierras fértiles sin abandonar totalmente en la que estaban. Así que otro de ellos debía quedarse convertido en piedra, lo que no le impedía comunicarse con sus hermanos.

Lanzaron entonces un bastón de oro mágico que indicaría el lugar apropiado y definitivo para vivir. En el camino al lugar tuvieron muchas dificultades, por lo cual enviaron a otro hermano para que volara pronto y se estableciera allí en forma de piedra, pudiendo comunicarse también con sus hermanos. Este sitio era Cusco, que para los Ayar era el ombligo del mundo.

Poco a poco los hermanos fueron poblando y construyendo el imperio inca, ya en forma de piedra, ya sembrando y cosechando.

Por qué las parábolas

Dieciséis de enero

Según los cristianos, dios envió a su hijo a la Tierra para salvarnos. La humanidad necesitaba ayuda de dios. Él se hizo hombre, en forma de su hijo, para venir a hablarnos. Jesucristo fue su nombre y su presencia entre nosotros cambió la historia para siempre.

Jesucristo se expresaba en parábolas. Se trataba de figuras o formas simbólicas de decir sus ideas. Le preguntaron por qué hablaba de esa manera, extraña manera en la que las cosas no son llamadas por su nombre. El pan no es pan, el vino es sangre, la semilla es la palabra de dios. Explicó Jesucristo que quienes quieren entender, entienden. Hay quienes ven sin mirar, oyen sin escuchar, tocan sin sentir. Hablando así, Jesucristo podía reconocer a quienes deseaban entender. Cuando las palabras son obvias, el pan es pan, el vino vino, y la semilla semilla, se cree entender, pero no se hace esfuerzo. La parábola obliga a pensar.

Mowgli y Shere Khan

Diecisiete de enero

Desde los tiempos antiguos, cuando el hombre aprendió a dominar el fuego, el tigre ha temido al hombre y el hombre ha temido al tigre. Fue culpa de ellos, tigre y hombre, que el miedo llegara a la selva, para nunca irse. Desde que llegó el miedo, los animales dejaron de alimentarse de lo que les ofrecía la madre selva y dejaron de morirse de viejos. Los más fuertes empezaron a cazar a los más débiles. Algunos débiles se hicieron rápidos, otros se hicieron astutos. La supervivencia fue el trabajo diario de los habitantes de la selva.

Cuando ya estas historias eran viejas historias contadas por los abuelos de los abuelos, sucedió que una cría de hombre, un cachorro humano, quedó abandonado en el corazón de la selva. Su llanto atrajo a algunos animales. Un viejo tigre cojo, llamado Shere Khan, se acercó con cautela. Una cicatriz cruzaba el párpado de su ojo izquierdo y parte de su rostro. Era una cicatriz hecha por un hombre.

El territorio donde el cachorro humano había sido abandonado, era el territorio de los lobos. Akela, líder de la manada de los lobos, o del pueblo libre, como eran llamados en la selva, conocía bien las leyes ancestrales de la selva. Akela le dijo a Shere Khan: «La ley de la selva prohíbe cazar cachorros indefensos. La ley nos obliga proteger a los cachorros abandonados». Dijo Shere Khan: «Sabes bien que tengo una deuda pendiente con el hombre». Y Akela le respondió: «No será en nuestro territorio donde saldes tus deudas». Aunque un tigre de Bengala puede vencer fácilmente a un lobo, el tigre sabe que el lobo no pelea solo. Y un tigre, que es un animal solitario, por fuerte que sea, no puede vencer a una manada de lobos.

Dijo Shere Khan: «Nunca un lobo había retado a un tigre». «Nunca había sido necesario retar a un tigre para proteger la vida de un cachorrito... humano además. Lampiño. Como una rana», dijo Akela. Shere Khan decidió alejarse. Pero no sin antes jurar que mataría al cachorro humano un año después que dejara de ser cachorro. Akela se acercó al bebé. Lo lamió con cariño y le dijo: «Rana. Pequeña rana. Ese será tu nombre: Mogwli, la rana». En ese momento Akela no podía saber que esa pequeña rana salvaría su vida, años después, ni que sus aventuras llenarían la memoria de los viejos de incontables historias y aventuras.

La leyenda de la Santa Cruz

Dieciocho de enero

Según los cristianos, Adán fue el nombre del primer hombre creado por dios, y Eva el nombre de la primera mujer. Vivían en el paraíso. Del paraíso fueron expulsados por desobedecer a dios. Fuera del paraíso tuvieron que conseguir su alimento con el sudor de su frente. Cuando Adán se hizo viejo y la hora de su muerte se acercaba, Seth, el menor de sus hijos, fue a las puertas del paraíso a pedir el aceite de la misericordia. El aceite de la misericordia era el perdón por sus faltas.

El ángel que cuidaba la puerta del paraíso con una espada de fuego, le dijo a Seth que el aceite de la misericordia se había acabado. A cambio, le dio una semilla. Cuando Seth volvió a casa, ya Adán había muerto. Entonces Seth sembró la semilla en la boca de su padre y lo enterraron. Creció un árbol de madera robusta. Miles de años después, fue con la madera de ese árbol que construyeron la cruz donde Jesucristo, el hijo de dios, fue crucificado.

El león y el burro

Diecinueve de enero

Era un día caluroso en la selva y el león estaba algo sofocado. Su gran melena no ayudaba en los días de verano. Tenía hambre y pocas ganas de cazar. De pronto vio pasar al burro bailando y cantando una melodía muy alegre. El león se acercó y le dijo: «Amigo burro, ¿por qué no nos asociamos para cazar unas presas?». El burro se sintió muy orgulloso de saber que el rey de la selva quería ser su socio y aceptó de inmediato.

El burro se esforzó mucho cazando con sus patas cabras y conejos. Hizo un buen trabajo. El león, en cambio, solo cazó un par de ciervos. Cuando terminaron la jornada, el león reunió todas las presas cazadas por ambos y las dividió en tres partes. El burro esperaba ansioso su mitad, pero el león dijo: «Esta parte es para mí porque soy el rey de la selva, esta otra también es para mí porque soy tu socio, y la tercera también es para mí y mejor te vas de aquí si no quieres que te vaya como a los ciervos». El burro salió corriendo, cansado y con hambre, pensando que la próxima vez se asociaría mejor con otro burro como él.

La bruja mentirosa

Veinte de enero

Vivía en una ciudad una bruja que vendía encantamientos y fórmulas para aplacar la furia de los dioses. Por supuesto tenía muchos clientes: los había estafadores, mentirosos y groseros, pero también temerosos de los dioses, inseguros y perezosos. Ganaba mucha plata la bruja, hasta que la acusaron de violar la ley y fue llevada ante los jueces. Quienes la acusaron por engañarlos y mentirles estaban furiosos. La bruja decía que no mentía y que sus encantamientos eran realmente efectivos, a lo que el juez le contestó:

—Dices que con tus encantamientos puedes calmar la cólera de los dioses, ¿por qué no has podido calmar la furia de los que te acusan?

El árbol de pepino

Veintiuno de enero

Cuando aún era pequeño yo, el barón de Münchhausen, soñaba con ver el mundo. Hacía todo tipo de pataletas para que mi padre me permitiera ir con él a sus viajes, pero ni él, ni mi madre, ni mis tías me lo permitían. Un buen día llegó a visitarnos un tío y pronto me convertí en su favorito. Dijo que haría todo lo posible por complacer mis deseos. Así, convenció a mis padres para que me permitieran acompañarlo a Ceilán, donde otro pariente era gobernador. Nos embarcamos entonces, pero no ocurrió nada extraordinario, salvo por una terrible tormenta. Estábamos anclados en una isla donde recogeríamos agua y leña. La tormenta se desató con tal violencia que arrancó los árboles más grandes y se los llevó por los aires. Volaron tan alto que desde donde yo estaba se veían como las plumitas de los pájaros cuando vuelan por la atmósfera. Cuando la tormenta cesó, cada árbol volvió a su lugar y se aferró a la tierra como si nada hubiera pasado, menos el árbol más grande. Era un árbol de pepinos, pues en ese lugar del mundo crecen en los árboles. Antes de la tormenta un hombre y su mujer estaban en sus ramas recogiendo pepinos y no tuvieron otra opción que hacer el viaje por los aires así como estaban: acomodados en las ramas. El peso del hombre y su mujer hizo que el árbol cayera encima del cacique de la isla, que corría despavorido buscando refugio cuando inició la tormenta. Pero todos allí estaban felices, pues era un hombre muy malo. Tenía mucho dinero y la comida se pudría en las bodegas de su castillo mientras que el pueblo moría de hambre. Como agradecimiento a los recolectores de pepinos, las personas de la isla los nombraron caciques. Allí, desde ese día, nadie come pepinos sin antes decir: «Dios guarde a nuestros caciques».

El origen del mundo según los huitoto

Veintidós de enero

Los huitoto viven, desde antes de la memoria, en el corazón de la inmensa selva del Amazonas. Hubo un tiempo que la Tierra toda se inundó. Llovió durante cuarenta días y cuarenta noches. Se llamó el diluvio a este tiempo. Después del diluvio no quedó ningún ser vivo en la Tierra, ni animales, ni hombres, ni nada existía después del diluvio. Apareció entonces un hombre, que era dios también, llamado Buinama. Buinama se sentía solo. Nada se escuchaba, nadie hablaba, nadie preguntaba. Un día escuchó la voz de una mujer que se había formado en las crestas de una ola. La mujer era un sapo. Cantaba. Buinama fue a buscarla. Caminó tres días y tres noches. Al encontrarla, tocó con una rama el agua que la rodeaba. Se formó un camino seco y Buinama pudo abrazar a la mujer sapo. Se casaron y ese fue el origen de la gente, según los huitoto.

Moisés, salvado de las aguas

Veintitrés de enero

Los hombres se portaban mal, las mujeres también y los niños igual. El dios de los cristianos se enojaba, fulminaba, gritaba. A veces se compadecía, perdonaba, pintaba arco iris en el cielo. Siempre ayudaba a su pueblo.

En esos remotos tiempos, el pueblo cristiano era esclavo de otro pueblo poderoso. Pero dios los ayudó a ser libres. De un hombre hizo un líder inmenso que guió a su pueblo a la libertad.

El rey del pueblo poderoso y tirano pensó que el pueblo cristiano crecía demasiado. Ordenó a sus ejércitos que decapitaran a todos los niños recién nacidos. La madre de Moisés envolvió al bebé en una manta y lo puso en una canasta. A la canasta la forró con cera y la dejó a orillas del majestuoso río Nilo.

La corriente se llevó la canasta hasta un lugar, río abajo, donde la hija del rey hacía un picnic. Una de sus esclavas escuchó el llanto del niño, lo rescató de las aguas y lo llevó ante la princesa. La princesa se enterneció con el niño y decidió adoptarlo sin decir nada a su padre.

Ese es el significado del nombre Moisés, «salvado de las aguas».

Así creció Moisés hasta convertirse en el líder del pueblo sometido. Pero esto será parte de otra historia.

La vieja y el curandero

Veinticuatro de enero

Era una anciana algo enferma y un poco ciega. Llamó entonces a un curandero que decía poder curarle la vista. El curandero iba cada día y cada día se llevaba uno de los muebles: una silla, una lámpara, un espejo. Cuando ya no había nada más para robar, el curandero estafador quiso cobrarle una suma muy alta. La anciana le respondió:

—Estimado señor. No puedo pagar la cuenta. Usted me prometió que me curaría la visión. No solo no lo hizo, sino que ahora no veo nada. No veo mi silla, mi lámpara, mi espejo, no veo ninguno de mis muebles.

El falso y estafador curandero estuvo un tiempo en la cárcel y devolvió cada uno de los muebles a la anciana.

El rapto de Helena

Veinticinco de enero

No había en el mundo una mujer más bella que Helena. Claro, era hija del gran dios Zeus. Y claro, tenía cientos de pretendientes, todos querían casarse con ella. El rey de su ciudad, donde era princesa, no sabía cómo elegir uno entre tantos, pues temía que los que no fueran elegidos se enojaran y se armara una catástrofe. Esas son las cosas del amor. Así que un guerrero muy inteligente llamado Ulises propuso un plan: hizo prometer a todos los pretendientes que cualquiera que Helena eligiera sería aceptado y todos defenderían el matrimonio por encima de cualquier dificultad. Todos los hombres de la ciudad aceptaron. Esas son las cosas de la vida en comunidad. Entonces Helena eligió a un valiente y sencillo hombre llamado Menelao.

Vivían muy felices en el palacio hasta que un día ocurrió algo inesperado. Menelao tuvo que salir de viaje y mientras Helena estaba en su jardín, se encontró con un joven extranjero que venía de la ciudad de Troya, llamado Paris. La diosa Afrodita, diosa del amor, quiso que Helena y Paris se enamoraran. Así que con su ayuda Paris raptó a Helena y se la llevó a Troya. Y, claro, se armó una gran catástrofe. Todos en la ciudad habían hecho una promesa: defender el matrimonio de Menelao y Helena. No iban a permitir que un extranjero los ofendiera de esa manera. Decidieron, entonces, ir a recuperar a Helena, costara lo que costara. El viaje a Troya estuvo lleno de peligros y aventuras, de los que más adelante tendrán noticia.

La zorra con su cola cortada

Veintiséis de enero

Esta era una zorra que vivía avergonzada, porque hacía un tiempo su cola había quedado atrapada en una trampa y desde entonces miraba con envidia y tristeza las largas y peludas colas de sus compañeras. Un día decidió que esto podría solucionarse diciéndoles a todas que debían cortarse la cola y así su defecto no se notaría en la igualdad con las demás. Así fue que las reunió y les dijo:

—Hermanas, en realidad la cola es fea y pesada. Por propia experiencia les aconsejo que se la corten y se librarán de ese molesto artefacto del cuerpo.

Las hermanas zorras la miraron con desconfianza y supieron a quien nunca pedirle un consejo.

La zorra y el gallo

Veintisiete de enero

Como todos saben, a las zorras les encanta comer aves: pájaros, gallos, gallinas y palomas. Como todos saben, a los perros grandes les gusta cazar conejos, zorras y ratones.

Estaba un gallo de plumas brillantes y coloridas mostrando su pecho arriba de un árbol. Y como no pasaba desapercibido, una zorra lo vio y se imaginó esa rica pechuga en un plato para la cena. Entonces le dijo:

—Gallo, amigo mío, ¿ya te enteraste de la última noticia?

—No, ¿qué pasó? —preguntó algo desconfiado el gallo.

—Acabo de enterarme de que se firmó un acuerdo de paz entre las zorras y los gallos. Las zorras ya no volveremos a comer gallos ni gallinas. Baja y te doy un abrazo de paz.

El gallo se rió para sus adentros y le dijo:

—Debe ser cierto, pues desde aquí veo tres perros que vienen corriendo para hacer un acuerdo de paz con las zorras.

Sin mirar siquiera para atrás, la zorra salió corriendo más rápido que un tren.

Don Quijote de la Mancha

Veintiocho de enero

Érase una vez un hombre bueno, un hidalgo que vivía en una vieja hacienda, en un lugar de la Mancha. Llegaba ya a los cincuenta años. Su rostro era flaco, su cuerpo enjuto y alargado. Era tanta su pasión por los libros de aventuras de caballeros, princesas y dragones, que había llegado incluso a vender parte de su hacienda para comprar más libros. Leyó tanto y con tanta devoción, que perdió la noción de la realidad. Es decir, en palabras de su propia familia, el buen hidalgo, don Quijote, se enloqueció. Montó su viejo caballo, vestido con una antigua armadura, armado con una lanza de museo y una espada de juguete, y se aventó al camino a buscar aventuras. A buscar aventuras se fue Don Quijote en tiempos de adversidad, vestido de caballero cuando ya los caballeros no existían, a rescatar doncellas que desde hacía siglos eran abuelas, a pelear contra dragones olvidados y sin dientes. Sin embargo, una que otra aventura sí pudo encontrar, no tan heroicas como las que leía en los libros, pero dignas también de ser contadas más adelante.

La creación según los muiscas

Veintinueve de enero

Hace miles y miles de años, antes de nuestros abuelos y bisabuelos, mucho, mucho antes de los cavernícolas y dinosaurios, todo era oscuridad y frío. No había luz ni calor en ningún momento en ninguna parte. Tampoco había animales, ni plantas, ni personas, solo vivían en el mundo un dios muisca y su familia: Nemequene, su esposa y su hijo.

Un día, Nemequene quiso crear la vida, entonces tomó un poco de barro y empezó a hacer figuras. Lo primero que hizo fue flores, muchas flores, porque a su esposa le gustaron mucho.

Se demoraba días haciendo cada pétalo y dándoles distinta formas. Otro día se levantó con mucha fuerza y recogió abundante barro, lo juntó y le dio bellas formas de montañas. Luego, con sus dedos modeló figurillas

con forma de personas. Descansó una semana, pues sus manos ya estaban un poco agrietadas. Soñó entonces con un animal con garras, otro con manchas y uno que volaba. Se despertó y quiso hacerlos. Buscó el mejor barro y creó un puma, un jaguar y un pájaro de alas enormes.

Así pasaron los días y los meses. Pero las figuritas que el dios Nemequene hacía no se movían, no respiraban, no tenían colores. Entonces llamó a su hijo y le pidió que subiera al cielo para iluminar la tierra.

El hijo de Nemequene llegó al cielo y se convirtió en Súa, el Sol, para iluminar el mundo oscuro. Los brillantes rayos de Súa inundaron la Tierra, el barro se calentó y

las figuras comenzaron a moverse y a tomar distintos y hermosos colores. Pero ni las personas ni los animales que Nemequene había hecho estaban completamente felices, pues mientras Súa dormía, volvían a estar en completa oscuridad, recordándoles los tiempos en que eran solo barro frío. Entonces, el dios decidió subir al cielo y se convirtió en Chía, la Luna. Así compartió la tarea de iluminar el mundo con su hijo. Desde entonces, los habitantes creados por Nemequene quedaron contentos, y nunca olvidan darle las gracias haciendo fiestas en su nombre y llamando a sus hijos suachías, antes de darles un nombre.

Domo y Lituche

Treinta de enero

Hace mucho tiempo en el mundo solo había un espíritu que vivía en el cielo. Un día cualquiera decidió hacer la vida. Hizo una criatura a la que llamó «Hijo» y con el tiempo quiso que fuera a la Tierra. Lo lanzó con tanto entusiasmo que recibió un fuerte golpe al caer. Para ver que estuviera bien, abrió una ventana en el cielo, esa ventana es la Luna. Desde allí el espíritu vigila nuestros sueños. También quiso el espíritu ver a su hijo de día y abrió otra ventana que es el Sol, que tiene además como misión calentar la Tierra.

Pero el hijo se sentía solo y entonces el espíritu envío a la Tierra a una mujer de piel muy suave. A cada paso que ella daba iba creciendo la hierba y cada vez que cantaba salían de su boca pájaros, mariposas e insectos. Cuando se encontraron, ella le preguntó al hijo quién era. Él respondió:

—Soy Lituche, el hombre del comienzo. ¿Y tú?

—Soy Domo, la mujer. Amándonos haremos florecer la vida.

A partir de ese momento, el hombre y la mujer construyeron su hogar en la Tierra.

El río de san Gangulfo

Treinta y uno de enero

Gangulfo era un buen hombre. Tenía cara de tonto, porque todo hay que decirlo, pero era bueno como el pan. Bueno, de gran corazón y creía profundamente en la verdad.

Un día caminaba Gangulfo por una vereda. Encontró un riachuelo y bebió de él con mucho gusto. Un hombre se le acercó. Dijo ser el dueño de esas tierras y ofreció venderle el riachuelo. Gangulfo aceptó y le dio todo el dinero que llevaba encima.

Al llegar a casa, su esposa le preguntó por el dinero. Cuando Gangulfo le contó, la mujer lo increpó de forma violenta. Gritaba, su voz se oía hasta en la copa de los árboles más altos. Cara de tonto, le decía, zopenco, retrasado, cerebro de espuma.

Salió entonces Gangulfo, creyendo en el corazón y profundamente en la verdad de las cosas, y señaló un lugar al frente de su casa. En ese instante surgió el riachuelo que había comprado, secándose en el mismo momento en la otra vereda.

Por su fe, desde entonces es recordado Gangulfo como un santo: san Gangulfo.

Febrero

El pescador y el efrit

Primero de febrero

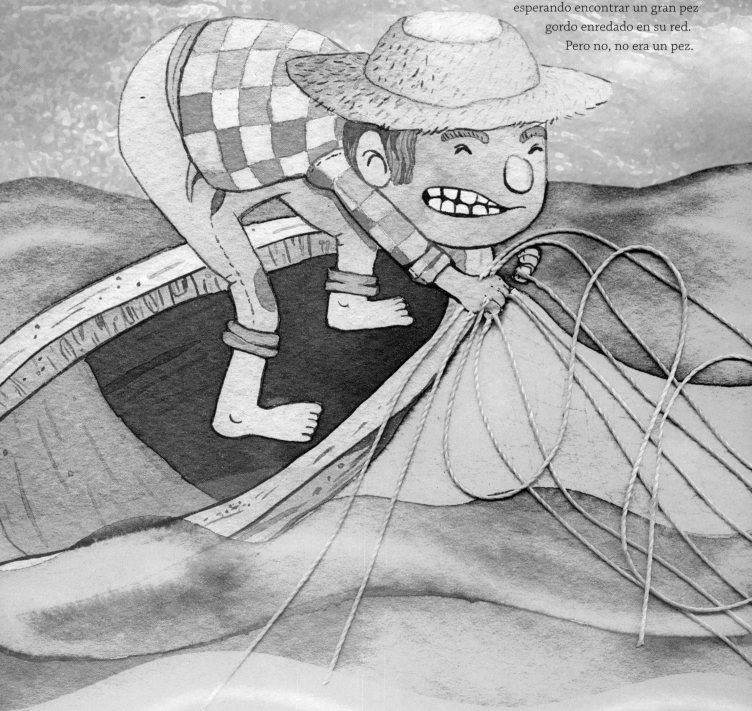

Un viejo pescador, sabio y recorrido, echaba su red al mar cuatro veces todas las mañanas. Cuatro veces, nunca más, nunca menos. Una mañana lanzó su red la primera vez. Cuando quiso recogerla estaba tan pesada que temió romperla si halaba con más fuerza.

Se lanzó entonces al mar esperando encontrar un gran pez enredado en su red. Pero no era un pez, era un burro muerto, ya medio podrido. Lanzó la red por segunda vez. Cuando tiró de ella estaba otra vez tan pesada que temió romperla. Se lanzó entonces al mar esperando encontrar un gran pez gordo enredado en su red.

Pero no, no era un pez.

Era un viejo mástil de un barco naufragado hacía mucho tiempo.

Lanzó la red por tercera vez. Cuando quiso recogerla estaba de nuevo tan pesada que temió rasgarla. Se lanzó entonces al mar esperando encontrar un gran pez gordo y sabroso enredado en su red. Pero no, no era un pez. Era una ballena inmensa y borracha que halaba la red para molestar al pescador.

Lanzó la red por cuarta vez. Cuando quiso recogerla estaba tan pesada que de nuevo tuvo que tirarse al mar esperando encontrar un gran pez gordo, sabroso y delicioso enredado en su red. Pero no, no era un pez. Era una alforja grande con la tapa sellada con cemento.

Como ya no lanzaría más la red, así eran sus costumbres, decidió sacar del mar la alforja. En la playa rompió la tapa de cemento con una piedra. En el mismo instante de romper la tapa, salió una columna de humo altísima de la alforja. Y de la humareda apareció un genio grandísimo, inmenso, que tapaba el sol con su tamaño. El genio miró al pescador y le dijo:

—Una vez, hace tres mil años, un pescador me sacó del mar. Pero no abrió la tapa de la alforja y me volvió a tirar al agua. Una segunda vez, hace dos mil años, un pescador me sacó del mar. Pero no abrió la tapa de la alforja y me volvió a tirar al agua. Una tercera vez, hace mil años, un pescador me sacó del mar. Pero no abrió la tapa de la alforja y me volvió a tirar al agua. Juré entonces que mataría al primer pescador que sacara la alforja del mar y abriera su tapa. Juré que lo mataría para vengarme de todos los demás pescadores.

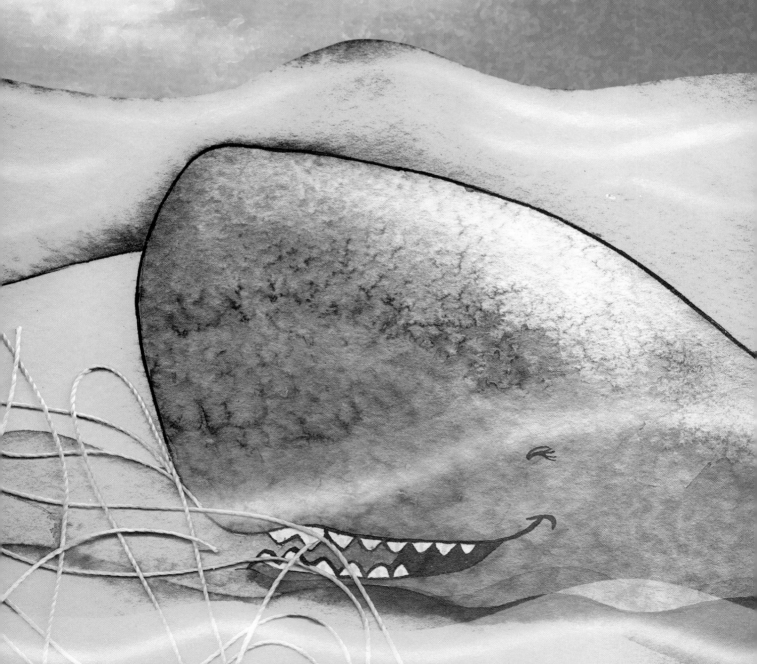

El viejo y sabio pescador le dijo, entonces:

—Pues frente a un juramento nada puedo hacer yo. Lo que sí me pregunto es por qué te consideras tan poderoso como para matar a un pescador inteligente y viejo como yo.

Y el genio le respondió:

—¿Acaso no ves lo grande que soy?

A lo que el pescador dijo:

—Grandes son las montañas y las ballenas y los elefantes, que no matan ni a una mosca. Pequeños son las serpientes y los alacranes y las arañas venenosas, a quienes sí temo de verdad. El verdadero poder lo tienen los pequeños.

Con una gran y sonora carcajada el genio se hizo pequeñísimo. Pero antes de que pudiese decir algo, ya el pescador lo había encerrado nuevamente en la alforja y lo había tirado al mar.

Aunque ese día no tuvo qué comer, pudo el pescador conservar su vida. Y sí pescó al día siguiente cuatro grandes, gordos, sabrosos y deliciosos peces, uno por cada vez que lanzó su red.

El príncipe mártir y el rey pagano

Dos de febrero

Hubo una vez un rey y su esposa la reina, que adoraban el fuego. Eran magos poderosos y no creían en dios alguno, creían en el fuego. Tuvieron un hijo, a quien quisieron mucho. Encomendaron la educación de su hijo a una anciana sabia. La anciana, a escondidas de los reyes, le enseñó al príncipe todo sobre dios y las lecturas sagradas.

Vino el tiempo en que un profeta anunció la destrucción de las ciudades paganas. Los reyes no creyeron las palabras del profeta, persistieron en su

magia y en el fuego como motivo de su adoración. Cayó entonces sobre el reino una terrible maldición. Todos quedaron convertidos en estatuas de piedra. Todos menos el joven príncipe, que se entregó a la oración y a la lectura de las palabras sagradas.

El dios del joven príncipe, aunque muy poderoso, no tuvo nunca piedad. Hasta la hora del olvido rezó y rezó el joven príncipe, sin poder ver nunca a su gente volver a la vida.

Atenea

Tres de febrero

No todos los dioses nacen como nacen los seres humanos. Los dioses pueden nacer de los hombres y de sus cabezas. Es el caso de la diosa Atenea, diosa de la Sabiduría, que nació de la cabeza de Zeus. Cuando Zeus sintió un terrible dolor de cabeza supo que nacería Atenea, así que fue donde el dios Hefestos para que lo ayudara. Entonces Hefestos con su hacha abrió cuidadosamente la cabeza de Zeus y vieron con gran alegría cómo salía una hermosa y fuerte mujer. Porque los dioses no siempre nacen bebés, también nacen grandes y vestidos, como Atenea que nació ya con una brillante armadura.

Un día los dioses del Olimpo discutían qué nombre ponerle a una ciudad. Todos querían que tuviera su nombre. Quien más insistía era Poseidón. Se sentaba en su silla, cerraba los ojos y pensaba: «La ciudad de Poseidón, ¡qué gran nombre!». Pero los dioses decidieron que la ciudad llevaría el nombre del dios que hiciera el mejor regalo a la ciudad. De Atenea diosa de la sabiduría, diosa de grandes ojos de lechuza que pueden ver en la oscuridad, diosa de la paz.

Los tacones de mi negra

Cuatro de febrero

Un pescador vivía con su esposa en una casa humilde al lado de un hermoso río. Detrás de su casa estaba la selva, generosa y llena de vida. Desde un punto de vista, podría decirse que el pescador y su esposa eran pobres, porque no tenían casi ropa, ni joyas, ni televisión, ni lavadora. Desde otro punto de vista, podría decirse también que el pescador y su esposa eran muy ricos, porque no pasaban hambre ni penas, tenían la mejor agua del mundo en grandes cantidades, todo el pescado que podían comer, y plátanos y frutas eran regalo diario de la selva.

Un día el pescador tuvo que ir a la ciudad a comprar un remedio. Caminando por la calle vio unos zapatos rojos de tacón alto en la vitrina de una zapatería. Pensó en su esposa, a quien quería tanto, y pensó que habían andado siempre en pies descalzos. Decidió entonces no comprar su medicamento y llevarle, por primera vez en su vida, un regalo a su esposa.

La esposa del pescador se puso muy feliz. Fue a lavarse los pies y cantaba de alegría. Se calzó los zapatos nuevos. Pero apenas salió de la casa, bajando los escalones de entrada, se le dobló el tobillo y se tronchó el pie. Tuvo que estar con el pie vendado, sin poder caminar, durante un mes, renegando de las riquezas ajenas y disfrutando del amor de su esposo y de las riquezas propias.

Münchhausen conoce al dios Vulcano

Cinco de febrero

Descansaba yo en una agradable cabaña al lado del monte Etna, conversando con algunos aventureros sobre el misterio de los volcanes. No pude dormir pensando en ello y decidí salir muy temprano a explorar lo que había adentro de esa caldera con forma de montaña. Caminé durante tres horas hasta llegar a la cima del volcán que rugía hacía tres semanas con la intención de hacer erupción en cualquier momento. Recorrí la boca del volcán pero no pude comprender nada sobre sus misterios. Así que en un momento de desesperación y entusiasmo, me lancé adentro del cráter. Cuando por fin toqué tierra, si así se puede llamar, estaba completamente magullado y chamuscado. Escuché ruidos, lamentos y gritos. Cerré los ojos y cuando los abrí estaba en medio de una guerra entre el dios Vulcano y los Cíclopes, aquellos gigantes con un solo ojo en la frente. Tres semanas era justamente el tiempo que llevaba la guerra, razón por la cual el volcán estaba en erupción. Mi llegada permitió hacer una pausa y establecer un acuerdo de paz. Vulcano me trajo ropa y unas pomadas que sanaron instantáneamente mis heridas. También me ofreció vino y comida. Cuando ya estaba más repuesto, Vulcano me presentó a su esposa: Venus. No se pueden imaginar la belleza de esta mujer, el encanto y la bondad de su corazón.

Vulcano me explicó el misterio de los volcanes: «Lo que los seres humanos ven cuando hay erupción no son más que los trozos de fuego que lanzo a mi gente cuando

me sacan de casillas, ellos ya son tan rápidos que logran esquivarlos y van a parar a la boca del volcán. Soy bastante temperamental y aquí abajo tenemos con frecuencia peleas. Ustedes los mortales se lanzan por la cabeza sartenes, nosotros nos lanzamos piedras calientes».

Me encantaban las conversaciones con el dios Vulcano, en realidad aprendía mucho, pero para serles sincero, prefería la compañía de su esposa Venus. Un día, el temperamental dios se dio cuenta de esto y me llevó arrastrado hasta un profundo abismo, me dio un puntapié y me lanzó a lo que yo pensé sería el infierno. Me desperté por los picotazos de una gaviota: estaba en una playa al otro extremo de la Tierra. Allí viví una pequeña aventura que más adelante les contaré.

Alí y la flauta de caña

Seis de febrero

Cuentan que hubo un sabio que le reveló a un joven llamado Alí secretos que le prohibió repetir. Alí estuvo cuarenta días intentando no decir a nadie estos profundos secretos. Pero hubo un día en que no pudo resistir más y se fue al campo, donde encontró un pozo. Allí metió su cabeza y repitió en voz baja todos los secretos que el sabio le había contado. Mientras hablaba, su saliva cayó al agua y unos días más tarde empezó a salir una caña al lado del pozo. Un pastor la cortó, le abrió unos agujeros e hizo una flauta. A los pastores les gusta tocar la flauta porque su sonido tranquiliza a las ovejas. La música que salía de aquella flauta se hizo famosa. Verdaderas multitudes llegaban donde el pastor estaba con sus ovejas. Hasta los camellos se acostaban a escuchar la delicada música que conmovía hasta el llanto. De boca en boca fue pasando la historia de la flauta hasta que llegó al sabio, quien mandó hacer venir al pastor. El sabio le dijo: «Los sonidos que salen de tu flauta son los misterios que le comuniqué un día a Alí. Si alguien que escucha tu música no puede oír los misterios es porque no es pura su alma». El pastor volvió con sus ovejas y siguió tocando su música comunicando los misterios a las personas de alma pura y corazón generoso.

El ave extraordinaria

Siete de febrero

Era un viajero que había pasado la mayor parte de su vida buscando un ave, pero no un ave cualquiera, sino un ave extraordinaria. Decían que era tan blanca que irradiaba luz y tan especial que nunca nadie había visto su sombra. Creyó haberla encontrado cuando vio volar a un esbelto cisne. Se ilusionó cuando se enfrentó a un hermoso faisán blanco. Pero ningún pájaro tenía las plumas tan blancas y todos tenían sombra.

Un buen día se cruzó con un anciano que le mostró el camino. Subieron una montaña muy alta y allí el caminante pudo ver, finalmente, al ave extraordinaria. En verdad podía iluminar hasta la más oscura de las noches. El anciano le dijo que aunque muriera, su plumaje nunca dejaba de brillar y que, en cambio, si alguien le quitaba una pluma esta perdía el color.

El caminante regresó muy satisfecho de haber cumplido su sueño y pensó que el plumaje de aquel pájaro extraordinario era como la fama bien ganada y el honor: no pueden quitarse a quien los tiene y siguen brillando incluso después de morir.

La muerte de Abel Antonio

Ocho de febrero

Abel antonio era un músico muy famoso en la región donde vivía. Tocaba acordeón. Con frecuencia lo invitaban a otros pueblos a tocar en fiestas. Y también lo invitaban a funerales y bautizos. En aquellas tierras, en aquel entonces, era usual pedirle a los músicos que tocaran en todo tipo de eventos, nacimientos y muertes, alegrías y tristezas. Él aceptaba siempre gustoso esas invitaciones. A veces, estando en un pueblo, lo invitaban a otro más lejano y así duraba varias semanas fuera de casa.

Una de esas ocasiones, cuando ya llevaba muchas semanas, meses ya, fuera de casa, alguien le dijo: «Abel Antonio, ven, acompáñame a este otro pueblo, que hay fiestas y mucha parranda». Pero Abel Antonio le dijo: «Hombre, estoy muerto de cansancio, déjame volver a casa». Y este hombre se fue a ese otro pueblo y repitió las palabras de Abel Antonio: «No, Abel Antonio no viene, está muerto de cansancio». Y esas palabras se fueron repitiendo de boca en boca, y el viento se fue llevando algunas palabras, hasta que al pueblo donde estaba la casa de Abel Antonio llegó así la noticia: «Abel Antonio está muerto». Y como las palabras son más rápidas que los hombres, la noticia llegó antes que el mismo Abel Antonio.

Y como era tan querido Abel Antonio en ese pueblo, todos quienes ahí vivían, fueron a su funeral. Cuando Abel Antonio volvió a casa, no encontró a nadie. Salió a las calles a buscar a su gente, y cuando vio que todos estaban al lado de la iglesia velando un muerto, se sentó en un rincón, en la parte de atrás, a tocar bajito y triste su acordeón. Acostumbradas como estaban las gentes de ese pueblo a la música en los velorios, nadie se fijó en su presencia.

Ya entrada la noche, Abel Antonio se inclinó al oído de una vieja que rezaba y le preguntó: «¿Quién es el muerto?». La vieja se puso un dedo sobre la boca, indicándole así que hiciera silencio, y, sin mirarlo, le dijo: «Abel Antonio». Y Abel Antonio se quedó entonces pálido, quieto, sentado en un rincón, tocando la música más triste que conocía, en su propio velorio, velando su propia muerte hasta el amanecer.

La boda de los ratones

Nueve de febrero

Pablito tenía siete años. Desde que nació lo acompañaba un hada de delgadas y brillantes alas azules. Todas las noches, después de que sus padres le daban el beso de las buenas noches, ella salía de la almohada estirando las piernas y sacudiendo las alas. Era el hada de los sueños.

Una noche llegó muy apresurada y Pablito notó algo raro en ella: tenía escarcha en sus alas y flores amarillas en el pelo.

—¡Rápido, Pablito! Gabriela y Eugenio, los ratones que viven bajo el suelo, van a casarse y ¡estamos invitados a la fiesta!

—Sí —dijo Pablito—, ¿pero cómo paso yo por ese agujero?

El hada de los sueños voló sobre él y lo roció de escarcha. Se fue haciendo más y más chico, tanto que casi no logra salir de la enorme pijama que lo cubría. Entonces se puso el uniforme de uno de los soldaditos de juguete y se subió a un dedal que un ratoncito arrastraba. Pablito y el hada fueron juntos a la boda de los ratones. Había muchos invitados. Alicia, la hermana de la ratona Gabriela, había venido de muy lejos para preparar la más deliciosa de las tortas. Las mesas eran cortezas de queso muy bien decoradas y los esposos lanzaban, desde su bola de queso mozzarella, arroz y alpiste a los invitados.

Pablito estaba muy feliz, pero el hada le recordó que ya era hora de volver y se encontró nuevamente en la cama, durmiendo tranquilamente, con mucho arroz en el pelo y un trozo de queso en el bolsillo.

La triste historia de Sobeida

Diez de febrero

Sobeida era un princesa hermosa. Ella y sus dos hermanas eran las herederas de un reino próspero. Además de hermosa, Sobeida era muy querida en su reino, gracias a su carácter amable y generoso. Sus dos hermanas, en cambio, padecían de envidia y ambición. Sucedió que un hermoso príncipe se enamoró de Sobeida. Conociendo el temperamento de sus hermanas, Sobeida renunció a su parte de la herencia. Les pidió a sus hermanas que se quedaran con todo y la dejaran ser feliz con su enamorado. Las hermanas aceptaron quedarse con todo, pero eran demasiado envidiosas para permitir que Sobeida fuera feliz. Se las arreglaron entonces para asesinar al príncipe. Un poderoso hechicero lleno de odio, pero que alguna vez había recibido la generosidad de Sobeida, se enteró de lo sucedido. Lanzó entonces una maldición contra las hermanas, las convirtió en dos perras negras. Cuando Sobeida supo lo sucedido, le rogó al hechicero deshacer su maldición. Esto enojó aún más al poderoso hechicero. En su enojo, condenó a Sobeida a propinar trescientos azotes cada tarde a cada una de las perras negras, sus hermanas.

Así terminó entonces la piadosa Sobeida, dos veces castigada por el injusto odio ajeno.

El envidioso y el envidiado

Once de febrero

Un hombre muy envidioso vivía al lado de un hombre a quien le iba muy bien. Era tanta la envidia que sentía el envidioso, que llegó al punto en que no podía dormir de la ira. Tanta era la ira que lo albergaba. Cuando el vecino envidiado se enteró de la situación, decidió irse a vivir a otra parte, para que su vecino pudiese vivir en paz. Allá en otra parte le fue al envidiado mejor que nunca. Por una mala casualidad, el envidioso se enteró de la dicha de su antiguo vecino. Fue entonces hasta donde vivía el envidiado y lo tiró de cabeza a un pozo. Pero sucedió que el envidiado no solo sobrevivió, sino que encontró un tesoro inmenso en el pozo. Entonces, el envidiado, siendo un hombre inmensamente rico, mandó traer al envidioso, advirtiendo a sus hombres que no le hicieran daño alguno. Al verlo lo abrazó y le regaló una buena parte de su fortuna. Así fue el envidiado siempre un hombre muy feliz y el envidioso pudo finalmente dormir tranquilo.

El barón Münchhausen y la guerra contra el Sol

Doce de febrero

Ese buen tío mío que les mencioné en una historia anterior me pidió que lo acompañara a un viaje a la Luna. La verdad es que yo ya estaba cansado de viajar y hacía poco había vuelto de una aventura allí. Pero, como ustedes saben, le estaba muy agradecido por todo lo que había hecho por mí. Él quería ir a la Luna porque había escuchado que había allí un pueblo habitado por seres muy pequeños. Yo no creo en esas historias, por supuesto, pero emprendimos el viaje. Como era de suponer, no encontramos nada, salvo unos hombres y mujeres que bailaban ballet por los aires. Dieciocho días después de estar recorriendo los ríos de la Luna, un huracán hizo que nuestro buque volara hacia un país redondo y brillante. Allí vimos grandes figuras que volaban sobre buitres gigantes de tres cabezas. Nos contaron que estábamos en la Luna. Así que no tenemos ni idea de cómo se llama aquel lugar donde estuvimos primero. El rey de la Luna estaba en guerra con el Sol. Las figuras que cabalgaban sobre los buitres eran sus soldados. Usaban como armas rábanos que matan instantáneamente a quien resulte herido por ellos. Cuando no hay cosecha de rábanos, usan las puntas de los espárragos como flechas. Los hongos son sus escudos. El rey nos ofreció hacer parte de su ejército, se lo agradecimos mucho, pero preferimos aceptar su otra oferta: descansar en uno de sus cómodos cráteres mientras la guerra terminaba, al menos por ese día.

As-Samet, el silencioso

Trece de febrero

Eran siete hermanos, el primero, Al-Bakbuk, la burbuja de agua; el segundo, Al-Haddar, el estridente; el tercero, Al- Bakbak, el glogloteante; el cuarto, Al-Kusu, el alcuza; el quinto, Al-Aschar, el de diez codos de largo; el sexto, Schekalik, el jarro rajado; y el séptimo, As-Samet, el silencioso.

As-Samet, el silencioso, caminaba distraído a la vera del río. No se dio cuenta que diez reos fueron bajados de un bote camino a ser decapitados. Sin darse cuenta, quedó en la fila de los reos y fue encadenado con ellos. Cuando el verdugo había ya decapitado a diez, dio el aviso: «Acá sobra uno». Contaron de nuevo cabezas caídas y otra vez y una tercera vez. Y le preguntaron a As-Samet: «¿Cómo es que no dices nada a tu favor?». «Bueno, no en vano me dicen As-Samet, el silencioso, soy conocido por mi discreción y pocas palabras», dijo As-Samet.

El segundo día en la Luna

Catorce de febrero

Después de que el rey del Sol y el rey de la Luna llegaron a algún acuerdo para poner fin a su guerra, pudimos conocer más de cerca a los habitantes de la Luna, que no se llaman seres humanos sino criaturas cocineras, pues igual que nosotros, cocinan la comida con fuego. Solo comen doce veces en el año, una por mes, y hacen así: abren el lado izquierdo de su estómago, meten la comida necesaria y lo vuelven a cerrar. Las criaturas cocineras no se reproducen como nosotros, ellos crecen en los árboles. Son árboles grandes, hermosos, de ramas fuertes y sus frutos son nueces muy duras que cuando maduran se echan en una olla de agua caliente y de allí salen las criaturas cocineras, habitantes de la Luna. La profesión u oficio de cada criatura ya viene determinado; así, de una cáscara sale un abogado, de otra un filósofo, de algunas granjeros y de muy pocas, odontólogos. Tan pronto salen empiezan a perfeccionarse en la práctica, pues en la cáscara solo conocen la teoría. Nadie puede saber qué va a salir antes de meterla en la olla. Pero escuché de un mago lunar que dicen que con solo observar el color de la nuez puede adivinarlo. Me interesó mucho conocerlo y emprendí un largo viaje hasta su escondido refugio, pero esa es otra historia que algún día les contaré.

A la Luna en habichuela

Quince de febrero

Descansaba yo en el palacio de un amigo que muy cordialmente me había invitado después de que lo hubiera salvado de morir bajo la panza de un enorme rinoceronte en una excursión por África. Solo me había pedido un favor: que cuidara de sus abejas todas las tardes. Debía sacarlas al bosque a que recolectaran el polen y después asegurarme de que volvieran a sus colmenas. Estaba en eso cuando aparecieron dos osos

queriendo atrapar una abeja para robarle la miel. Yo llevaba conmigo un hacha de plata. Para espantar a los osos lancé lo más fuerte que pude el hacha y, ciertamente, logré asustarlos y recuperar a la abeja, pero el movimiento de mi brazo fue tan enérgico que el hacha fue a parar a la luna. Allí estaba: clavada en la luna como si fuera un tronco.

No quería volver al palacio sin el hacha, así que me detuve a pensar qué hacer. Sentado en el bosque recordé que en esas tierras las habichuelas crecen muy alto y rápido. Sembré entonces una habichuela y esperé cuatro minutos, hasta que creció tan alto que se enredó en una de las rocas de la luna. Trepé hasta arriba y encontré mi hacha.

Decidí descansar en un montón de paja que encontré. Cuando desperté, noté que el sol había secado mi planta de habichuela. Y como siempre que estoy en problemas me siento a pensar, eso hice, y mirando aquel montón de paja decidí hacer una trenza tan larga que me permitiera volver a la Tierra. Cuando ya estaba cerca de la Tierra, la cuerda se reventó y caí tan fuertemente que dejé un profundo hueco en el campo de mi amigo, tan grande que decidió construir una piscina. Y allí, en la piscina, terminé de pasar mi descanso.

El barón de Münchhausen disparado por un cañón

Dieciséis de febrero

Y así fue, queridos amigos, que estaba yo en un puerto ayudando a un amigo comerciante a supervisar que toda su mercancía saliera del barco sin daño alguno. Era un día de verano, a las tres de la tarde y había estado de pie todo el día. Cuando toda la carga se hubo desembarcado, busqué sin suerte alguna sombra. Lo único que vi cerca fue un cañón y decidí meterme allí y darme un merecido descanso. Pero justo ese día era el cumpleaños del rey y siempre lo celebran disparando los cañones de la plaza. Como nadie podía imaginar que yo estuviera allí, me dispararon y salí con tanta fuerza y velocidad, que atravesé el océano y caí en un montón de heno. Tal fue el impacto que allí, en el montón de heno, estuve durmiendo durante tres meses hasta que una vaca me mordió una pierna y desperté, ya descansado y sin calor.

Bakbuk, la burbuja de agua

Diecisiete de febrero

Eran siete hermanos, el primero, Al-Bakbuk, la burbuja de agua; el segundo, Al-Haddar, el estridente; el tercero, Al-Bakbak, el glogloteante; el cuarto, Al-Kusu, el alcuza; el quinto, Al-Aschar, el de diez codos de largo; el sexto, Schekalik, el jarro rajado; y el séptimo, As-Samet, el silencioso.

Al-Bakbuk era un buen sastre. Un día vio a una mujer hermosa en la ventana de enfrente de su tienda. Al-Bakbuk se enamoró de la mujer con tanta intensidad que casi no podía dormir ni probar bocado. Un hombre vino a pedirle varias camisas. La hermosa mujer abrió su ventana y le guiñó un ojo a Al-Bakbuk, haciéndole entender que no le cobrase nada al hombre. Así volvió el hombre una vez más por pantalones y otra por un costoso abrigo. Siempre detrás la mujer guiñaba un ojo. Cuando Al-Bakbuk se decidió a tocar a la ventana de la hermosa mujer, descubrió que el hombre de las camisas era su esposo. Acostumbraban urdir planes aprovechando la belleza de la mujer. Desde esa vez, Al-Bakbuk no ha vuelto a ver a mujer alguna. Por eso le dicen burbuja.

Hombres vestidos de mujeres

Dieciocho de febrero

Hubo una vez, en un antiguo país tropical, una larga guerra. Todos los hombres eran soldados, o estaban muertos, o se habían escondido para no ser soldados ni morir en la guerra. La orden del jefe del ejército era disparar a matar a cualquier hombre que no fuese soldado o no estuviese ya muerto.

Las mujeres de esa región, solas, lloraban a sus hombres, o bien porque estaban muertos, o bien porque estaban a punto de morir en la guerra, o bien porque escondidos en la selva era igual a que estuvieran muertos. Las mujeres extrañaban mucho a sus hombres. Los hombres extrañaban mucho a sus mujeres. Extrañaban besarse y tocarse, reírse y cantar, bailar y parrandear. Decidieron entonces organizar una fiesta.

Mandaron a lo profundo de la selva los caballos de los hombres, cargados con alforjas llenas de ropa de mujer. Los hombres se vistieron con la ropa de las mujeres, con largos vestidos brillantes, turbantes coloridos y bajaron a la fiesta cantando con voz en falsete.

Los soldados armados se acercaron a ver qué pasaba. En la noche profunda, a la luz de grandes fogatas, vieron solo faldas y turbantes bailando, y oyeron solo voces agudas cantando. Se devolvieron a su campamento e informaron a su jefe que la bulla venía de una fiesta de puras mujeres solitarias y desesperadas.

Münchhausen llega a la Isla de Queso

Diecinueve de febrero

Íbamos mi tío y yo en un barco hacia Inglaterra. De pronto, estalló una tempestad que en poco tiempo destrozó nuestro barco y perdimos al capitán. Nos aferramos a los trozos del barco hasta que se calmó el mar. Sorprendentemente, todo empezó a cambiar: el viento era cálido y llegaban a nuestras narices los olores más exquisitos, el mar ya no era verde ni azul, sino blanco. Unos instantes después divisamos tierra y nos dirigimos allí. Pero nuestros pies se hundían de manera muy graciosa, por lo que decidimos saltar y jugar un rato para olvidar el mal momento por el que habíamos

pasado. Cada vez saltábamos más alto pero la caída era más fuerte. En un momento, caí boca abajo y noté un extraño y fuerte olor: olía a queso.

La isla entera era un enorme trozo de queso. Supimos que del queso vive la gran mayoría de habitantes de la isla y todo lo que se consume en el día crece nuevamente en la noche. Los habitantes son criaturas muy altas y delgadas, tienen tres piernas y un solo brazo, y cuando se hacen mayores les crece un cuerno en la frente. Hacen carreras por los lagos de leche y se pasean por ella sin hundirse, como nosotros por un prado. Comimos mucho queso y nadamos en ríos de leche hasta que nuestros estómagos empezaron a hacer un ruido tan estruendoso, que asustó a los habitantes de la isla. En cuestión de minutos las criaturas construyeron un bote y nos subieron a él antes de que explotáramos en su isla.

El bote resultó estupendo y logramos llegar a Inglaterra. Allí tomamos solo té de bergamota durante una semana para restaurar nuestro maltratado estómago. Y ahora que recuerdo la historia, me entraron unas ganas enormes de un trozo de pan con queso azul y una gran jarra de té. Hasta la próxima.

Los colores del arco iris

Veinte de febrero

Pie pequeño ya no era pequeño, era un hombre grande y querido en su tribu. Un día decidió salir a buscar unas piedras color violeta que se usaban como dinero. En el camino se entretuvo mirando las hojas naranjas que cubrían el suelo. Recogió una que le llamó la atención y la guardó en una bolsa de cuero donde guardaba las piedritas. Más adentro del bosque quiso dormir un rato al lado del arroyo y con el calor del sol que calentaba su cuerpo. De pronto, un ruido muy suave lo despertó. Era un zorro que le susurraba al oído: «Pie Pequeño, llegó la hora de abandonar la Tierra». Pie Pequeño le respondió: «Pero Padre Zorro, no quiero irme ahora. Además, todas mis cosas están en casa, debo ir por ellas». El zorro le respondió: «No te preocupes, puedes llevar seis cosas que te gusten. Elige pronto que ya no tenemos tiempo». Pie Pequeño se levantó y tomó una flor roja del suelo, un puñado de pasto y guardó agua del arrollo en una cáscara de calabaza. Metió estas tres cosas en su bolsa de cuero, donde ya tenía la hoja y unas cuantas piedras violetas.

Pie Pequeño se agarró de la cola del zorro y le dijo: «Estoy listo, vámonos Padre Zorro». Ambos volaron hacia el cielo pero la bolsa se soltó y cayeron las cosas que había dentro, reventando contra la tierra. De allí salieron los colores del arco iris que adornan el cielo desde que Pie Pequeño vive allí al lado del Padre Zorro: verde del pasto, naranja como la hoja, azul del agua, rojo como la flor y violeta como las piedras.

Al-Kusu, el alcuza

Veintiuno de febrero

Eran siete hermanos, el primero, Al-Bakbuk, la burbuja de agua; el segundo, Al-Haddar, el estridente; el tercero, Al-Bakbak, el glogloteante; el cuarto, Al-Kusu, el alcuza; el quinto, Al-Aschar, el de diez codos de largo; el sexto, Schekalik, el jarro rajado; y el séptimo, As-Samet, el silencioso.

Al-Kusu vendía carne. Un día, un electrobiólogo le pidió un buen pedazo de carne. Le pagó con tres brillantes monedas de plata. Al finalizar el día, Al-Kusu se dio cuenta que no eran monedas sino papeles brillantes. Cuando el electrobiólogo volvió al día siguiente, Al-Kusu armó un gran escándalo. Pero el electrobiólogo lo acusó de vender carne humana en vez de carne de cordero. Cuando fueron a mirar la despensa, eso fue lo que todos vieron, carne humana. Así de poderoso era el electrobiólogo.

Al-Kusu fue entonces encarcelado. Se sienta en el rincón de la cárcel, acurrucado como una vinagrera, por eso lo llaman el alcuza.

El festival de blancos y negros

Veintidós de febrero

Eran cerca de las tres de la mañana del seis de enero cuando don Ángel María López llegó a la fiesta de la señorita Robby. Don Ángel era el sastre de la ciudad y todos allí lo querían porque hacía unos bellos vestidos llenos de colores y detalles encantadores. Lo querían también porque cuando las personas llegaban a su sastrería con algún problema o tristeza, él contaba chistes y se inventaba historias divertidas. Así, las personas de San Juan de Pasto (como se llama la ciudad) salían no solo con una bonita chaqueta o un elegante pantalón, sino también con una gran sonrisa. Ese día, el seis de enero, todos en la fiesta de la señorita Robby estaban con las caras largas, pues justo esa tarde había muerto la señora Herminia, una anciana negra que ayudaba en la cocina de la señorita Robby. Todos los domingos hacía helados de paila mientras cantaba canciones de sus ancestros africanos. Algunos amigos recordaban con tristeza esos tiempos no tan lejanos en que los negros trabajaban muchas horas del día y no tenían ni un solo día de descanso.

El sastre, quien también apreciaba mucho a la señora Herminia, no quería que la recordaran con tristeza. Entonces vio que una de las asistentes se sonaba la nariz y se secaba las lágrimas frente a un espejito que del otro lado tenía unos polvos perfumados. Suave y sigilosamente le quitó los polvos y empezó a esparcirlos sobre todos los invitados diciendo: ¡Vivan los blanquitos! ¡Vivan los negritos! Al comienzo todos estaban desconcertados, pero a los pocos segundos las señoras buscaban en sus carteras las polveras para unirse al juego.

Desde ese día, todos los seis de enero los habitantes de Pasto se pintan la cara de blanco con talco perfumado y el día anterior, el cinco de enero, se la pintan de negro y gritan: ¡Que vivan los negros! mientras desfilan por las calles y las plazas con hermosas y coloridas carrozas. Dicen que una de esas carrozas siempre lleva por nombre «Herminia».

Al-Haddar, el estridente

Veintitrés de febrero

Eran siete hermanos, el primero, Al-Bakbuk, la burbuja de agua; el segundo, Al-Haddar, el estridente; el tercero, Al-Bakbak, el glogloteante; el cuarto, Al-Kusu, el alcuza; el quinto, Al-Aschar, el de diez codos de largo; el sexto, Schekalik, el jarro rajado; y el séptimo, As-Samet, el silencioso.

Al-Haddar caminaba por la calle cuando una hermosa jovencita le sonrió desde una ventana. Le dijo: «Si entras, tienes paciencia y te dejas hacer lo que queramos yo y mis hermanas, te daré un besito».

Sin pensarlo dos veces, Al-Haddar entró a la casa y se maravilló con la belleza de todas las hermanas. Primero le pegaron en la espalda y el cuello. Después le afeitaron la cabeza y las cejas. Luego lo pintaron de rojo y lo desnudaron. Estando desnudo, la jovencita le dijo: «Si me alcanzas, te daré tu besito», y salió corriendo. Al-Haddar corrió, pero la jovencita le hizo una treta y, sin darse cuenta, terminó en esas fachas en una calle llena de gente. Gritó tan alto y fuerte todo tipo de improperios, que desde entonces le dicen el estridente.

El carnaval de Venecia

Veinticuatro de febrero

Hace muchos años había muchos reyes, reinas, príncipes y princesas. Ahora hay pocos países que tienen castillos donde viven los reyes. Pero en ese tiempo las personas muy ricas vivían encerradas en sus castillos y no les gustaba salir a la ciudad. Pensaban que afuera todo era sucio y desordenado y, además, las normas decían que los de sangre noble no debían mezclarse con el pueblo. Así, estas personas muy ricas bebían los mejores vinos en copas de oro y comían todo tipo de manjares que servían sus empleados; usaban finos perfumes y vestían con telas bordadas con hilos de gusano de seda. Cada año, a lo lejos y desde sus balcones, veían que la ciudad se convertía en una fiesta, se escuchaba a lo lejos risas, música y alboroto. Todos, en silencio, deseaban estar allí.

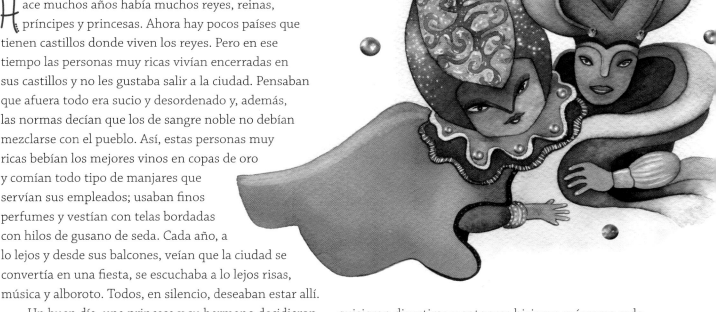

Un buen día, una princesa y su hermano decidieron escaparse a la fiesta, y para que no los reconocieran, se pusieron unas capas negras muy largas, y con telas y papel armaron unas máscaras. Así que salieron a la ciudad, se mezclaron con las personas pobres y no tan pobres y se divirtieron como nunca.

No necesitaron de copas de oro ni trajes lujosos. Contaron su aventura a algunos amigos que también quisieron divertirse y entonces hicieron máscaras cada vez más bonitas. Así, se corrió la voz y cada año más personas ricas se disfrazaban con máscaras para ir a la fiesta del pueblo sin que los reconocieran. Desde entonces, ricos y pobres, príncipes y campesinos comparten la fiesta sin importar su origen. Esta fiesta se llama el Carnaval de Venecia, que ocurre una vez al año y dura diez días.

La muerte de Gáhim

Veinticinco de febrero

Gáhim era comerciante. Vendía telas en su tienda en una concurrida calle de comercio. Gáhim era muy aprehensivo. Temía todo el tiempo que alguien robase su mercancía. Un día, un comerciante de aquella calle murió de viejo. Todos sus colegas fueron a rezar por él. Como era costumbre en aquellas tierras, por tres noches se velaba a un muerto en su tumba. Cerró entonces la calle de comercio mientras todos velaban al muerto. Gáhim estaba muy ansioso por volver a su tienda, temía que le robaran su mercancía. Se inventó entonces una disculpa, dijo sentirse enfermo, y la segunda noche se encaminó de vuelta a su tienda. Pero sucedió que se perdió en la oscura noche. Caminó un rato hasta que decidió dormir mientras amanecía. Se recostó entre unas paredes que se topó para protegerse del viento. Pero ¡ay! del pobre Gáhim, se había metido en una tumba abierta. Cuando amaneció, Gáhim dormía profundamente. El sepulturero de aquel cementerio pensó que el viento habría abierto esa tumba con su muerto adentro y la cerró con una pesada piedra. Así murió el pobre de Gáhim, víctima de su propia aprehensión.

Al-Bakbak, el glogloteante

Veintiséis de febrero

Eran siete hermanos, el primero, Al-Bakbuk, la burbuja de agua; el segundo, Al-Haddar, el estridente; el tercero, Al-Bakbak, el glogloteante; el cuarto, Al-Kusu, el alcuza; el quinto, Al-Aschar, el de diez codos de largo; el sexto, Schekalik, el jarro rajado; y el séptimo, As-Samet, el silencioso.

Al-Bakbak era ciego. Su trabajo era ser mendigo. Vivía con otros cuatro ciegos mendigos. Como las personas se compadecían de su condición, habían logrado reunir una pequeña fortuna con las limosnas. Un día, a la hora del almuerzo, Al-Bakbak notó que había una quinta persona sentada a la mesa. Era un impostor. Armaron un gran escándalo, pero el impostor se hizo pasar por ciego y terminaron todos en la policía. El inspector de policía preguntó qué había sucedido. El impostor dijo que no le querían dar su parte del dinero. Y dijo también que ninguno era ciego de verdad, que todos se hacían pasar por ciegos. Que si les daban unos buenos azotes, empezando por él mismo, todos confesarían. Al primer azote el impostor abrió los ojos. Al pobre Al-Bakbak y a sus amigos los azotaron tanto, que al final prefirieron mentir y decir que sí veían. Además, tuvieron que darle la quinta parte del dinero al impostor. Llora tanto desde entonces Al-Bakbak, con un sollozar que parece un pavo, que le dicen Al-Bakbak el glogloteante.

El diablo del Carnaval de Riosucio

Veintisiete de febrero

Hace muchos, muchos años, por razones que aún no conocemos, dos pueblos se enemistaron. Uno se llamaba Quiebralomo y el otro La Montaña. Cada pueblito tenía su iglesia, su parque y su alcaldía. En el pueblito de La Montaña vivía una hermosa joven indígena que salía todos los domingos a la plaza, frente a la iglesia, a vender frutas. En el otro pueblito vivía un muchacho que cantaba alegres canciones en la iglesia también todos los domingos. Como los pueblos eran tan pequeñitos, las iglesias estaban una al lado de la otra. Así, cada domingo a las doce del día se contaban su amor en silencio, solo a través de sus ojos se podía ver cuán enamorados estaban. Pero sabían que nunca podrían casarse por ser de pueblos enemistados.

Un día, el muchacho dejó de cantar, solo lloraba sin decir palabra. Las frutas de la muchacha dejaron de crecer y ya no había nada que vender los domingos. Entonces, los dos párrocos de las iglesias, José y José, se reunieron para buscar una solución, pues ambos sabían del amor secreto de los dos jóvenes. Al día siguiente reunieron a los dos pueblos frente a las dos iglesias y les dijeron que la noche anterior el diablo los había visitado y les había dicho que si seguían con las disputas, él mismo vendría y los castigaría. Ante ese temor todos aceptaron la reconciliación y lo celebraron con una gran fiesta donde el muchacho volvió a cantar las alegres canciones y las frutas crecieron más bellas y jugosas que nunca. Entonces, los jóvenes se casaron y los pueblitos se unieron en uno solo que se llama Riosucio. Desde aquel día se celebra la fiesta o el Carnaval del Diablo, que es la más larga del mundo, pues comienza en julio y termina en enero.

El cofre misterioso

Veintiocho de febrero

Siempre que Carlos salía del colegio y se dirigía a su casa, buscaba una piedra o una lata para patear por el camino. Esta vez Carlos no encontró ni una piedra ni una lata, encontró un cofre. Se agachó para abrirlo, pero estaba cerrado. Intentó por todos lados, pero estaba muy asegurado. Un poco decepcionado, lo dejó al lado del camino y continuó buscando una piedra o una lata. Pero Carlos no encontró ni una piedra ni una lata, encontró una llavecita. Pensó que tal vez sería la llave del cofre y se devolvió para intentar abrirlo. Se agachó y lo sacudió. Escuchó un ruido. Carlos se emocionó. Abrió el cofre y encontró una colita de ternero. Y si hubiera sido una cola de tigre, este cuento hubiera sido más largo.

Aladino

Veintinueve de febrero

Aladino era un chico guapo, un poco desobediente y algo malandrín. Robaba frutas para comer y flores para las chicas hermosas. Un día un policía lo agarró regalándole una flor a su novia y se lo llevó a la cárcel. Ese mismo día estaba la princesa Jazmín visitando a los presos en la cárcel. Aladino y Jazmín se cruzaron. Aladino quedó prendado por la belleza de la princesa. Y la princesa se enamoró de Aladino, de su guapura y del brillo de sus ojos. La princesa Jazmín no había visto nunca unos ojos tan brillantes. Como había vivido rodeada de oro, bien es sabido que el brillo del oro opaca el brillo de los ojos de hombres y mujeres.

Un día Aladino escapó de la cárcel y cayó en un basurero donde encontró una lámpara dorada, oxidada y sucia. Al frotarla con su camisa para limpiarla, salió de la lámpara un poderoso genio, que le dijo: «Por haberme liberado de mi prisión, te concedo tres deseos». Aladino dijo: «Quiero ser un príncipe. Muy rico. Y quiero que la princesa Jazmín me reciba para proponerle matrimonio». «Tus deseos son órdenes», contestó el genio. Llegó entonces Aladino al palacio de la princesa, con toda su pompa y todo su oro. Pero cuando la princesa lo vio, le dijo: «No puedo casarme contigo, porque me he enamorado de otro hombre». A lo que Aladino respondió: «¿No seré quizás yo ese hombre, a quien no reconoces en estas ropas finas y rodeado de oro?». Y dijo la princesa: «El hombre al que yo amo tiene los ojos más brillantes que el oro. Sus manos son fuertes y generosas. Su cabello negro oscuro y sucio de aventuras. Su piel morena por el viento, el sol y la libertad».

Poco, muy poco tiempo, tuvo que estar Aladino rodeado de oro, de comodidades y seda, para perder las virtudes de las que se había enamorado la princesa Jazmín. Así se quedaron solos dos hermosos seres, sufriendo de sus riquezas, tristes en su dorada soledad.

Marzo

Cenicienta

Primero de marzo

En un castillo algo viejo y descuidado vivían una mujer con sus dos hijas y otra más que era su hijastra. Las hijas de la mujer no hacían más que comer y dormir, y la plata la gastaban en joyas y vestidos. La hijastra, en cambio, se esmeraba en limpiar el castillo que alguna vez fue de su padre. Para ella nunca había un vestido ni una joya, solo un delantal viejo y sucio. Se burlaban de ella porque siempre tenía polvo y cenizas en la ropa y en el pelo. La llamaban Cenicienta. Cenicienta se acostumbró a ese nombre hasta llegar a olvidar el propio.

Cenicienta siempre le daba de comer a los pájaros y ardillas que vivían en el bosque que rodeaba el castillo.

Allí cerca también estaba la tumba de su madre, en la que había sembrado un bello rosal. Cuando estaba triste iba allí y le hablaba a su madre. Ardillas, pájaros, conejos y otros animales del bosque la acompañaban.

Un día, Cenicienta escuchó un gran alboroto: eran sus hermanas que gritaban y bailaban de alegría porque las habían invitado a una fiesta en la que el príncipe elegiría a su esposa. Todas la mujeres estaban invitadas: gordas y flacas, jóvenes y viejas, altas y bajitas, blancas y morenas, todas, todas la mujeres podrían ir al baile. Se decía que el príncipe tenía un don: veía en los ojos de los seres humanos la bondad o la envidia y, por supuesto, deseaba casarse con una mujer bondadosa. Pero las hermanastras y la madrastra no permitieron que Cenicienta fuera al baile. Ella, muy triste, se fue a llorar a la tumba de su madre. Allí mismo apareció una hermosa hada azul que la vistió con un hermoso traje y brillantes zapatos.

Corrió Cenicienta al baile e inmediatamente el príncipe se enamoró de ella, al ver en sus ojos tanta bondad y generosidad. Pero Cenicienta se asustó y salió como entró al castillo: corriendo.

El príncipe hizo otra fiesta para volverse a encontrar con Cenicienta: la bella mujer de la que estaba locamente enamorado. El hada azul volvió a vestir a Cenicienta. Y esta vez el príncipe se cuidó de poner pegamento en las escaleras del palacio, así, cuando Cenicienta salió corriendo nuevamente, uno de sus zapatos quedó atrapado en el pegamento. El príncipe lo cogió y buscó casa por casa hasta encontrar a la dueña de este brillante y pequeño zapato. Finalmente encontró a Cenicienta, quien ya no tuvo miedo y vivió feliz el resto de su vida al lado del príncipe.

La princesa ratoncita

Dos de marzo

Érase una vez, en un reino primaveral, un rey muy feliz por el nacimiento de su hijita. Al bautizo de la pequeña princesa invitaron a todo el mundo. A todos menos a la bruja y a la hermana de la bruja. A la bruja le importaban poco estos eventos reales, que consideraba postizos y acartonados. Pero su hermana sufrió mucho el desplante. Lloraba día y noche por no haber sido invitada. La bruja, que quería mucho a su hermana, se puso furiosa. Maldijo a la princesita y la convirtió en una ratona. Dijo que la maldición solo desaparecería si su hermana reía. Bufones, payasos, saltimbanquis, malabaristas, de este reino y de otros reinos intentaron hacer reír a la hermana de la bruja. Pero ella estaba muy triste, nada la hacía reír.

Un día, decidió la propia princesa, es decir la ratoncita, visitar a la hermana de la bruja. Iba muy furiosa, quería decirle un par de verdades. La hermana de la bruja abrió la puerta. Vio a una ratona minúscula, vistiendo un traje de muñeca mal arreglado, furiosa, haciendo jarras con los brazos, gritando un montón de improperios incomprensibles con una voz chillona y horrible. Fue tan graciosa la imagen que a la hermana de la bruja le dio un ataque de risa. En ese instante, la ratoncita se volvió princesita y a partir de entonces, la hermana de la bruja fue invitada todas las semanas a tomar el té en el castillo del rey.

El rey Yunán y el médico Ruyán

Tres de marzo

Érase una vez un rey llamado Yunán que vivía muy enfermo. Durante largos años sufrió una tortuosa enfermedad de la piel. Nadie había podido curarlo hasta que apareció un buen día el médico Ruyán. Con un extraño ritual y unos ungüentos desconocidos logró curar al rey Yunán. Tan agradecido estaba el rey, que le ofreció grandes riquezas al médico. El hijo del rey, su único heredero, temió perder parte de su herencia y le dijo a su padre: «Ya curado padre, yo lo mandaría decapitar. Con el poder que tiene, así como te ha curado, puede tenerte a su merced». El rey Yunán pensó que su hijo tenía razón. Así que mandó decapitar al médico.

Pero antes le concedió un último deseo. El médico Ruyán le dijo: «Cuando me hayas decapitado, pon mi cabeza en un plato. En mi consultorio encontrarás un libro de tapa roja y delgadas hojas. Deberás buscar la página setenta. Si lees el conjuro que ahí está escrito, mi cabeza muerta te contará tu futuro». Maravillado el rey con este hechizo, hizo cuanto el médico indicó. Buscando la página en el libro de delgadas hojas, el rey se humedeció los dedos con la lengua. Este fue su futuro: un poderoso veneno impregnaba las hojas del libro rojo. Antes de encontrar la página indicada, el rey Yunán cayó muerto, al lado de la cabeza inerte del médico Ruyán.

Yo soy Espartaco

Cuatro de marzo

En tiempos del poderosísimo imperio que fue la antigua Roma, vivió un esclavo llamado Espartaco. Era un hombre tan fuerte que un entrenador de gladiadores decidió comprarlo para su espectáculo. Siendo gladiador, se unió con otros hombres y escaparon al monte Vesubio.

Desde allí promovieron la liberación de todos los esclavos en la antigua Roma. Rebeliones de esclavos empezaron a sucederse por todo el territorio.

Pero el ejército romano era el más poderoso de su tiempo. Después de largas batallas y una guerra cruel, los esclavos fueron sometidos. Los romanos obligaron entonces a todos los hombres rebeldes a ponerse en fila. Como el imperio dependía de los esclavos como fuerza de trabajo para sobrevivir, no podían matarlos a todos. Buscaban a Espartaco, líder de la rebelión, para propinarle un castigo ejemplar y después, la muerte. Preguntaron: «¿Quién es Espartaco?». Nadie contestó. Dijeron entonces: «Empezaremos a matarlos, uno por uno, en fila, hasta que Espartaco se descubra». Para proteger a sus hombres, Espartaco dio un paso adelante. Pero antes que pudiese hablar, en otro lugar de la larga fila, otro hombre dio un paso adelante y gritó: «Yo soy Espartaco». Y en otro lugar de la fila otro hombre dio un paso adelante y gritó: «Yo soy Espartaco». Y así otro y otro y otro y otro. Cientos de hombres gritaron al unísono: «Yo soy Espartaco». Gritaron con tanta furia que los romanos se llenaron de miedo. Aunque vencedores de la guerra, tuvieron que quedarse sin castigar al líder de la rebelión.

El ratón Pérez

Cinco de marzo

Pérez vivía con Rodríguez y Jiménez. Eran tres ratones amigos que se dedicaban a coleccionar objetos extraños. Rodríguez coleccionaba las puntas de los colores que se rompen cuando los niños los tajan muy fuerte. Tenía cajas llenas de puntas. Todas las mañanas salía a buscarlas a los colegios y en las tardes las organizaba según los colores. Jiménez coleccionaba confetis. Siempre estaba alerta a las tarjetas de cumpleaños para asistir a las fiestas y esperar a que los invitados se fueran para recoger los confetis. Al igual que Rodríguez, Jiménez los guardaba en botellas según fueran sus colores. Pérez coleccionaba los chicles que los niños tiraban al piso o pegaban debajo de las mesas. A Pérez le gustaban los colores de los chicles y, a veces, solo a veces, sus olores. Le gustaban los de menta y fresa pero odiaba los picantes. Al igual que Rodríguez y Jiménez, Pérez los guardaba en jarrones según fueran sus colores.

Una mañana, al recoger un chicle tirado en el parque, la pata de Pérez se quedó pegada en esa viscosa masa blanca. Intentó soltarse ayudado por la otra pata pero esta también quedó atrapada en el chicle. En esas estaba cuando apareció un gato. El gato se reía de Pérez mientras le mostraba sus uñas afiladas y sus colmillos amarillos. Por suerte, Pérez, Jiménez y Rodríguez siempre estaban pendientes el uno del otro. Tan pronto vieron la escena, los amigos de Pérez saltaron sobre el lomo del gato, lo mordieron y arañaron hasta que salió maullando de furia y dolor.

Los amigos de Pérez lo ayudaron a salir del chicle con la promesa de que desistiera de coleccionar chicles. Era muy peligroso. Pérez estuvo de acuerdo y pensó en coleccionar otra cosa. Después de varios días de pensarlo muy bien, decidió que coleccionaría los dientes de leche que se le caen a los niños. Eso sí, tendrían que ser dientes limpios y sin caries. Pérez escribió una carta a cada niño diciéndole que dejaría un billete o una moneda a cambio de un diente sano. Pérez dejó la carta debajo de la almohada de cada niño, indicando que esta sería la manera de comunicarse entre sí, con cartas debajo de las almohadas, y allí mismo, los dientes y el dinero. Desde entonces, Pérez tiene muchos barriles llenos de dientes sanos y otros pocos llenos de dientes con caries.

La hormiga sedienta

Seis de marzo

Una hormiga desfallecía de sed mientras cargaba una gran hoja a su hormiguero. Rezó por una gota de agua. En ese momento, una gota cayó a su lado. Bebió y miró hacia arriba. Vio un ángel que lloraba. Le dijo: «Ángel, ¿por qué lloras?». El ángel respondió: «No soy un ángel, soy una niña. Lloro porque se me cayeron los cuencos. Uno llevaba granos de mostaza picante, para mi padre, que adora el picante y no tolera el dulce. El otro llevaba granos de mostaza dulce, para mi madre, que adora el dulce y no tolera el picante. Ahora están todos revueltos. Se enojarán mucho». La hormiga dijo: «Para mí eres un ángel. Me has salvado como hacen los ángeles y eres bella como los ángeles. Mis amigas y yo te ayudaremos a separar los granos de mostaza».

Y así sucedió. En pocos minutos un ejército de hormigas separó los granos de la mostaza. Aliviaron el llanto de la niña, así como ella había aliviado la sed de la hormiga.

El soldadito de juguete

Siete de marzo

El juguete favorito de un niño pequeño era un soldadito de madera. El soldadito de madera estaba enamorado de una bailarina que cada tanto bailaba con la música de su caja de cuerda.

Un día, el soldadito se rompió una pierna intentando alcanzar a su amada. El niño pensó que el soldadito no podría librar más batallas, pero que podría ser un buen marinero. Construyó para él un hermoso barco de papel y lo envió a navegar por los canales de la ciudad.

El soldadito soportó la lluvia y la intemperie por semanas, hasta que cayó por una alcantarilla que lo llevó a un río grande. En el río grande fue devorado por un pez. El pez fue pescado por un pescador que lo vendió a la pescadería de la ciudad. Allí fue comprado por la madre del niño que se sorprendió al encontrar en su vientre al maltratado soldadito de madera. Al verlo, el niño lo reconoció, le puso una chaqueta nueva y una medalla por su valentía. Y lo recostó al lado de la bailarina para que la música curara sus heridas.

El niño, el monje y la campana

Ocho de marzo

Hubo una vez en la antigua Rusia un famoso constructor de campanas, que vivía en un pueblo asolado por la peste. Justo en esos días, el poderoso zar de Rusia había enviado un emisario a buscarlo, para pedirle que construyera la más grande campana nunca antes construida, para la más grande catedral nunca antes vista. Cuando el emisario llegó al pueblo, encontró que solo un niño, el hijo menor del constructor de campanas, había sobrevivido a la peste. El niño le dijo al emisario del zar que el viejo maestro de las campanas, su padre, le había revelado su secreto justo antes de morir.

Se llevaron entonces al niño al lugar donde se estaba construyendo la gran catedral. Allí dirigió el niño durante largos meses los complicados trabajos de fundición de la campana. Muchísimos hombres fuertes y toneladas de metales eran necesarios para construirla. Mucho fuego y mucha suerte hacían falta para que la campana sonara. El zar le había dicho: «Si la campana suena, te haré rico. Si no suena, te cortaré la cabeza». Mil hombres fueron necesarios para levantar la campana ya fundida, que pesaba varias toneladas, y probar su sonido. La campana se balanceó y produjo el sonido más hermoso imaginable. Sonido que se escuchó en todos los rincones de la antigua Rusia.

El zar preguntó por el niño, pero nadie sabía dónde estaba. Fue un monje llamado Andrei Rubliev quien finalmente lo encontró en un rincón, llorando desconsolado. El monje le preguntó: «¿Por qué lloras tan amargamente, si todos celebran tu éxito?».

Y el niño respondió, entre sollozos: «Crecí viendo a mi padre hacer campanas. Pero nunca quiso contarme su secreto. No importó cuánto le rogué en su lecho de muerte, nunca me reveló el secreto...». El monje lo confortó diciéndole que quizás no había secretos. Le dijo: «Tienes la vocación y la fuerza, nada más necesitas». Y lo llevó abrazado a gozar de los grandes homenajes que se hicieron en su honor.

Una guerra entre magos

Nueve de marzo

Un mago peleaba contra otro mago. Un mago se convirtió en elefante, el otro en ratón. El elefante corrió asustado y se convirtió en gato. El ratón corrió a esconderse y se convirtió en perro. El gato se convirtió en león. El perro se convirtió en golondrina y salió volando. El león se convirtió en águila y persiguió a la golondrina. La golondrina se convirtió en atún y se lanzó al mar. El águila se convirtió en tiburón. El atún saltó del agua y se convirtió en abeja. El tiburón saltó del agua y se convirtió en avispa. Una ola se llevó a la abeja y a la avispa, y las ahogó.

El marido celoso y el papagayo

Diez de marzo

Un hombre se casó con una bella mujer. Ella era tan coqueta como hermosa y su marido sintió celos. Procuraba no salir nunca de casa para no dejarla sola. Pero con el tiempo sus obligaciones laborales lo obligaron a salir cada vez con más frecuencia. Decidió entonces comprar un papagayo parlanchín, que debía contarle todo lo que sucedía en su ausencia.

El primer día el hombre le preguntó al papagayo: «Dime, hermoso pájaro, ¿qué ha sucedido en mi ausencia?». Y el papagayo le dijo: «Amo mío, gran fiesta ha organizado tu esposa. Han venido muchos hombres guapos y con ellos ha bailado y los ha besado y ha gozado». El hombre enrojeció de la ira y fue al cuarto de su esposa y la regañó y la insultó.

La mujer pensó que había sido delatada por alguno de sus criados. Los reunió entonces para hablarles, pero ellos le contaron la historia del papagayo. Le pidió entonces a una de las criadas que se disfrazara de bruja, que diera vueltas alrededor de la jaula del papagayo dando berridos, que hiciese ruido con una lata y produjera destellos con una vela y un espejo.

Al día siguiente, el hombre le preguntó al papagayo: «Dime, hermoso pájaro, ¿qué ha sucedido en mi ausencia?». Y el papagayo le dijo: «¡Oh! amo mío, he sufrido un tiempo terrible, una bruja fea intentó hechizarme mientras caía una feroz tormenta con rayos y relámpagos». «¿Brujas en mi casa?¿Tormentas en pleno verano?», dijo el hombre mientras liberaba al papagayo, creyéndolo loco de remate.

Después fue a disculparse con su esposa y le prometió nunca más dudar de ella. La esposa lo quiso y consintió toda la noche, y así hizo siempre que el marido estuviese en casa. Cuando se ausentaba, otra era la historia.

El tigre que balaba

Once de marzo

Era un tigre cachorro que quedó huérfano, pues unos cazadores habían matado a su madre. Afortunadamente encontró un rebaño de ovejas, donde fue aceptado como si fuera una oveja más. Creció el tigre balando y comiendo pasto. Creció el tigre creyendo que era una oveja. Hasta que un día apareció otro tigre grande, feroz y hambriento. Fue detrás de varias ovejitas pero quedó paralizado y sorprendido al ver entre ellas a un tigre como él. Inmediatamente le preguntó: «¿Por qué actúas como una oveja, si tú eres un tigre?». La oveja, que en realidad era un tigre, baló asustada pensando que sería el almuerzo de ese enorme animal. El tigre extraño lo llevó a la fuerza a un lago y le mostró su imagen. Pero esto no fue suficiente. Seguía creyéndose oveja. Entonces, el otro le dio un pedazo de carne y le obligó a comérsela, a él que había crecido comiendo solo pasto.

La oveja, que en realidad era un tigre, probó primero con asco la carne y un instante después la estaba devorando. En ese momento comprendió su naturaleza y salieron a flote todos sus instintos de tigre.

El picapedrero y la montaña

Doce de marzo

En el antiguo Japón, un viejo picapedrero se sintió un día muy frustrado con su trabajo, estaba aburrido de picar piedras. «Desearía más bien ser un rico comerciante», pensó. Y lo deseó con tanta fuerza, que se convirtió en un rico comerciante.

Pero estando parado al frente de su almacén, vio a un noble guerrero samurái pasar con sus criados. Pensó entonces: «Mucho mejor aún ser un samurái». Y lo deseó con tanta convicción, que se convirtió en samurái. Pero siendo samurái, pensó: «El samurái recibe órdenes de nuestro emperador, el Hijo del Sol... mucho mejor ser Emperador». Y lo deseó con tanta felicidad, que se convirtió en emperador. Pero siendo emperador, pensó: «El emperador es Hijo del Sol... mucho mejor ser Sol». Y lo deseó con tanta concentración, que se convirtió en el Sol. Pero siendo Sol, una nube lo cubrió. Pensó entonces: «Mucho mejor ser nube». Y lo deseó con tanta pasión, que se convirtió en nube. Pero siendo nube el viento lo arrastró. Pensó entonces: «Mucho mejor ser viento». Y lo deseó con tanto temple, que se convirtió en viento. Pero siendo viento una montaña de piedras lo detuvo. Pensó entonces: «Mucho mejor ser montaña». Y lo deseó con tanto entusiasmo, que se convirtió en montaña. Pero siendo montaña llegó un picapedrero a picar sus piedras. Pensó entonces: «Mucho más poderoso es el picapedrero». Y volvió a ser el mismo picapedrero de antes.

La esposa chismosa y sin piedad

Trece de marzo

Un hombre recibió un día una carta. Su esposa le preguntó qué decía en la carta. Él le dijo que no podía contarle, porque sino moriría en el acto. La esposa le dijo que no importaba si moría, que ella necesitaba saber qué decía, era indispensable que le dijera. «Dame entonces por favor un par de días para solucionar los asuntos de mi funeral, y te contaré», dijo el hombre. «Bueno, pero apresúrate, por favor», le pidió la esposa, que no soportaba quedarse sin saber el chisme de la carta.

Durante esos dos días, los familiares intentaron disuadir a la esposa de su terquedad chismosa. Pero no fue posible. Ella quería saber qué decía la carta, aún a costa de la vida de su esposo. Pasados los dos días, el hombre le mostró la carta a su esposa. Era un mensaje anónimo que decía: «Cuídese, su esposa es tan chismosa que lo dejaría morir por un chisme». «Parece que tienen razón», dijo el hombre antes de echar a su esposa para siempre de su vida.

Los protectores de Mowgli

Catorce de marzo

Recordarán que fue Akela, líder de la manada de los lobos o del Pueblo Libre, como eran llamados en la selva, quien salvó al pequeño Mowgli del tigre cojo Shere Khan. Mowgli era apenas un bebé recién nacido, un cahorrito humano lampiño, que más parecía una rana. Ese era apenas el comienzo de los dolores de cabeza que Mogwli le daría al viejo lobo. Aunque no se debe olvidar que sería también Mowgli, años después, quien salvaría la vida y la honra de Akela.

No acababa de salvar Akela al cachorro humano, cuando ya los lobos pedían una reunión en la peña del consejo, lugar de encuentro de la manada. Todos murmuraban: «Akela ha retado al tigre»; «¿y quién se cree Akela para hacer eso?»; «ahora estamos todos en peligro»; «nadie quiere ser enemigo del tigre»; «¿y a nosotros qué nos importan los asuntos entre el tigre y el hombre?»; «por mí que el tigre coma lo que quiera, cachorro o no, mientras no sea lobo...».

Un lobo joven y atrevido tomó la vocería y le reclamó a Akela su acción. Akela no dudó un instante y saltó sobre el lobo joven, sometiéndolo. Aunque viejo, Akela era líder de la manada justamente por su fuerza y agilidad. Los años no le habían dado más que experiencia, nada le habían quitado aún. Dijo entonces Akela, triunfante: «La ley de la selva ha de ser respetada. El Pueblo Libre dará fe de la ley, mientras existamos y tengamos fuerza». Los demás lobos no tuvieron más opción que acatar las palabras de su líder. Solo la esposa de Akela se atrevió a preguntar: «¿Quién protegerá al cachorro cuando crezca del tigre?».

En las reuniones de la peña siempre estaban presentes, aunque al margen, una pantera negra llamada Bagheera y un oso gris gordo llamado Baloo. Ellos dos tenían deudas con el Pueblo Libre. Solitarios como son las panteras y los osos, además de fuertes y orgullosos, habían necesitado la ayuda de Akela en alguna ocasión. Bagheera, aunque a ella no le gusta que esto se mencione, hubo de ser salvada de la jaula de un hombre. Y Baloo hubo de ser rescatado, con más vergüenza aún, de la tierra de los monos, los locos e impredecibles Bandar-Log. Así que fueron ellos dos los que levantaron la mano y se hicieron cargo del cachorro, no sin antes mirar fijamente a Akela, con reproche, y decirle: «Nuestra deuda quedará más que saldada con esto».

Empiezan así entonces las aventuras de la pequeña rana Mowgli, humano de raza, lobo de manada, pantera y oso de crianza.

Rómulo y Remo

Quince de marzo

En la región donde hoy queda la magnífica y casi eterna ciudad de Roma, reinaba el rey Numitor. Apenas comenzaba la historia del tiempo, antes de Roma, cuando el rey Numitor fue destronado y desterrado por su hermano Amulio. Amulio mandó matar a todos los hijos varones de Numitor, para que no quedase descendencia del rey destronado. Solo sobrevivió Rea Silvia, la única hija de Numitor. Amulio le prohibió a Rea Silvia tener hijos.

Una tarde en que Rea Silvia se durmió a orillas del río, después de haber sollozado sin consuelo todo el día, apareció el dios Marte y la dejó embarazada. Dos gemelos nacieron: Rómulo y Remo. Rea Silvia sabía que su tío Amulio asesinaría a sus hijos. Los dejó entonces en un canasto en el río Tíber. La corriente llevó el canasto hasta la guarida de una loba. La loba amamantó a los hermanos Rómulo y Remo.

Con el tiempo, Rómulo y Remo crecieron y se hicieron bandoleros. Siendo bandoleros escucharon muchas historias. Una de estas historias que se contaban en los caminos era su propia historia. Al enterarse de lo sucedido, volvieron a la región de su madre a vengar el destierro de su abuelo Numitor. Vencieron a Amulio y reinaron en las tierras que por derecho les pertenecían. En honor a la loba que los amamantó, fundaron la magnífica y casi eterna ciudad de Roma a orillas del río Tíber, al lado del lugar donde la loba los encontró. Aún en nuestros días los romanos rinden tributo a la loba que amamantó a los fundadores de su ciudad.

La manzana y el marido acucioso

Dieciséis de marzo

En un pueblo pequeño, en medio del desierto, habitaba una pareja. El hombre vivía enamorado de su mujer. Hubo un día en que la mujer enfermó. El hombre sufría mucho al verla así. «Mujer, lo que sea que se te antoje, dímelo por favor, yo lo conseguiré para aliviarte», le dijo el hombre. «Esposo mío, no más que una manzana se me antoja», dijo la mujer. El hombre viajó dos días y dos noches hasta que consiguió la manzana. Al volver a casa, la mujer estaba ya recuperada. Vio la manzana con desprecio y la dejó a un lado. A pesar del esfuerzo del hombre, la mujer estaba molesta por su larga ausencia.

El rey tiene un cachito

Diecisiete de marzo

Una mañana el rey se despertó y se vio en el espejo. Qué sorpresa se llevó cuando notó un cachito de pelo en su cabeza. Llamó al más discreto peluquero de todo el reino y le pidió que se lo cortara y que nunca jamás fuera a contarle a nadie lo sucedido.

Cuando el peluquero salió del castillo, no podía aguantar las ganas de gritar el secreto. No comía, no dormía y se fue engordando, como si el secreto fuera a explotarle en todo el cuerpo. Decidió ir al campo, abrió un hueco y allí mismo gritó: «¡El rey tiene un cachito!», después lo tapó con tierra. El peluquero pudo dormir, comer y volvió a su tamaño normal.

Unos días después, crecieron unas bellas flores en el lugar donde el peluquero había escondido el secreto. Unos niños pasaron por allí y tomaron las flores de las que, al quitarles los pétalos, salía el secreto: «El rey tiene un cachito». El rumor corrió por todo el reino y ante la furia del rey, el peluquero tuvo que explicarle lo ocurrido. Con el tiempo, el rey dejó de darle importancia a este episodio de su vida.

Historia del jorobado atragantado

Dieciocho de marzo

Una de las historias que le contó Sharazad al rey fue la del jorobado atragantado. Era un bufón que trabajaba para un rey. El rey lo quería mucho porque lo hacía reír.

Un día, una pareja de hacendados conocieron al jorobado en un cruce de caminos. Lo invitaron a cenar a su casa para que los entretuviera un rato. Le ofrecieron lo mejor que tenían para comer y para beber. Sucedió que estando en esas, el jorobado se atragantó y murió. La pareja de hacendados no sabía qué hacer con el cuerpo del jorobado. Fueron entonces a donde un médico. Tocaron a su puerta y dejaron el cuerpo del jorobado apoyado al marco. Sucedió que el médico fue corriendo a abrir. Abrió la puerta con mucha prisa y tropezó al jorobado. Pensó el médico que había sido él quien lo había matado al golpearlo en la cabeza. Sin saber qué hacer, decidió descolgar el cuerpo del jorobado, con una cuerda, al jardín de su vecino. Al encontrar el vecino el cadáver del jorobado, pensó que se trataba de un ladrón que, intentando entrar, había muerto al caer del muro del jardín. Cargó entonces con el cuerpo del jorobado y se lo llevó a la calle. Intentó dejarlo a la entrada de un bar, para que se pensase que había muerto borracho, pero lo descubrió un soldado del rey.

El soldado lo llevó frente a su majestad. Al ver el rey a su bufón muerto, entristeció primero y luego se enfureció y mandó a ahorcar al pobre vecino. A punto de ser ahorcado, apareció el médico y contó lo sucedido. Dijo que deberían entonces colgarlo a él y no a un hombre inocente. Estando el médico a punto de ser ahorcado, llegó la pareja de hacendados y contaron lo sucedido. Dijeron que debían ser colgados ellos y no un hombre inocente. Cansado el rey de toda esta historia, ordenó que no ahorcaran a nadie. Que finalmente el único culpable era el jorobado, por tragaldabas. Y pues muerto el culpable, nada más ya restaba por hacer.

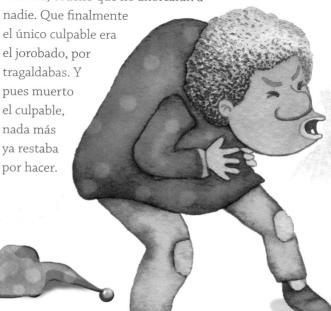

La resurrección de Jesús

Diecinueve de marzo

Los hombres se portaban mal. Las mujeres se portaban mal. Los niños se portaban peor. Dios, o al menos el dios de los cristianos, se enojaba y regañaba. Después de cada enojo, como un buen padre, quería más a sus hijos. Los protegía de otros pueblos tiranos. Los guiaba hacia una tierra prometida. Les daba alimento en el desierto. Hablaba de los humanos como de sus hijos, porque eran su creación. Y porque los hizo a su imagen y semejanza.

Pero cansado dios de tanto mal comportamiento de los humanos, envió a su propio hijo a la Tierra a hablar con ellos. No se trataba de una creación hecha a su imagen y semejanza, sino de un hijo de su propio ser, hijo hijo de verdad verdad. Jesús fue su nombre y su presencia en la Tierra cambió la historia para siempre.

Dios decidió que su hijo naciera del vientre de María. Una mujer que aún no se había casado con José, su prometido. La noticia se la dio a María el arcángel san Gabriel. De ahí viene eso que fue un saludo y hoy es una oración: «Dios te salve María, llena eres de gracia, el Señor es contigo, bendita tú eres entre todas las mujeres...». Así saludó san Gabriel a María y le dio la noticia.

En aquella época vivía un emperador temeroso. Los profetas anunciaban la decisión del dios de los cristianos. Su hijo, hijo de su propio ser, hijo hijo de verdad verdad, venía al mundo. Este emperador tenía miedo del poder de este dios y más miedo aún de la visita de su hijo. Portarse mal, finalmente, tenía su gracia. Mandó entonces a sus soldados a que mataran a todos los niños que nacieran en la fecha profetizada. Por eso, tuvo que nacer Jesucristo en un pobre establo, en plena huída, escondiéndose de los soldados.

Treinta y tres años estuvo Jesucristo con los humanos. Hablándoles, enseñándoles. Hablaba del amor, enseñaba cómo amarse, cómo ser mejores seres humanos. Caminó por la tierra y contó historias. Él hablaba en parábolas, con ejemplos. Daba también ejemplo con su propia vida. Pobre nació en un establo, vivió pobre y murió aún más pobre. Acogía a los enfermos, aliviaba a quienes estaban tristes, compartía lo poco que tenía con quienes pasaban hambre.

Pero sí que era verdad que los humanos se portan mal. Pues a Jesucristo, que no hizo más que hablar de paz y de amor, lo azotaron y después lo crucificaron. Antes de crucificarlo tuvo que cargar su propia cruz a lo alto del monte donde sería crucificado. La cargó coronado con una corona de espinas, azotado por soldados. Sí que era verdad que el hombre puede ser cruel.

Murió Jesucristo en la cruz. Antes de morir pidió a su padre, dios, que tuviese piedad de los humanos crueles. Después de muerto resucitó Jesús, al día siguiente. Volvió a la vida después de muerto. Dos ángeles corrieron la piedra que sellaba su tumba. Buscó a los hombres que lo habían amado y les pidió que contaran su historia. Se despidió de ellos y subió al cielo, a sentarse a la derecha de su padre.

Todavía hoy los buenos cristianos nos hablan de Jesucristo y de sus enseñanzas. Todavía hoy hay quienes creen que Jesucristo no murió en vano, que murió por todos nosotros, humanos, por nuestra salvación. Otros creen que desde entonces dios se olvidó del hombre. Otros creemos en sus palabras, creyendo también en el hombre, creyendo que en el amor, así como él dijo, puede encontrar la plenitud.

Schekalik, el jarro rajado

Veinte de marzo

Eran siete hermanos, el primero, Al-Bakbuk, la burbuja de agua; el segundo, Al-Haddar, el estridente; el tercero, Al-Bakbak, el glogloteante; el cuarto, Al-Kusu, el alcuza; el quinto, Al-Aschar, el de diez codos de largo; el sexto, Schekalik, el jarro rajado; y el séptimo, As-Samet, el silencioso.

Schekalik era pobre como un olivo marchito. Un día, un hombre se compadeció de él y lo invitó a comer a su casa. El hombre mandó a sus criados traer una deliciosa sopa de carnes ahumadas para homenajearlo. Así hicieron los criados. Pero todo era mímica. Hacían como que traían las cosas, pero Schekalik no veía nada sobre la mesa. El hombre se relamía los labios, nada había para comer pero masticaba y hacía sonar la vajilla y los cubiertos. Y así fue con el pavo y el vino y los postres y el café. Schekalik tenía la boca hecha agua. Al final sintió el sabor del último postre. De tanto hacer mímica se convenció de estar comiendo. Como come y come pero no engorda, le dicen Schekalik, el jarro rajado.

La pelea entre el genio y la hija del rey

Veintiuno de marzo

Un rey bueno educó a su hija en las artes de la hechicería. La hija se convirtió de grande en una sabia hechicera bondadosa. Sucedió que un día el rey se encontró una lámpara mágica en una de sus cabalgatas. Al frotarla, salió un genio entre una nube de humo. Se trataba de un efrit malvado que apenas se vio libre, amenazó al rey y le pidió riquezas imposibles. La hija del rey se trenzó en una feroz pelea contra el genio. Primero el efrit se convirtió en león. La hija del rey lo partió en dos con una espada mágica. Sobre la espada apareció el genio convertido en escorpión. Ella se convirtió en buitre. Él en águila. Ella en gato, él en gallo. Ella en lobo, él en grano. De repente se convirtió el genio en fuego y la hija del rey en agua. Con un ruido terrible, ambos desaparecieron en una columna de humo. El rey salvó su reino, pero lloró siempre amargamente la pérdida de su hija.

Quirce y Julita

Veintidós de marzo

En aquellos tiempos en que los cristianos fueron perseguidos, la madre de Quirce, Julita, fue apresada. Alejandro, el gobernador de esas tierras, quería que ella adorase a sus dioses, no al padre de Jesús. Alejandro intentó convencer a Julita, pero nada, ella creía en Jesucristo. «Jesús es hijo de dios y es hijo del hombre», decía Julita. Alejandro la amenazó entonces, pero nada. Alejandro la mandó golpear, pero nada. Alejandro la mandó quemar, pero entonces Quirce intervino y le dijo a Alejandro: «Mi madre es libre de creer en el dios en el que ella quiere creer». Alejandro se quedó entonces congelado del susto y mandó a liberar a Julita. Quirce tenía apenas ocho meses de nacido.

Santa Práxedes

Veintitrés de marzo

Hubo un tiempo, justo después de la muerte de Jesucristo, el hijo del dios de los cristianos, en que los cristianos fueron perseguidos. Los perseguían y los atrapaban y morían de formas atroces. A veces los obligaban a enfrentarse a bestias furiosas, como leones y tigres. A veces los quemaban. Siempre intentaban convencerlos de adorar a otros dioses, diferentes al padre de Jesucristo. Fue entonces que Práxedes fue considerada santa. Ella, junto con sus hermanos Potenciana, Donato y Timoteo, socorrían a las familias de los cristianos muertos. Mártires se llama desde entonces a los cristianos muertos en las épocas en que eran perseguidos. Santa Práxedes, Santa Potenciana, San Donato y San Timoteo atendían a las familias de los mártires.

La mariposa

Veinticuatro de marzo

La mariposa macho buscaba una novia para casarse con ella. Quería casarse con una flor, pero no con una flor cualquiera. Salió entonces a volar por los campos para buscar a aquella que lo acompañaría el resto de su vida. Vio a la margarita y recordó que los seres humanos la deshojan para saber si quien les quita el aliento también los quiere: la margarita tiene poderes adivinatorios. Se acercó suavemente y le dijo: «¿Señora, podría usted decirme con qué flor me casaré?». La margarita se ofendió, porque la mariposa atrevida le había dicho señora siendo ella una joven flor. Esto a las mujeres, y por supuesto a las flores, no les gusta. La mariposa, algo sonrojada y molesta continuó su camino.

Voló sobre las rosas pero le parecieron muy apasionadas, luego se acercó a las flores de manzanilla pero le parecieron muy pequeñas; los tulipanes le parecieron orgullosos y los girasoles muy grandes. Le gustó mucho la flor del manzano, pero tienen una vida muy corta y no quería convertirse tan pronto en una mariposa viuda.

Así estuvo el verano y el invierno. No podía decidirse. Las flores eran coloridas y elegantes, pero no tenían el olor que él buscaba. Por fin vio a la hierbabuena. Es verdad que no tiene flor, pero toda ella, hasta su tallo, tiene un aroma muy especial y duradero.

Se acercó y le pidió matrimonio. La hierbabuena le respondió: «No puedo casarme contigo. Ya estoy vieja y tú también. Si quieres, podemos ser amigos». Entonces la mariposa se dio cuenta de que había pasado el tiempo buscando con quién casarse y había terminado la vida solo y triste.

Al-Aschar, el de diez codos de largo

Veinticinco de marzo

Eran siete hermanos, el primero, Al-Bakbuk, la burbuja de agua; el segundo, Al-Haddar, el estridente; el tercero, Al-Bakbak, el glogloteante; el cuarto, Al-Kusu, el alcuza; el quinto, Al-Aschar, el de diez codos de largo; el sexto, Schekalik, el jarro rajado; y el séptimo, As-Samet, el silencioso.

Al-Aschar era pobre. Vivía de la caridad humana. Era pordiosero. Cuando su padre murió, le heredó cien dracmas. Al-Aschar se puso muy contento. Compró un costal de cristalería. Y pensó: «Cien dracmas me costó la cristalería. La venderé a doscientas dracmas.

Compraré doscientas dracmas de cristalería y las venderé a cuatrocientas dracmas. Me haré muy rico. Siendo rico me casaré con una princesa. Casado con la princesa, me convertiré en rey. Siendo rey, pasaré mis días echado cuan largo soy en sábanas de seda». Estaba tan ensimismado Al-Aschar en sus pensamientos, que pensando en la cama de plumas, se estiró cuan largo era y pateó el costal de cristalería, que cayó al piso y se rompió en mil pedazos. Desde entonces le dicen Al-Aschar, el de diez codos de largo.

Don Ernesto y el águila

Veintiséis de marzo

Don Ernesto era un campesino muy trabajador. Un día, mientras recogía algunos palos, se encontró un águila atrapada en una red. El águila era bella e imponente, tanto que no dudó un instante en liberarla. El ave emprendió el vuelo y agradeció mucho el gesto del buen campesino.

Pasado el tiempo, el águila volvió a ver al campesino sentado en una silla al lado de un muro frágil que al parecer estaba construyendo. Agotado, el campesino se secaba el sudor de su frente con un pañuelo. De pronto, el águila voló bajo y suavemente tomó con su pico el pañuelo. Salió corriendo don Ernesto persiguiendo al águila, que un poco más lejos lo dejó caer. Con el pañuelo en la mano, el hombre volvió al sitio donde estaba sentado y

encontró solo los escombros del muro. Comprendió entonces que el águila lo había salvado de morir y se maravilló de ver cómo siempre la naturaleza recompensa a los seres de alguna forma, tarde o temprano.

El muñeco de nieve

Veintisiete de marzo

Sentía el hombre de nieve un alegre latido dentro de sí. El frío lo hacía sentirse muy bien, sentía que mientras más frío su corazón, más vivo estaba. Sus ojos eran dos pedazos de teja cortada en triángulo y su boca era un cepillo viejo, así parecía que tuviera dientes. Nació un día entre alegres cantos y juegos de niños. Por eso le fascinaban los niños y nada deseaba tanto como ir a patinar con ellos. Pero no podía moverse.

Solía hablar con un perro que estaba a su lado amarrado a su casita con una cadena. Su ladrido era ronco por el frío que había soportado durante varios inviernos. Antes vivía en la casa que veían desde allí. Los inviernos los pasaba al lado de una chimenea negra y brillante que se alimentaba de leña y escupía enormes lenguas de fuego. Pero creció demasiado y tuvieron que sacarlo de la casa. El muñeco de nieve nunca había reparado en la hermosa y tibia chimenea de la que le había hablado el perro, hasta que la vio a través de la ventana y sintió que esta vez algo más fuerte crujía dentro de él. Ni el viento más helado ni los más gruesos copos de nieve habían hecho sentir dentro del muñeco de nieve lo que sintió al ver a la chimenea. Desde entonces no quiso otra cosa que estar a su lado.

El perro no entendía que un hombre de nieve quisiera estar al lado de una fuente de calor, es más, se atemorizaba cada vez que salía el sol, no quería que el invierno terminara. Pero ese día llegó. Todo empezó a deshelarse y se podían ver las ramitas de los árboles. El muñeco de nieve, que nunca dejó de mirar a través de la ventana, se fue derritiendo poco a poco hasta que no quedó de él más que un atizador con el que se mueven los leños en las chimeneas: era el palo que lo sostenía. El perro entendió entonces el sentimiento tan profundo del hombre de nieve por la chimenea.

La niña de la campana

Veintiocho de marzo

Martina tenía doce años. Vivía en una hermosa isla, la misma isla a la que llegó Robinson Crusoe hace muchos, muchos años. Esta isla se llama Juan Fernández y pertenece a Chile, ese largo y delgado país que parece un ají.

Una noche, Martina escuchó desde su cuarto un ruido. Le pareció que se venía una tormenta. Se incorporó y miró por la ventana. Desde allí veía el mar muy alborotado y los barcos que se movían de arriba a abajo. Así como estaba, en pijama y descalza, corrió hasta la plaza del pueblo.

Martina supo que no era normal el ruido y la furia del mar, y en la escuela le habían dicho que si alguien sabía que el pueblo corría peligro, debía tocar la campana que está en la plaza, en señal de alarma. Una y otra vez tocó Martina la campana. Los habitantes de la isla se despertaron y al ver el mar tocaron timbres, puertas y otras campanas para avisar a sus vecinos del peligro que se venía.

Todos los habitantes de la isla lograron subir a un cerro y desde allí vieron cómo una ola enorme se tragaba el pueblo, arrastró sus casas y su escuela, todo se llevó la ola, todo el pueblo hecho escombros fue a parar al mar.

Martina salvó así a más de setecientas personas que dormían sin escuchar el crujido del mar. Hoy día el pueblo tiene una nueva escuela y todos agradecen no haber sido devorados por el mar.

La niña vendida con las peras

Veintinueve de marzo

El rey de este país, donde sucede la historia, era muy estricto. Un hombre le llevaba, siempre que había cosecha, tres canastas llenas de peras. Pero esta vez las peras alcanzaron solo para dos canastas. El hombre apenas atinó a meter a su hija más pequeña en la tercera y cubrirla con unas pocas peras. En la cocina del rey se dieron cuenta del engaño, pero la niña era muy simpática e inteligente y permitieron que ayudara en la cocina. Le pusieron como nombre, claro está, Perita. Perita creció y su belleza e inteligencia despertó la envidia de las otras cocineras, por lo que inventaron que Perita decía haberle quitado el tesoro a las brujas. El rey se enteró y se molestó por la mentira de Perita. Como castigo, la envió a traer realmente el tesoro de las brujas. Fue así que caminó y caminó sin detenerse hasta que vio un peral y allí descansó. Ahí mismo encontró a una anciana que le dio mantequilla, pan y un montoncito de paja y le dijo que siguiera tranquila su camino. Así hizo Perita. De pronto, vio a tres mujeres que se arrancaban el pelo para limpiar el horno. Entonces les dio el montoncito de paja y con ella limpiaron el horno. Continuó Perita su camino, pero pronto la detuvieron unos perros bravos y hambrientos. Entonces Perita les dio el pan y la dejaron pasar. Luego llegó a un río que no supo cómo cruzar. Así que cantó una canción: «Agüita, linda agüita, si no tuviera prisa bebería una tacita». El río calmó sus aguas y la dejó pasar. Cuando llegó al castillo de las brujas, no pudo pasar porque las puertas se abrían y cerraban rápidamente. Entonces puso mantequilla en sus bisagras que ahora se cerraban más lentamente.

Una vez adentro, tomó el cofre del tesoro y salió corriendo. Pero el cofre habló y dijo: «Puertas, no la dejen pasar». Las puertas respondieron: «Sí lo haremos, porque ella nos arregló las bisagras». Más adelante, frente al río el cofre gritó: «¡Agua, ahógala!» Pero el río respondió: «No lo haré, pues me ha cantado una bella canción». Cuando se encontraron frente a los perros, el cofre dijo: «Perros, muérdanla». Y los perros contestaron: «No la morderemos, pues ella nos ha dado comida». Cuando pasaron por el horno, el cofre, ya cansado de gritar, dijo: «Horno, quémala». El horno le dijo: «No lo haré, pues ella ayudó con la paja para que me limpiaran».

Perita llegó por fin al castillo y entregó el tesoro al rey, quien le agradeció y felicitó por su bondad e inteligencia. Perita se dedicó desde entonces a hacer los más ricos pasteles de pera del país.

El príncipe y la bruja

Treinta de marzo

Un príncipe bondadoso y compasivo cabalgaba por el bosque, cuando encontró una joven desmayada en el piso. La ayudó a volver en sí y le preguntó qué le había pasado. «Unas avispas asustaron a mi caballo... es lo último que recuerdo». El príncipe se ofreció a llevarla a casa y la montó en su caballo. Cuando se veía ya cerca un castillo, la joven le pidió al príncipe que la esperara un momento: «Debo advertir a los guardias que amarren a los perros, después vuelvo por ti para presentarte a mis padres». Sin embargo, el príncipe la siguió sin que ella se diera cuenta, temiendo que se desmayase de nuevo. Fue por eso que alcanzó a oír que no se trataba de una joven doncella.

Era una bruja que le había tendido una trampa para llevarlo de comida a sus hijas. El príncipe volvió al lugar donde la joven le había pedido que esperase, sin saber qué hacer. Al volver la bruja, lo vio pálido y le preguntó qué le sucedía. «Creo haber visto a los enemigos de mi padre», le respondió él. Pensando que el príncipe no sospechaba nada, y deseando tranquilizarlo para no arruinar su cena, la bruja le dijo: «Yo conozco un poderoso conjuro, si lo dices pensando en tus enemigos, desaparecerán». El príncipe pronunció el conjuro pensando en la bruja y sus hijas. Y sí que era poderoso, pues todas desaparecieron en el acto.

El león y el jabalí

Treinta y uno de marzo

El calor en la selva era insoportable. Hacía muchos años nadie había sido testigo de un verano tan inclemente. Un león y un jabalí que llevaban días buscando un lago, encontraron al mismo tiempo uno en el que ya quedaba poca agua. Discutieron entonces sobre cuál tomaría agua primero. Cuando ya las palabras no bastaron, salieron garras y colmillos; una patada va, un mordisco viene. Cansados, decidieron tomar un descanso y vieron en el cielo una nube de aves rapaces que esperaban ansiosas el fin de la pelea para comerse al perdedor. El jabalí miró al león y le dijo:

—Qué tontos somos. Es mejor hacernos amigos y compartir el agua, que convertirnos en comida de esos pajarracos.

El león estuvo de acuerdo e invitó al jabalí a tomar agua a su lado. El agua alcanzó para los dos y desde ese día fueron los mejores amigos.

Abril

Pinocho

Primero de abril

Un viejo y solitario carpintero llamado Geppetto decidió un día fabricarse una marioneta, para no estar tan solo. Cuando la terminó, él mismo se asombró de su obra. Había quedado tan perfecta que casi parecía respirar. Geppetto le dio un beso antes de acostarse a descansar y le dijo:

—Te llamaré Pinocho. Serás como el hijo que nunca tuve.

El hada de los sueños de Geppetto se conmovió con el viejo carpintero. Durante la noche le dio vida a Pinocho. Cuando la marioneta abrió los ojos, el hada le dijo:

—Si nunca dices mentiras, te convertiré en un niño de verdad. Si dices mentiras, serás siempre una marioneta de madera y te crecerá la nariz.

Al día siguiente, lo primero que hizo Geppetto fue dirigirse hacia su marioneta a darle el beso de buenos días. Cuando se acercó a besar su frente se asombró de sentir la respiración de Pinocho, que aún dormía. Lo cargó entonces y lo puso en su cama. Se acomodó a su lado y lo abrazó. Juntos volvieron a dormirse hasta que Geppetto sintió las caricias de su hijo Pinocho. Ambos lloraron de la felicidad.

Pinocho le contó a su padre lo que le dijo el hada y le preguntó:

—Padre, ¿y si yo digo que la nariz me va a crecer? Como es una mentira, la nariz me crecerá. Pero si me crece no habré dicho mentiras.

En ese momento apareció sonriente el hada de los sueños de Geppetto y dijo:

—Pinocho querido, me has alegrado con tu inteligencia. Y las caricias que has hecho a tu padre han alegrado mi corazón. Desde ahora serás un niño de carne y hueso, sangre caliente y cerebro despierto. Amarás y cuidarás de tu padre, talentoso carpintero que vivirá muchos años feliz de tu amor.

Y así fue. Pinocho aprendió el oficio de su padre y alcanzaron a disfrutar de muchos años más en plenitud.

El agua

Dos de abril

Un día el agua estaba en el mar, allí giraba, subía y se volvía a hundir. Jugaba con el viento y se calentaba con el sol. Pero quiso subir más alto, quiso llegar hasta el cielo y le pidió ayuda al sol. El sol con su fuego volvió al agua más liviana que el aire y la transformó en vapor. El agua, convertida en vapor, voló muy, muy alto, donde hacía mucho frío y donde el sol ya no podía hacer nada.

Sucedió de pronto que el agua convertida en vapor sintió tanto, tanto frío, que todas sus partículas debieron juntarse para darse calor. Tan juntas y apretadas estaban que se volvieron más pesadas que el aire y empezaron a caer en forma de gotas de lluvia. La tierra sedienta absorbió el agua y allí estuvo prisionera durante algún tiempo. Ahí, en la tierra, tuvo el agua tiempo para pensar en la soberbia de su deseo.

Parábola de los talentos

Tres de abril

Un padre muy trabajador decidió tomarse unas vacaciones. Tenía tres hijos. Al mayor le dijo: «Te dejaré tres hectáreas de tierra para que las trabajes mientras yo descanso». Al hermano del medio le dejó dos hectáreas y al menor una. El mayor se arriesgó a sembrar productos nunca vistos en esa zona. Trabajó mucho y tuvo éxito. Como la cosecha no era usual en esas tierras, pudo vender el fruto a muy buen precio. El hermano del medio no se arriesgó. Prefirió sembrar los productos que usualmente sembraba su padre. Trabajó mucho y tuvo éxito. Pudo vender bien el fruto de su trabajo. El menor, en cambio, temiendo no igualar a su padre, decidió limitarse a cuidar de la tierra sin sembrar nada. Cuando el padre volvió, un año después, recibió las ganancias del hermano mayor y se sintió muy feliz. Con lo logrado por el hermano del medio se sintió satisfecho. En cambio, al hermano menor lo acusó de perezoso. Cuando decidió retirarse, el padre le dejó sus tierras al hermano mayor y al del medio. Al hermano menor no le dejó nada.

El ruiseñor y la rosa

Cuatro de abril

Un estudiante estaba enamorado de una joven. Todos los días la veía pasar frente a su ventana y suspiraba por ella. El estudiante tenía un rosal en el jardín frente a su ventana. Una pálida rosa que intentaba ser roja escuchaba los suspiros del estudiante. Un día le dijo a la rosa: «Si fueses una hermosa rosa roja, podría regalarte a mi amada y ella sin duda se enamoraría de mí».

La rosa empalideció aún más por la tristeza de no poder ayudar al estudiante que todos los días regaba el rosal. Un ruiseñor que cada tanto se acercaba al jardín le preguntó: «¿Por qué estás tan triste?» La rosa le contó el sufrimiento del estudiante. La mañana siguiente el ruiseñor y la rosa escucharon juntos sus suspiros y contemplaron a la hermosa joven pasar caminando por la calle. La rosa moría de tristeza.

Esa noche, noche de luna llena, el ruiseñor clavó en su corazón una de las espinas de la rosa para salvar su vida. Durante toda la noche la rosa bebió la sangre del ruiseñor. Al amanecer, el ruiseñor había muerto y la rosa era la más hermosa rosa roja que pueda imaginarse. Al asomarse el estudiante a la ventana fue muy feliz al ver la hermosa rosa que conquistaría el corazón de su amada. La cortó con cuidado y se paró en la calle a esperar a la joven. Ella, conmovida por la belleza de la rosa y la intensidad de su color, recibió el regalo y agradecida besó suavemente la mejilla del estudiante. Sin embargo, por estar enamorada de otro muchacho, nunca más caminó frente a su ventana.

Los canales del Zenú

Cinco de abril

En tiempos inmemoriales, antes que América fuese América, cuando aún tenía tantos nombres como familias la habitaban, existió una poderosa cultura llamada Zenú. Las tierras de los zenú se inundaban durante ocho meses cada año. Ellos vivían bien en las zonas altas de este territorio, construían hermosas y frescas casas en hojas de palma, y se alimentaban de pescado. Sin embargo, extrañaban poder cultivar productos como el maíz, la yuca, el plátano. Añoraban poder ser agricultores como otros pueblos vecinos, con los que intercambiaban pescado por productos de la tierra.

Hasta que un buen día un poderoso cacique que lideró a los zenú en sus mejores tiempos, les propuso dominar las aguas. El agua, como el sol y la luna, el mar y la lluvia, el viento y las montañas, eran asuntos divinos. A los hombres no les era dado dominar las aguas, así como no se domina el cielo ni la noche.

El cacique tenía un don. Él podía invocar en sueños la mirada del águila. Dormido daba largos vuelos por su territorio. Convenció entonces a sus hombres de hacer cada uno un canal. Cada uno, y eran miles, hacía su canal según las indicaciones del cacique. De noche el cacique sobrevolaba para ver el orden de los canales. La forma de este complejo de canales unidos era como esqueletos de pescado armando distintas configuraciones.

Cuando llegó el tiempo de las inundaciones, el agua colmó los canales. Pero el resto de la tierra quedó seca y los zenú pudieron construir ahí sus casas. Cuando volvió el tiempo seco, en el fondo de los canales quedó un sedimento muy nutritivo para la agricultura. El cacique les pidió a sus hombres que recogieran ese sedimento y lo pusieran en la parte alta de los canales. Y les pidió sembrar allí.

Cuando el tiempo de lluvias y de inundaciones volvió, los zenú tuvieron los más apetitosos productos de la tierra en la parte alta de los canales y los más apetitosos productos del agua en los canales.

A pesar de que los zenú desaparecieron hace siglos, todavía hoy es posible ver desde un avión la inmensa configuración de canales, de multitud de espinas de pescado coordinadas, para dominar el agua.

Los perros rojos

Seis de abril

En otra ocasión en la selva de Mowgli, cuando ya era temido y famoso, se oyó ladrar a los perros rojos. Los perros rojos eran chacales sin ley ni dios. No temían a nada ni a nadie. Corrían en grandes manadas destruyendo todo a su paso. Incluso Tha el elefante, el rey de la selva, prefería apartarse del camino de los perros rojos, pero no Mowgli. No era admisible que ninguna manada de perros, rojos o no, cruzaran su territorio destruyéndolo todo a su paso.

Se armó entonces Mowgli de toda su astucia y de su cuchillo, y salió al paso de los chacales. Fue tal su asombro, que detuvieron en seco su alocada carrera. Nunca les había sucedido cosa semejante. Y Mowgli les dijo:

—¿Qué es la bulla, perritos sarnosos, que no dejan descansar?

Los chacales se miraron con asombro y después se lanzaron contra Mowgli tropezándose unos con otros. Mowgli, que no llevaba meses corriendo y destrozando como los chacales, huyó a buen paso. Los perros rojos sentían morderle los talones, pero iban cansados y se tropezaban continuamente.

A ese paso los llevó Mowgli hasta un lugar del río donde en la otra orilla vivía el llamado *pueblo pequeño*. Es decir, las temidas abejas africanas. Mowgli cruzó el río a nado. Los perros rojos lo siguieron riendo: «Este tonto se creía que no sabemos nadar», decían.

Al llegar a la otra orilla, Mowgli esperó a que el primer chacal sacara las patas del agua. Apenas lo hizo, le mochó una oreja con su cuchillo. Corrió entonces hacia los panales y les tiró piedras mientras hacía un ruido agudo. Las abejas se despertaron y, enloquecidas por el ruido y el olor de la sangre del chacal, atacaron a los perros rojos.

Así quedaron los perros atrapados entre el río y las temibles abejas africanas. Los pocos que pudieron escapar nunca más se acercaron al territorio de Mowgli.

El diluvio universal o por qué el arco iris

Siete de abril

¡Ah, dios malhumorado el dios de los cristianos! Aburrido y enojado, este dios, por el mal comportamiento de los hombres, decidió enviar un tremendo aguacero de cuarenta días y cuarenta noches.

Pero como eran los humanos los que se portaban mal —no las ranas, ni las luciérnagas, ni los hipopótamos—, dios le pidió a un hombre llamado Noé que construyera un barco inmenso. Quizás Noé se portaba menos mal, quizás tuvo suerte, o quizás fue simplemente escogido por sus dotes y talento para construir barcos.

Construyó Noé, con manual de instrucciones y planos de dios mismo, un arca inmensa. Invitó a su arca a una pareja de todos los seres vivientes que poblaban la tierra: un caballo y una yegua, un mosquito y una mosquita, una mosca y un mosco, un copetón y una copetona, una salamandra y un salamandro, un cocodrilo y una cocodrila...

Apenas estuvieron todos organizados en el barco, empezó a llover. Como dios había dicho, llovió durante cuarenta días y cuarenta noches. Y toda la tierra se inundó.

El día 41 dejó de llover. La tierra empezó a secarse y el arca de Noé quedó apoyada en la cima del monte Ararat. Cuando todos los habitantes del arca empezaron a bajar a repoblar la tierra, dios dibujó un arco iris en el cielo. Esa fue su forma de prometer que nunca más sufriría de una rabieta tan fenomenal.

El asno y el caballo

Ocho de abril

Iba un hombre montado en su caballo y con su asno al pueblo a vender su cosecha: muchas cebollas, bultos de papas y varios racimos de plátano. El asno llevaba más carga y estaba fatigado. Le pidió entonces ayuda al caballo: «Siento que ya no puedo más, por favor, ayúdame con parte de mi carga». El caballo se hizo el sordo y continuó su camino. A los pocos pasos, el asno murió. El hombre estaba muy triste pero no tenía más remedio que continuar hasta el pueblo, así que no solo puso la carga que llevaba el asno en el caballo, sino al asno mismo. Ahora el caballo lamentaba no haber ayudado al asno.

Los ríos y el mar

Nueve de abril

Llegaron dos ríos al mar, como todos los ríos. Pero estos ríos iban dispuestos a quejarse con el mar. Y esto fue lo que le dijeron: «Nosotros llevamos agua dulce, la pueden tomar hombres y animales. ¿Por qué cuando llegamos a ti la conviertes en agua salada imposible de saciar la sed de cualquier ser vivo?» El mar no estaba dispuesto a recibir la culpa y la responsabilidad de este hecho y así les respondió: «Entonces dejen de darme agua, no lleguen a mí, y así no salaré sus aguas». Los ríos comprendieron que, o bien ninguno era responsable, o bien lo eran tanto ellos como el mar.

La vejez alegre

Diez de abril

Una pareja había vivido más de cien felices años juntos. Se acercaba, inevitable, la hora de su muerte. Los dos habían sido personas buenas, alegres y bondadosas. El hombre le rezó a su dios: «Dios querido, no quiero morir. Sé que es de sabios entender y acoger la hora de la muerte. Pero no quiero morir. Dame por favor una segunda vida en esta misma vida mía». Le dijo dios: «Has sido bueno. ¿Estás seguro de no querer recibir tu premio, que no es más que la muerte tranquila?». «Ay dios, yo quiero vivir de nuevo». Cuando se fue a la cama, estaba convertido en un joven. Su mujer se asustó al verlo. Cuando el hombre le explicó todo, la mujer fue corriendo a rezar. A los pocos minutos escuchó el hombre el llanto de un bebé. La mujer le había pedido a dios: «Déjame ser por favor siempre mucho más joven que mi marido, para poder cuidar de él».

El hombre enfermo

Once de abril

Un hombre bondadoso y querido por sus familiares enfermó. Vinieron a visitarlo primos cercanos y lejanos, tías y tíos, de acá y de allá, amigos y no tan amigos. El hombre se sintió muy bien con tanto afecto y mejoró. Se paró de la cama y encontró que sus cariñosos visitantes habían arrasado con todo lo que había en la nevera y en la alacena. Volvió entonces a enfermarse el pobre hombre, pero esta vez prefirió no decirle a nadie.

La liebre y la tortuga

Doce de abril

En el bosque todos comentaban con admiración lo veloz que era la liebre. Ella se paseaba entre los animales mostrando sus largas patas y su esbelto cuerpo. Pero a la liebre no le bastaba con eso, también le gustaba reírse de otros animales más lentos, como la tortuga. En verdad a la tortuga no le importaba su burla, pero otros animales lentos la animaron para hacer una competencia de velocidad. Todos los animales del bosque se entusiasmaron y decidieron apostar. Apostaron nueces, ciruelas y bananos. Quien ganara la competencia se llevaría todo.

Así fue que el zorro indicó el lugar de partida y el lugar de llegada. La liebre no podía de la risa, le parecía absurda pero divertida semejante competencia. La carrera empezó entre cantos y aplausos. La liebre le dio una enorme ventaja a la tortuga. La tortuga no paraba de caminar, pasito a pasito iba avanzando. De pronto sintió una ráfaga a su lado que por poco la saca del camino. Era la liebre que acababa de pasarla. Pero la tortuga continuó sin detenerse un solo instante. Mientras tanto, la liebre, recostada en un árbol, contaba sus aventuras a unas bonitas conejitas del bosque. La tortuga avanzaba pasito a pasito sin detenerse una vez siquiera. De pronto sintió otra vez la ráfaga y unas risas, era la liebre que acababa de pasarla y se burlaba de ella. Pero la tortuga continuó.

La liebre pensó que ya estaba cerca de la meta y decidió hacer una siesta. La tortuga nunca paró ni a tomar un respiro ni un poco de agua. Siguió con su paso constante. Así, pasito a pasito, lento pero constante, llegó la tortuga a la meta. Cuando la liebre despertó, corrió hacia la meta pero ya era demasiado tarde. Ese día fue el día más triste para la liebre, pero también aprendió a no burlarse nunca de las capacidades de los otros. La tortuga compartió con sus amigos las nueces, las ciruelas y los bananos.

El dinero del campesino

Trece de abril

Un campesino le explicaba así a su compadre la forma como administraba su dinero: «Una cuarta parte es para pagar impuestos. Otra cuarta parte para pagar deudas. Otra cuarta parte para prestar. La última cuarta parte la tiro por la ventana». «Lo único que entiendo es lo que pagas en impuestos», dijo el compadre. «Mira. Con una cuarta parte mantengo a mi padre, que ya es viejo y no puede trabajar, así le pago por todo lo que hizo por mí. Con otra cuarta parte le pago los estudios a mi hija, que es para mí un préstamo, porque sé que ella me cuidará cuando yo sea viejo y no pueda trabajar más. La última cuarta parte es para mantener a mi hijo, que sé que partirá cuando se enamore y quiera casarse», le explicó el campesino a su compadre.

Jorinda y Joringel

Catorce de abril

Tenía un canasto en su mano. Allí metió a Jorinda convertida en ruiseñor. Joringel quería llorar pero no podía, era de piedra. Quería gritar, pero no podía, era de piedra. Quería correr, pero no podía, era de piedra. Solo cuando salió el sol Joringel pudo llorar, gritar y correr. Corrió tan rápido como pudo sin un rumbo fijo. Sabía que había perdido a Jorinda.

Pero Joringel amaba tanto a Jorinda que no se acostumbraba a vivir sin ella. Todos los días iba al bosque y recogía flores rojas. Una noche soñó que se encontraba una flor muy roja con una perla en el centro, y todo lo que tocaba la flor quedaba libre de embrujos, y con aquella flor liberaba a Jorinda. Al día siguiente, mientras recogía flores vio una muy parecida a la de su sueño y con ella en la mano fue al palacio. Atravesó los cien pasos y no quedó petrificado. Tocó la puerta con la flor y se abrió de par en par. Encontró habitaciones llenas de jaulas con pájaros dentro, las tocó con la flor y de allí salieron todas las doncellas que habían sido embrujadas. Pero no veía por ningún lado a su amada. Hasta que vio a la bruja huyendo sigilosa con un cesto en la mano. Joringel corrió hacia ella y con la flor la tocó, y ya no pudo hacer magia. Del cesto salió Jorinda que volvió a ser la de antes. Desde entonces viven muy felices en una casa con un hermoso jardín de flores rojas.

Jorinda y Joringel eran novios y pronto se casarían. Les gustaba mucho pasear por el bosque. Joringel cortaba las flores más hermosas para Jorinda. Sus favoritas eran las rojas. Siempre tenían cuidado de no acercarse al palacio de la Bruja de los Pájaros, pues quien se acercara a cien pasos de allí era víctima de sus embrujos: si era mujer se convertía en pájaro, si era hombre quedaba petrificado durante un día.

Una tarde estaban tan distraídos que se acercaron al palacio embrujado. Cuando se dieron cuenta, Jorinda había dejado de hablar y hacía extraños ruidos: «Pío, pío». Después cantó como un ruiseñor y de inmediato se convirtió en un pajarito. Joringel se asustó pero no alcanzó a atraparla en sus manos porque estaba petrificado. Entonces apareció la bruja.

Los tres cerditos

Quince de abril

Tres cerditos salieron a conocer el mundo. Viajaron por muchos países, conocieron a otros animales y aprendieron sus costumbres. Un buen día, decidieron que ya era hora de quedarse a vivir en algún sitio y eligieron un bosque muy agradable. El cerdito mayor sugirió que cada uno construyera una casa sólida para resistir a la lluvia o a otros animales que vivían en el bosque y quisieran comérselos. Así, cada cerdito se fue a buscar un lugar adecuado. El menor rápidamente se hizo amigo de unos conejos que lo invitaron a jugar, así que buscó unas hojas y paja y construyó su casa en menos de una hora y salió a divertirse. El mediano había comido muchas manzanas y quería hacer una siesta, así que con una madera que encontró cerca, construyó una casita en menos de dos horas. Cuando la tuvo lista, entró en ella y se dispuso a dormir. El mayor se fue al pueblo y consiguió ladrillos y cemento. En una carretilla llevó todos los materiales al bosque y empezó a trabajar. Entrada la noche y después de más de cinco horas de trabajo, terminó satisfecho una casa fuerte y acogedora. Para celebrar puso a cocinar en el fuego de la chimenea una sopa de vegetales para cenar con sus hermanos.

Esa noche el lobo rondaba por el bosque buscando alimento. Estaba realmente hambriento. Su buen olfato lo guió hasta la casa del cerdito menor. Tocó en la puerta esperando engañar al cerdito, pero este sabía que era el lobo y no le abrió. El lobo se puso furioso y gritó: «¡Cerdito, ábreme!, si no lo haces, ¡soplaré, soplaré y la puerta derribaré!». Esperó unos instantes. Al ver que no le abría, sopló y, en efecto, la puerta derribó. El cerdito alcanzó a correr y se escondió en la casa de madera de su hermano. Pero allí llegó el lobo y gritó: «¡Cerditos, ábranme!, si no lo hacen, ¡soplaré, soplaré y la puerta derribaré!» Y, en efecto, de dos soplidos la derrumbó. Corrieron los cerditos hasta la casa de su hermano mayor. Allí se abrazaron los tres esperando a que el lobo tocara la puerta. Y así fue. Cuando nadie le abrió, gritó: «¡Cerditos, ábranme!, si no lo hacen, ¡soplaré, soplaré y la puerta derribaré!» Después de unos segundos el lobo empezó a soplar. Sopló una, dos, tres veces y no pudo derrumbar la puerta. Pero no se iba a ir sin comer cerdito. Así que se le ocurrió entrar a la casa por la chimenea. Sigilosamente, trepó por la casa muy orgulloso de su astucia. Pero no contaba con que el cerdito mayor fuera más inteligente y, al imaginar la trampa del lobo, corrió hasta la chimenea y quitó la tapa de la sopa que ya llevaba un buen rato hirviendo. El lobo cayó de un golpe a la olla y se quemó la cola. Salió entonces corriendo hasta un río cercano para refrescar su ahumada cola y nunca más se le ocurrió molestar a los cerditos.

La planta y el palo

Dieciséis de abril

Una planta muy linda crecía en un jardín. Levantaba orgullosa al cielo unas flores rojas, tiernas y brillantes. Pero se quejaba de un palo viejo, seco y derecho que estaba a su lado.

«Palo, ¿no podrías correrte un poco? Estas muy cerca y estorbas la belleza y verdor de mis tallos y hojas».

El palo guardó silencio y no se movió ni un poquito. Cerca de la planta crecían también unos arbustos. La planta les dijo: «Oigan, ustedes, ¿no podrían marcharse a otro lugar? Su presencia me molesta».

Los arbustos, al igual que el palo, pretendieron no escuchar a la planta. Pero un lagarto sabio que vivía en el jardín no pudo evitar escucharla y le dijo: «Planta bella pero necia, ¿no te has dado cuenta de que es gracias al palo que puedes crecer derecha y recibir el sol en tus hojas? ¿No has notado que los arbustos te protegen de los animales y te dan sombra cuando la necesitas? Eres bella, pero gracias a aquellos que has despreciado».

La planta se sonrojó y aceptó el regaño del lagarto. Crece ahora tan bella como siempre, pero agradeciendo a aquellos que lo hacen posible.

Los sueños de una abeja

Diecisiete de abril

La abeja más inquieta de la colmena volaba de flor en flor cantando y recogiendo todo el néctar que encontraba. Sin darse cuenta, se separó de las otras abejas. Saltaba de la amapola al loto, del loto al girasol, del girasol a los lirios, hasta que llegó al loto más grande del bosque. Allí se metió y empezó a beber su néctar. Estaba tan a gusto allí que se hizo de noche, pero pensó que estaría muy bien con todo ese néctar. «Mañana le contaré a mis amigas para que vengan a beber y recoger todo el néctar que quieran», se dijo la abeja.

Mientras se dormía, pensaba: «Puedo, además, vender de este néctar en otras colmenas. La abejas estarán agradecidas y yo tendré dinero para comprarme mi propia colmena. Además, ya no tendré que trabajar tanto». En esto estaba la abeja cuando escuchó un ruido y un temblor. Pero no le importó, siguió inmersa en sus pensamientos y en todo lo que haría con el dinero de la venta de la miel. Afuera un elefante caminaba buscando alimento, sus pasos hacían temblar la tierra. El elefante iba masticando flores y, por supuesto, aquel enorme loto no le fue indiferente y se lo comió de un bocado, con todo y la abeja que allí adentro soñaba con lo que haría al día siguiente con todo ese néctar.

Parábola del tesoro escondido

Dieciocho de abril

Luis y Fernando eran vecinos. Luis renegaba todos los días por la pobreza de su tierra. Fernando, en cambio, era un hombre feliz que vivía con un perro grande y consentido. Un buen día el perro de Fernando encontró un tesoro escondido en las tierras de Luis.

Fernando no lo dudó un instante. Vendió todo lo que tenía y le compró sus tierras a Luis por un precio que él nunca hubiese soñado. Luis se fue feliz a viajar por el mundo y Fernando disfrutó del tesoro encontrado.

San Marcos

Diecinueve de abril

En los tiempos en que los cristianos fueron perseguidos, vivió Marcos. Fue discípulo de Pedro y lo acompañó en Roma a sus predicaciones. Escribió cuanto escuchó de su maestro en bellos textos que aún hoy son leídos. Pedro le pidió a Marcos que fuese a la grandísima ciudad de Alejandría a contar el mensaje de Cristo, que allí aún no conocían. Así hizo Marcos. Al cabo de un tiempo fue famoso y practicado por muchos el cristianismo en Alejandría. Cuando Pedro preguntó a un alejandrino cómo había hecho Marcos para convencer a tantos de la palabra de Cristo, le contaron que no había hecho nada. Le dijeron: «La verdad es que Marcos llegó a nuestra ciudad, extraño, con su gran nariz y hermosos ojos, y nada hacía. Caminaba descalzo y sonriente. Comía poco y quería a todos. Nada decía. De nada nos quería convencer. Su rostro despejado y su semblante feliz. Nos fuimos todos acercando a mirarlo, a conocer el secreto de su tranquila alegría. Vimos su sencillez, el amor que profesaba y quisimos ser sus hermanos». Así Marcos, de qué callada manera, se hizo santo.

La mirada de Mowgli

Veinte de abril

Recordarán al pequeño cachorro humano, llamado Mowgli, la rana, que creció con los lobos. El que fue salvado de las fauces del tigre cojo Shere-Khan, por el respetable Akela, líder de la manada.

Creció Mowgli entre lobos y los lobos fueron sus hermanos. Siendo bebé, sus hermanos lobos tendían a protegerlo. En verdad les parecía una rana, lampiña, blanda, sin garras ni colmillos. Pero no bien se acostumbraron a su presencia y empezaron a considerarlo hermano, se olvidaron de su debilidad. Ya siendo niño lo trataron entonces como a cualquier lobo niño. El pobre Mowgli salía todo magullado, rasguñado y sangrando de los juegos normales entre lobeznos. Pero si Akela intentaba protegerlo, ¡ay de la ira de Mowgli! Él realmente quería ser tratado como cualquier lobo.

Descubrió Mowgli, en esta tierna infancia, uno de los atributos que le permitirían sobrevivir. Aunque más fiero que ninguno, Mowgli era siempre sometido en los juegos de los lobeznos.

Por mucho que se esforzase, terminaba siempre debajo de las patas de uno de sus hermanos, de espaldas al suelo. En una de esas ocasiones, a Mowgli le dio tanta ira que se quedó mirando fijamente a los ojos a su hermano lobo, con odio de verdad. Como es costumbre en la selva, el hermano lobo intentó sostener su mirada, pero no aguantó ni siquiera dos segundos, tuvo miedo y se retiró. Otros hermanos intentaron retar a Mowgli, pero la fiereza de su mirada fija y brillante era invencible para los lobos.

En la selva solo un ser poseía el don de la mirada invencible: Bagheera, la pantera negra. Se acercó Bagheera a ver qué estaba pasando y sucedió que le causó mucha gracia la escena: un grupo de bravos lobeznos aterrorizados por una rana escuálida. Entonces Bagheera se burló de Mowgli. Y ya desde tan pequeño, Mowgli dejó ver la dimensión de su soberbia: lleno de ira, en un balbuceo infantil, llamó a Bagheera «gatita». Un profundo silencio se hizo en la selva. Los lobeznos se quedaron congelados del pánico. Bagheera se acercó a Mowgli resoplando de indignación. ¿Qué hizo Mowgli? Pues se quedó quieto, presa de la más asombrosa calma. Y... sí, eso hizo... sostuvo la mirada de la gran pantera negra.

Acá dejamos caer un telón sobre la escena, en consideración con nuestra amiga Bagheera. Diremos solamente que desde entonces nunca nadie más se burló de Mowgli, ni lo magulló, ni lo rasguñó. Al menos no hasta muchos años después. Y quien se atrevió a hacerlo, sabía que se jugaba su vida en ello.

El salto del Tequendama

Veintiuno de abril

Hace miles de años, el territorio donde hoy queda la ciudad de Bogotá era un lago. En aquel entonces esa tierra estaba habitada por la sabia cultura Muisca. Los muiscas vivían en las montañas alrededor del lago. Eran hombres y mujeres sin palabras. Comían lo que les regalaba la montaña y el lago. Le rezaban al dios Sol y a la diosa Luna. Eran buenos hombres sabios.

Entonces el Sol les envió a Bochica. Era un dios pero tenía apariencia de hombre. Lucía barba blanca hasta la cintura y una larga túnica. Bochica les enseñó a los muiscas su lengua, a sembrar y a usar el fuego.

Los muiscas le preguntaron a Bochica dónde sembrar, si la tierra seca era toda laderas de montañas. Se dirigió entonces el dios con su bastón al sur del lago. Allí golpeó una gran roca que se abrió en dos. Las aguas del lago se vertieron por este lugar, cayendo más de 150 metros. Al caer, formaron una inmensa cascada, aún hoy llamada «El salto del Tequendama».

San Pablo

Veintidós de abril

En aquellos tiempos en que los cristianos eran perseguidos, Pablo fue famoso por sus discursos. Su oratoria era poderosa. Cada vez que hablaba, muchos entre quienes lo oían se convertían al cristianismo. Un emperador de aquella época quiso escucharlo. Tenía mucha curiosidad por entender qué tanto poder había en las palabras de Pablo. Como había tanta gente, el emperador tuvo que subirse a un balcón para poder ver y escuchar. Pero el emperador no entendió nada. Se aburrió y se quedó dormido. Al quedarse dormido se cayó del balcón y se mató. Fue entonces juzgado el pobre de Pablo por haber matado a un emperador. Perdió la cabeza san Pablo por haber aburrido a un emperador con su discurso que a tantos otros conmovía.

San Pedro

Veintitrés de abril

En los tiempos en que los cristianos eran perseguidos, el gobernador Teófilo encerró a Pedro en la cárcel. Teófilo dejaba morir de hambre a Pedro. Pablo visitó a Teófilo para pedir piedad por su hermano cristiano. Le dijo al gobernador que Pedro era un hombre valioso, que no merecía morir de forma tan cruel. Teófilo le dijo a Pablo: «Me han dicho sí, que este Pedro es santo, que aprendió de Cristo grandes poderes. Pues si tantos poderes tiene, ¿cómo es que puedo yo mantenerlo encerrado y matarlo de hambre?». Pablo le contestó diciendo: «Así mismo murió Cristo, clavado en una cruz. Los poderes de los cristianos no son para propio beneficio. Son para ayudar a los demás». «Bueno, entonces que me ayude a mí para demostrar sus poderes. Mi más amado hijo murió hace catorce años. Vamos al cementerio y que Pedro me lo resucite», contestó Teófilo. Así hicieron. Pedro rezó en el cementerio. Le pidió ayuda a Cristo para convencer a Teófilo de la fe cristiana. Y he aquí que el hijo de Teófilo, muerto hacía catorce años, resucitó. Así se convirtió Teófilo al cristianismo, y así confirmó Pedro su santidad.

Dioses de la tierra, el agua y el cielo

Veinticuatro de abril

Los españoles llegaron a tierra de los muiscas a conquistarla a sangre y fuego. Durante mucho tiempo hubo peleas, mentiras, engaños, trampas. También hubo resistencias.

Si los muiscas adoraban el agua, los españoles sembraban árboles del norte que secan las aguas. Si los muiscas adoraban a los nogales, magníficos árboles de estas montañas, los españoles los talaban. Si los muiscas vivían de la pesca en los humedales, los españoles secaban los humedales para imponer la ganadería. Si los muiscas adoraban a sus dioses en las lagunas, los españoles construían iglesias en los caminos que llevaban a las lagunas.

Un día, un cura español se sentó a discutir con un jeque muisca. El español dijo:

—Tiene usted que aceptar que nuestra religión cristiana es mucho más poderosa que la suya. Nosotros creemos en un dios todopoderoso, en cambio ustedes creen en algo tan insignificante y mundano como el agua.

A lo que el jeque contestó:

—Nosotros creemos en el agua porque sin agua no hay vida. Sin su dios todopoderoso hemos vivido en estas tierras durante milenios. No me dirá que ustedes han vivido milenios sin agua. Ni un día puede sobrevivir un hombre sin agua.

—Bueno... pero nosotros adoramos a nuestro dios en hermosas catedrales, de cúpulas altas y magníficas. Hay oro en nuestros altares, de mármol son las columnas. Ustedes en cambio adoran a su dios en el páramo, al descampado, sobre la tierra sucia.

—Las catedrales son hechas por los hombres, no por dios. Nosotros vemos a dios en su propia obra. Las altas montañas, maravillosas, con nubes inmensas, agua, frailejones, picaflores, vida por doquier. Nosotros vemos a dios en la vida, no en metales y piedras inertes y frías.

El cura se quedó pensativo, enojado por la pobreza de sus propios argumentos.

—Ustedes adoran también a los chulos —dijo finalmente—. Nosotros adoramos a los ángeles. No podrá negar que no hay animal más feo y maloliente que un chulo. Comen carne de animales muertos, carroña. Tienen el pescuezo pelado y negro. Caminan como sepultureros borrachos. Y tienen los ojos rojos como el diablo.

—Yo nunca he visto un ángel —contestó el jeque—. Sí crecí, en cambio, contemplando el magnífico vuelo del chulo sobre los páramos. No hay pájaro que vuele más alto. Si no fuese por él, toda la carne de los muertos se infectaría, produciendo enfermedades sin nombre. Nosotros adoramos al chulo, porque conoce el secreto del paso de la muerte a la vida.

El cura español no tuvo más argumentos. Pero su fe en su dios no era asunto de argumentos. Era una fe ciega. Hubo que esperar siglos para que un cristiano volviese a hablar con un muisca.

Han pasado los siglos. Las tierras altas de la montaña siguen habitadas por el vuelo maravilloso de los chulos. Las lagunas sagradas, Chingaza, Guatavita, Siecha, Iguaque, siguen intactas conservando los secretos de los muiscas. Los jeques también viven aún, discretos, amando la vida, hablando con sabiduría.

Los curas hablan también aún desde sus altares de oro falso y mármol de imitación. La pobreza se ha cernido sobre sus templos. En las zonas más pobres de la antigua tierra de los muiscas, curas y jeques han vuelto a hablar. Y solo en la pobreza los curas han podido entender el sentido de la vida.

El águila, el cuervo y el pastor

Veinticinco de abril

Volaba un águila con la elegancia, fuerza y destreza que solo las águilas conocen. Bajó rápidamente en picada sobre un corderito y entre sus patas se lo llevó. Cazaba el águila como solo las águilas saben cazar.

Cerca de allí, en la rama de un árbol, un cuervo la vio cazar y la quiso imitar. Se lanzó entonces el cuervo sobre una oveja y no solo no la pudo cazar, sino que sus patas quedaron enredadas en la lana de la oveja. Batía el cuervo sus alas sin poder escapar.

Un pastor vio lo ocurrido, sacó al cuervo, le cortó las puntas de las alas y se lo llevó a sus hijos. Los niños nunca habían visto un cuervo y le preguntaron a su padre qué clase de ave era esta. A lo que el labrador respondió: «Para mí no es más que un cuervo, pero él se cree águila».

Herodes y los inocentes

Veintiséis de abril

Fue Herodes un mal hombre. Vivió en aquellos tiempos en los que se persiguió a los cristianos inocentes. Fue él el culpable de la muerte de muchos inocentes. Sus propios hijos lo odiaban. Vivió una vejez dolorosa, llena de enfermedades. Su cuerpo se llenó de infecciones. El hedor de su piel era insoportable. Sus pies se hincharon y las manos se volvieron moradas. Un día, los médicos lo dieron por muerto. Dieron la noticia y la mayoría de sus hijos disimularon tristeza, a pesar de sentirse aliviados por su muerte. El menor de sus hijos, en cambio, no pudo evitar saltar y gritar de júbilo. Pero Herodes aún no había muerto. A pesar de las infecciones y las enfermedades y su terrible hedor, aún respiraba y escuchaba. Alcanzó a vivir cinco días más. En los cuales mandó decapitar a su hijo menor.

Los Bandar-Log

Veintisiete de abril

Había en la selva de Mowgli un pueblo temido. Pero no era temido por su furia ni por su valentía. Era temido por su locura. Los Bandar-Log, fuertes micos de largos brazos, estaban locos. Reían como los humanos y lanzaban objetos como los humanos. Pero, a diferencia de los humanos, no hacían nada más que reír y lanzar cosas. No trabajaban la tierra, ni construían casas, ni rezaban. Reían y cantaban, comían bananos y lanzaban sus cáscaras.

En su locura, decidieron que ese chico Mowgli, cuya fama recorría ya toda la selva, debía ser su rey. Mowgli era como un mico sin pelo y sin risa. Pero decían que era peligroso, astuto, tenía el secreto de la flor roja y una mirada invencible. En el momento menos pensado, los Bandar-Log secuestraron a Mowgli. Ni siquiera Bagheera era más rápida que los monos brincando de árbol en árbol. Se tiraban a Mowgli como si fuera un balón de rugby. Bagheera los perseguía saltando de rama en rama, temiendo que en el afán lo dejaran caer. El viejo Baloo hacía temblar la tierra corriendo lo más rápido que podía por el suelo.

Finalmente tuvieron que dejarlo ir. Sabían que liberar a Mowgli de la vieja ciudad olvidada y en ruinas, donde se escondían los Bandar-Log,

sería casi imposible. Eran demasiados. Los micos le temían a una sola cosa en la selva, solo un ser les quitaba la risa: Kaa, la serpiente pitón de más de diez metros de largo. Pero Kaa no peleaba contra micos, sería humillante. Los Bandar-Log le temían tanto justamente porque cazaba micos en noches oscuras, sin luna, para que nadie la viera. Mencionárselo podía ofenderla mucho. Nadie tan sensible y orgullosa como Kaa.

Baloo y Bagheera tuvieron que ofrecerle todo tipo de ofrendas para convencerla de que los ayudara a liberar a Mowgli: masajes en la espalda (¡una espalda de diez metros!), protección y vigilancia cuando cambiara de piel, litros de sábila para humectarse la piel nueva... A pesar de eso, Kaa dijo que solo intervendría en la batalla por la liberación de Mowgli si era absolutamente necesario.

Cuando llegaron a la vieja ciudad en ruinas, donde hace siglos habían habitado humanos, Mowgli reía y cantaba. Comía bananos sobre un mohoso trono de piedra y en la cabeza lucía una opaca corona de latón. Los micos locos acababan de cambiar de opinión, como hacían cada cinco minutos: mejor que tener un rey, era sacrificar al único rey que habían tenido.

Intervinieron entonces Bagheera, rápida como un rayo, y Baloo, fuerte como... un oso. La lucha fue

feroz. Los Bandar-Log eran incontables, luchaban sin orden alguno, atacaban en multitudes, después se reían, después tiraban cocos a las cabezas.

Kaa, cruel como... una serpiente pitón, esperó a que Baloo y Bagheera desfallecieran para hacer su entrada triunfal. Que no quedase duda que había tenido que salvarlos. Le bastó con solo asomar la cabeza para que

los Bandar-Log huyeran despavoridos. Una vez más, en consideración con Bagheera, no daremos detalles del final de esta historia y del estado de la pantera después de la lucha. Muy pocos en la selva saben que la temida pantera negra tuvo que ser salvada de los micos locos por la serpiente pitón. Muy pocos, porque si la multitud de Bandar- Log lo contara, nadie le creería.

La flor roja

Veintiocho de abril

Cuando ya nuestro amigo Mowgli se acercaba a la adolescencia, tuvo mucha curiosidad de ver a otros humanos. Mowgli pertenecía a la manada de los lobos con los mismos derechos y deberes de cualquier lobo. Pero una serie de obviedades inocultables le hacían pensar que era un lobo bien distinto a los demás: un lobo lampiño que andaba en dos patas, sin garras ni colmillos.

Se acordarán que Baloo, el viejo oso, y Bagheera, la pantera, protegían a Mowgli para pagar viejas deudas que tenían con Akela y los lobos. Accedieron ellos a acompañar a Mowgli a dar un vistazo a la aldea de los humanos, que quedaba a días de distancia. Al llegar, se apostaron en las ramas altas de un árbol a mirar. A Mowgli le parecieron en todo absurdos esos humanos: en la forma como cubrían su desnudez, en su andar pausado y temeroso, sus caras contraídas y sus rejas y su miedo. En nada le parecieron similares a él. A pesar de su «en dos patas andante lampiñez», le pareció en esos momentos ser más lobo que nunca. Se

miraron Baloo y Bagheera aliviados, todo parecía indicar que el viaje no tendría consecuencias que lamentar.

Hasta que al atardecer... vio Mowgli el fuego. Preguntó: «¿Qué es eso brillante?». Bagheera dijo: «Es la flor roja». Baloo dijo: «Vámonos de acá». «¿Por qué nos vamos?», dijo Mowgli, «¿Qué es la flor roja?». A lo que Baloo respondió: «Mucho dolor ha traído a la selva la flor roja». Pero ya era tarde, Mowgli bajaba del árbol con la intención de deslizarse en la aldea humana para robar un pétalo de la flor roja. Antes que Baloo y Bagheera hubiesen podido hacer algo, ya Mowgli volvía con un palo incandescente, ante la mirada aterrorizada del oso y la pantera. «Vi cómo hacen —dijo Mowgli—, alimentan la flor roja con palos secos, y los palos se vuelven como este, semilla de flor roja».

Así fue como Mowgli se hizo aún más temido en la selva. Ya no era solo su mirada, ni su fiereza. Desde entonces tuvo también el secreto y el poder sobre el fuego.

La cuaresma

Veintinueve de abril

Los cristianos recuerdan cada año la muerte de Jesucristo durante la Semana Santa. Durante esta semana se rememora la pasión de Cristo. Cuarenta días antes, los cristianos ayunan. Son cuarenta días porque cuarenta son las generaciones desde Adán, el primer hombre, hasta Jesucristo. Cuarenta fueron los días que permaneció Cristo con sus discípulos después de resucitar. Y también porque cuatro son los elementos —agua, fuego, aire y tierra—, cuatro las estaciones, cuatro los puntos cardinales y diez son los mandamientos. Cuatro por diez da cuarenta.

Tom Sawyer

Treinta de abril

A la vera de uno de los más hermosos ríos del mundo, el río Misisipi, vivía el niño Tom Sawyer. Tom era criado por su tía, desde la temprana muerte de sus padres. La tía lo quería mucho, pero lo criaba de forma estricta. Tom eludía con inteligencia y astucia las rígidas normas de su tía. Lo que él quería era vivir descalzo, trepar árboles, pescar en el río, atrapar insectos. En pocas palabras, lo que quería el bueno de Tom, como todos los seres humanos, era ser feliz. ¿Y qué mejor momento para ser feliz que cuando se es niño?

La tía de Tom pensaba distinto. Lo importante para ella era que Tom fuese a misa, hiciera sus deberes escolares, fuese bien educado y se pusiera zapatos todos los días. Cada vez que Tom no hacía lo que la tía pensaba que debía hacerse, se imponía entonces un castigo.

En esta ocasión, el castigo consistió en pintar de blanco la barda del jardín de la casa de la tía. Apenas había empezado su labor cuando otro niño que pasaba por ahí le preguntó a Tom:

—¿Qué estás haciendo?

—Hombre, por mi buen comportamiento, mi tía me premió dejándome pintar de blanco esta barda.

A lo que el niño respondió:

—Tom, ¿no me dejarías compartir por un rato tu premio?

—¡Claro que no! Mucho esfuerzo me ha costado ganarme este magnífico premio.

—Y si te diera a cambio este trompo, en perfecto estado.

—Bueno... por ser tú un niño tan bueno y especial, haré una excepción. A cambio de tu trompo, te dejaré pintar la barda por diez minutos.

Para el final del día, Tom tenía un trompo, varios caramelos, una cauchera nuevecita, una bolsa entera de bolas de cristal y un balón de fútbol. Ah... y, claro, la barda perfectamente pintada, sin haber movido un dedo.

Mayo

La princesa y el guisante

Primero de mayo

En un reino lejano, un joven príncipe llegó a la edad de casarse. Su madre, la reina, buscaba una princesa adecuada para su hijo. Una verdadera princesa. Una que hubiese sido criada por reyes buenos, con holgura y comodidades, pero sin excesos ni lujos. Muchas habían llegado de otras comarcas, pero ninguna le gustaba al príncipe. Algunas parecían ser impostoras. Otras, aunque verdaderas princesas, querían camas y tinas de oro.

Pasaron meses y ya ninguna mujer tocaba a las puertas del castillo. El príncipe permanecía solo y triste en su habitación, desilusionado del amor. Hasta que al final de una tarde una joven de aspecto humilde tocó a la puerta del castillo. Cuando el príncipe la vio, sintió revivir su corazón. Quedó impresionado por su aspecto sencillo, por la belleza de su piel, la luz de sus ojos y la suavidad de su cabello. No venía vestida con trajes caros ni hebillas de diamantes. Pero en su suave forma de hablar podía reconocerse la buena educación.

Ella explicó que venía de muy lejos, que estaba deseosa de descansar un poco. La reina dispuso un cuarto muy lujoso para ella. La cama era de oro y la tina también. Las sábanas de seda y las cortinas de costoso terciopelo. Mandó poner seis de sus mejores colchones en la cama. Pero bajo los colchones puso un guisante.

A la mañana siguiente, la joven agradeció todas las atenciones, pero no parecía haberse fijado en los lujos. Cuando le preguntaron si había dormido bien, contestó que a pesar de la suavidad de sábanas y colchones, algo la había incomodado en la espalda. La reina y el joven príncipe supieron así que se trataba de una verdadera princesa, educada por reyes buenos.

La zorra y la cigüeña

Dos de mayo

En aquellos tiempos los animales solían invitarse a cenar los unos a los otros. Esta vez la zorra quiso invitar a la cigüeña. Es verdad que la zorra no tenía la mejor vajilla ni podía cocinar manjares exquisitos, pero no sabemos si con intención o sin ella, sirvió en un plato ancho un poco, casi nada, de caldo con papas. La cigüeña no pudo probar nada, pues su largo y delgado pico se lo impedía.

La cigüeña quiso que la zorra entendiera el descuido y poco tiempo después la invitó a cenar. La zorra llegó temprano y muy hambrienta, dispuesta a devorar lo que le pusieran en la mesa. Empezó a salir un olor exquisito de la cocina y la zorra se lamía los bigotes pensando en el suculento manjar que la cigüeña le preparaba. Y en verdad era un manjar, pero la zorra no esperaba que se lo sirvieran en un jarro alto y delgado. Intentó la zorra sacar algo, pero se fue de la casa de la cigüeña más hambrienta que nunca. Pero no solo se fue hambrienta, sino avergonzada. Finalmente había entendido su descuido frente a la cigüeña aquel día en que la había invitado a cenar.

La gata y el hada

Tres de mayo

Una gata se había enamorado de un joven muy apuesto. Deseaba más que nada en el mundo ser una joven para poder casarse con él. Un hada la escuchó y cumplió su deseo: se convirtió en una muchacha muy bella y agradable y pronto se casó con el joven.

El día de la boda el hada quiso saber si al convertir a la gata en un ser humano, toda ella había cambiado, incluso sus instintos. Soltó entonces un ratón en la habitación y, sin pensarlo dos veces, la joven salió a perseguirlo ante el asombro de su esposo.

El hada se dio cuenta de que estos deseos no podían concederse y volvió a convertir a la gata a su estado original. La gata entendió que estos deseos no podían pedirse y volvió a perseguir ratones como siempre había hecho.

Júpiter y los defectos de los animales

Cuatro de mayo

Llegó un día el dios Júpiter a la Tierra y reunió a todos los animales. Cada uno se presentó y el dios les preguntó si creían tener algún defecto que quisieran cambiar. Así, empezó a preguntar uno por uno: «Tú, mona, ¿hay algo que no te guste y quieras cambiar? Yo puedo mejorarlo». La mona respondió: «¿Yo?, no, claro que no. Me miro en el espejo todas las mañanas y me veo hermosa. En cambio mire al oso, es gordo y no tiene cintura». El oso replicó: «Yo me siento perfecto con mi cuerpo fuerte y peludo. Afortunado soy de no tener el tamaño del elefante, ¡y esa trompa!». «Yo, Señor Júpiter, no tengo ningún problema con mi tamaño. Incluso encuentro que mis orejas son estupendas. Mire en cambio las de la avestruz: son ridículamente pequeñas». Dijo el elefante. «No se moleste por mí, buen dios —dijo la avestruz—. Yo me siento esbelta y proporcionada. Más bien pregúntele a la jirafa, porque ¡con ese cuello!» El dios Júpiter se desesperó y con voz fuerte dijo: «¡Esto es demasiado! Todos se creen perfectos, ninguno tiene defectos, pero no hacen más que ver los defectos de los demás». Dicho esto, se marchó el bueno de Júpiter y dejó a los animales reflexionando.

El zorro y el cuervo

Cinco de mayo

Un cuervo bastante feo, de pocas y opacas plumas negras, había robado un trozo de queso. Posado en la rama de un árbol buscaba un lugar seguro para disfrutarlo. De pronto, apareció un zorro que vio aquel delicioso trozo de queso y lo quiso para él.

El zorro se acercó al árbol y le dijo: «Oye, cuervo, pasaba por aquí y no pude evitar fijarme en tu brillante y espeso plumaje».

El cuervo se sintió muy alagado y continuó escuchando al zorro: «No he visto en mi vida un pájaro más elegante que tú». El cuervo, aún más alagado, pensó para sí: «Si con esto está sorprendido el zorro, espere a que escuche mi canto». El cuervo abrió su pico para cantar y el trozo de queso cayó a los pies del zorro. Como era de esperarse, el zorro se llevó el queso. El cuervo, feo pero no tan tonto, entendió el engaño y los halagos mentirosos.

El ciervo y el cazador

Seis de mayo

Un ciervo se contemplaba en el reflejo del agua.
-¡Qué cornamenta más bella tengo! Es grande y fuerte. Pero qué feas patas tengo. Mi cornamenta es como las ramas gruesas de un árbol y mis patas delgadas como palitos de bambú.

En esas estaba cuando escuchó la voz de unos cazadores. Se escuchaban también los ladridos de los perros que los acompañaban. El ciervo salió corriendo velozmente gracias a su largas y flacas patas. Cuando parecía estar a salvo se escondió en el bosque, pero su cornamenta se enredó con las hojas de los árboles y allí mismo lo encontraron los cazadores.

Atrapado y amarrado, pensaba:
-Qué tonto fui, las patas que había menospreciado me salvaron y la cornamenta que tanto había alabado me ha llevado a la muerte.

El sabio de Gorgán y la gata

Siete de mayo

Un sabio vivía con una gata a la que quería mucho. Siempre lo acompañaba y se sentaba a sus pies. Cierto día, la gata entró a la cocina y sacó un trozo de carne de una olla. El cocinero se dio cuenta y le pegó. La gata muy molesta se fue a un rincón y allí se quedó. Al verla enfadada, el sabio preguntó por lo sucedido. El cocinero le contó y el sabio regañó a la gata: «¿Por qué has hecho una cosa así?» La gata se fue y volvió con dos gatitos en su boca y los puso a los pies del sabio. Se fue y volvió con otros tres y, finalmente, trajo los últimos dos. Siete en total. Después, la gata se fue a lo más alto de un árbol. El sabio reunió al cocinero y a quienes estaban cerca y les dijo: «Lo que ha hecho la gata no es un delito, pues no lo cometió pensando en ella misma. El amor de las madres es algo prodigioso y solo quienes tienen hijos saben de este misterioso amor». Luego le dijo al cocinero: «Este pobre animal que no puede hablar seguramente ha sufrido. Pídele perdón y su enojo desparecerá». El cocinero se acercó al árbol, miró a la gata y le pidió perdón. La gata bajó y se acurrucó a los pies del sabio, quien pudo comprender su acción y no la juzgó duramente.

El cóndor y la pastora

Ocho de mayo

En el desierto de Atacama, al norte de Chile, vivía una familia de pastores. La hija hilaba mientras acompañaba a su hermano a cuidar de las llamas que comían en un lugar donde crecía el pasto más tierno. Mientras hilaba vio que un cóndor sobrevolaba allí cerca. De pronto, ya no vio al cóndor, sino a un joven atacameño muy simpático. Inmediatamente se hicieron amigos y él le preguntó si quería subirse a sus hombros. A la pastora le pareció divertido y así hizo. El muchacho empezó a correr con la pastora en la espalda, corría cada vez más rápido hasta que se despegaron del suelo y el joven se convirtió en el cóndor que la pastora había visto antes.

Volaron muy, muy alto, hasta llegar a la cordillera de los Andes. Allí, en una cueva entre las montañas, el cóndor dejó a la pastora. La pastora lloraba intensamente. Cada día el cóndor le llevaba carne cruda y dormía a su lado. La pastora no comía al comienzo, pero tanta era su hambre que se acostumbró a comerla. Pasaron los días y le comenzaron a salir alas. Una tarde, mientras el cóndor salía a buscar comida, pasó un zorro y la pastora le pidió que le avisara a su hermano para que fuera a rescatarla. El zorro corrió y encontró al chico con las llamas y le contó lo sucedido. El zorro le mostró el camino y rescataron a la pastora, quien volvió feliz a su casa.

Pocos días después, mientras la pastora hilaba en compañía de su hermano, vieron al cóndor nuevamente sobrevolando allí cerca. Entonces el hermano metió a la pastora en una enorme jarra de barro. Allí estuvo escondida toda la tarde mientras el cóndor volaba con tristeza en busca de la pastora. Su dolor era tan grande que lloraba lágrimas de agua y de sangre. Al final de la tarde, al no encontrar a la pastora, el cóndor se fue, triste, muy triste. La pastora salió de su escondite convertida en cóndor. Miró con cariño a su hermano y emprendió el vuelo en busca del cóndor que tanto la había amado.

Allí, entre las montañas de los Andes, viven ahora el cóndor y la pastora.

El ermitaño y el velo encantado

Nueve de mayo

Un hombre sabio vivía aislado en la montaña. Ermitaños llaman los seres humanos a estos hombres solitarios. En su soledad, el ermitaño había encontrado la voz de su propia alma. Conversaban entonces largamente sobre la vida y el mundo.

Un día, el ermitaño se levantó con antojos de un helado de vainilla. Su alma le pidió que no se fuese a ninguna parte, que la montaña les daba todo lo que necesitaban para ser felices. Que el helado de vainilla que él quería era el que recordaba de niño, no el que encontraría ahora entre los hombres. Y que los hombres podían hacerlo dudar de todo lo que era valioso para él.

El ermitaño salió a caminar. Pensaba distraer sus ganas de helado contemplando la naturaleza hermosa que lo rodeaba. Se encontró con un velo enredado en una rama. Cuando lo tomó, vio asombrado como sus manos se hacían invisibles. Apareció un hada hermosa que le dijo:

—Ese velo es mío, ermitaño. Está hecho de luz de luna y polvo de estrellas. Por favor, devuélvemelo.

—Hada hermosa, ¿no me prestarías tú este velo, para ir donde los hombres y comerme un helado de vainilla? Es que no quiero ver a los hombres y que me hagan dudar de todo lo que soy.

—Yo te lo presto, ermitaño. Tú eres como un ser más de la montaña, por acá todos te queremos. No eres como los humanos, insaciables y destructores. Para los humanos te satisfaces con poco. Para nosotros, los seres de la montaña, solo te satisfaces cuando logras mucho. Has renunciado a todo para poder tener tu alma intacta y conversadora, y toda la naturaleza para tu deleite.

—¿Me prestas el velo, entonces?

—Sí, te lo presto. Pero piensa en una cosa. El velo te hará invisible a ti. No a los otros hombres. Tu eres ya invisible para ellos. Pero no hay magia en el mundo que haga invisibles las cosas que no quieres ver.

El ermitaño le devolvió el velo al hada y se quedó feliz sintiendo su hermosura, su presencia invisible. Se dio cuenta que le bastaba recordar el sabor del helado de vainilla, así como lo recordaba de niño, para ser feliz.

Kirikú

Diez de mayo

En el oriente de África, los abuelos cuentan la historia del pequeño Kirikú. Estando aún en el vientre de su madre, Kirikú habló:

—Madre, creo que ya es tiempo de salir. Ayúdame a salir.

—Un niño que habla desde antes de nacer, no necesita ayuda para salir del vientre de su madre —respondió ella. Entonces Kirikú nació. Y le dijo a su madre:

—Madre, ayúdame a parar. Quiero caminar.

—Un niño que nace solo, sin ayuda, puede pararse y caminar solo, sin ayuda —respondió la madre.

Entonces Kirukú se paró y caminó. Y le dijo a su madre:

—Madre, báñame.

—Un niño que aprende a caminar solo, puede bañarse solo —dijo la madre.

Entonces Kirikú fue a la fuente de agua y se bañó.

Fue impaciente Kirikú para hablar y para nacer y para pararse y para caminar y para bañarse, porque grandes aventuras lo esperaban en su vida. Recién nacido, hubo de vencer a la bruja Carabá, hechicera que atormentaba a su gente. Poco después, peleó contra una bestia salvaje, que destruía los sembrados de su pueblo. Pero estas grandes aventuras son motivo de otras historias.

El telar de Penélope

Once de mayo

Ítaca era un reino muy rico; la reina Penélope, muy bella y bondadosa; su hijo Telémaco, tímido pero valiente, y su padre, el rey de Ítaca, el valiente Ulises, ausente. Mientras Ulises intentaba llegar a casa, después de esa larga guerra con la ciudad de Troya, unos hombres que se hacían llamar nobles se instalaron en el palacio y presionaron a Penélope para que eligiera entre ellos a un nuevo marido, pues ya habían pasado diez años y nada se sabía de Ulises. Penélope amaba a su esposo y sabía que regresaría algún día. Entonces les dijo a los pretendientes:

—Escuchen todos: empezaré a tejer en este telar, cuando esté listo, elegiré a uno de ustedes como esposo. Todos se frotaron las manos y esperaron comiendo y bebiendo de la hacienda de Ulises. De día tejía Penélope, de noche lo deshacía. Así pasó el tiempo, hasta que los nobles se aburrieron y decidieron obligar a Penélope a elegir. Penélope lloraba y su hijo la consolaba.

Narciso

Doce de mayo

Narciso en realidad era un joven muy guapo, tenía unos ojos negros grandes y brillantes y su pelo caía sobre su frente en forma de rizos. Su cuerpo era atlético y de piel suave y morena. Todas las mujeres estaban enamoradas de él, incluso las hadas, las ninfas y las elfas. Pero Narciso a ninguna determinaba, todas le parecían feas.

Un día, Narciso caminaba por el bosque y sintió mucha sed. Se acercó entonces a un río a beber agua. Cuando se agachó, vio reflejado en el agua su rostro y quedó fascinado. Nunca antes había visto su cara y le pareció más hermosa de lo que había imaginado. Después de un largo rato de contemplarse a sí mismo, recordó lo que allí lo había traído: una sed enorme. Cuando quiso tomar agua del río sus manos deformaron la imagen en el agua y a Narciso no le gustó lo que vio, así que prefirió no tomar agua y quedarse quieto contemplando su bello y perfecto rostro. Así estuvo dos, tres, cuatro horas. Dos, tres, cuatro días. Al quinto día, Narciso moría de sed al lado del río mientras observaba su rostro, enamorado de sí mismo.

La Sirenita

En el fondo del mar, en un castillo hecho de conchas, vivía el rey Apolo con sus cinco hijas sirenas. La más pequeña se llamaba Sirenita. Sirenita esperaba ansiosa su cumpleaños, pues según las leyes del mar, una sirena solo puede salir a la superficie cuando cumple quince años. Sirenita tenía mucha curiosidad por saber cómo era el mundo sin agua, cómo vivían los seres que no nadan sino caminan, y cómo respiran sin agallas. Por fin llegó el catorce de mayo, el día de su cumpleaños número quince. Sirenita nadó lo más rápido que pudo y pronto un sol brillante iluminó su cara. Nadie en el mundo era más feliz que Sirenita en aquel instante. Permitió que el viento jugara con su pelo y saboreó la brizna salada que llegaba a sus labios. En medio del éxtasis escuchó risas y música. Venían de un barco. Sirenita se acercó llena de curiosidad, pues nunca había visto un barco que no estuviera hundido.

De pronto, algo más intenso que lo que hasta ahora había experimentado le sucedió a la Sirenita. Sintió presión en el pecho y una mezcla de alegría y tristeza: se había enamorado y no lo sabía. Nunca había experimentado aquella sensación. ¿De quién se había enamorado? De un joven que también celebraba su cumpleaños en el barco junto con sus amigos. El joven era en realidad muy atractivo. Sirenita lo contemplaba y pensaba cómo podría sentir algo tan bello hacia alguien tan distinto. Pero el momento fue interrumpido por una ola enorme que dio vuelta al bote y todos sus tripulantes cayeron al mar. Algunos lograron llegar a la orilla, pero el joven había quedado inconsciente y se hundía. Sirenita nadó como solo una sirena enamorada puede hacerlo y logró llevar hasta la superficie al joven. Ya en la playa, acudieron tres mujeres a ayudar al joven, por lo cual Sirenita debió esconderse detrás de una roca en el mar. Desde allí observó que el joven miraba dulcemente a una de las muchachas agradeciendo su ayuda.

Sirenita nadó hasta el fondo del mar, donde su padre la esperaba para que le contara cómo había sido su primer viaje a la superficie. Pero Sirenita sabía que ni su padre ni nadie iba a entender ese sentimiento extraño. Así que al día siguiente nadó hasta la casa de la hechicera para pedirle ayuda. La hechicera le dijo:

—Sirenita, tú sabes que para estar al lado de ese hombre debes renunciar a tu cola de pescado, para tener dos piernas. Tú sabes que siempre, o casi siempre, una elección supone una renuncia.

—Ya lo sé, hechicera, y estoy dispuesta a hacer cualquier cosa por estar al lado de ese joven —respondió.

—Siendo así, solo existe una pócima que hace aquello que tu quieres, pero tiene un problema: te dejaría sin voz.

—Está bien, renuncio a mi cola y a mi voz para estar al lado del hombre que amo —dijo muy segura Sirenita.

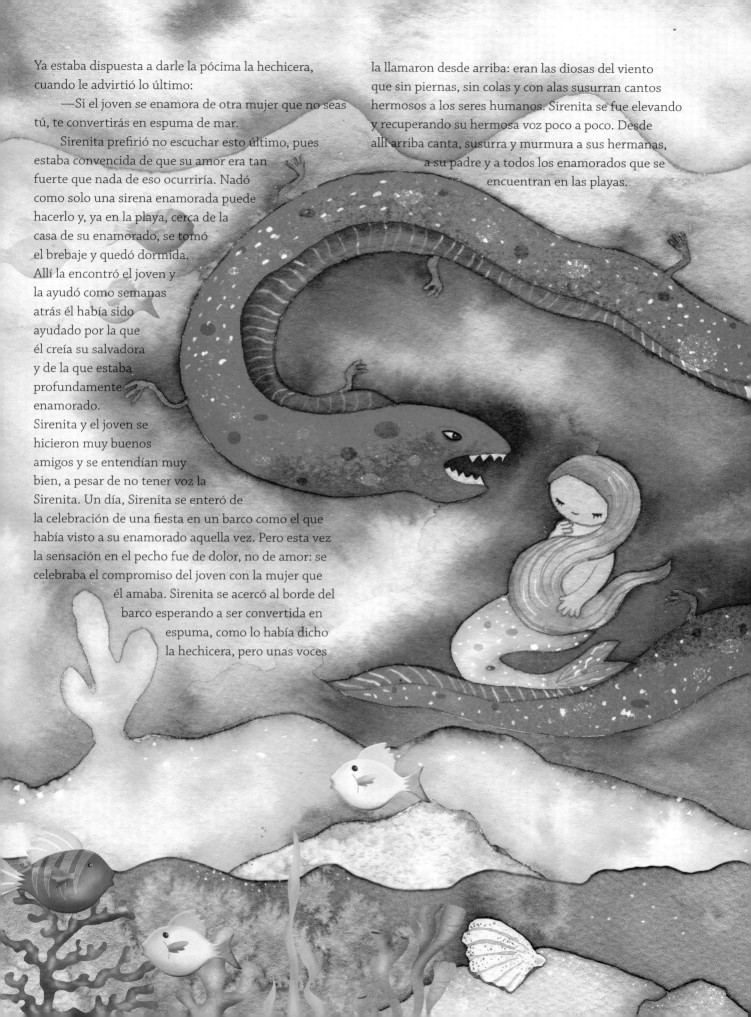

Ya estaba dispuesta a darle la pócima la hechicera, cuando le advirtió lo último:

—Si el joven se enamora de otra mujer que no seas tú, te convertirás en espuma de mar.

Sirenita prefirió no escuchar esto último, pues estaba convencida de que su amor era tan fuerte que nada de eso ocurriría. Nadó como solo una sirena enamorada puede hacerlo y, ya en la playa, cerca de la casa de su enamorado, se tomó el brebaje y quedó dormida. Allí la encontró el joven y la ayudó como semanas atrás él había sido ayudado por la que él creía su salvadora y de la que estaba profundamente enamorado. Sirenita y el joven se hicieron muy buenos amigos y se entendían muy bien, a pesar de no tener voz la Sirenita. Un día, Sirenita se enteró de la celebración de una fiesta en un barco como el que había visto a su enamorado aquella vez. Pero esta vez la sensación en el pecho fue de dolor, no de amor: se celebraba el compromiso del joven con la mujer que él amaba. Sirenita se acercó al borde del barco esperando a ser convertida en espuma, como lo había dicho la hechicera, pero unas voces la llamaron desde arriba: eran las diosas del viento que sin piernas, sin colas y con alas susurran cantos hermosos a los seres humanos. Sirenita se fue elevando y recuperando su hermosa voz poco a poco. Desde allí arriba canta, susurra y murmura a sus hermanas, a su padre y a todos los enamorados que se encuentran en las playas.

El becerro de oro

Catorce de mayo

Moisés, aquel bebecito salvado de las aguas, cuyo destino era salvar a su pueblo de la esclavitud, era ya un hombre y señor. Habían escapado del pueblo tirano que los tenía sometidos a ser esclavos. Ahora eran libres. Libres, sin ataduras y sin ley. También sin tierra. Sin tierra y sin ley es difícil ser libres de verdad en comunidad. La ley es como las reglas del juego. La tierra es como el terreno del juego. Para disfrutar del juego es necesario definir reglas. Así somos los seres humanos.

Fue entonces Moisés a buscar a su dios, en nombre de su pueblo. Fue a preguntarle por las reglas de juego, por las leyes de su pueblo. Se reunió con él en lo alto de una montaña. Se demoraron dos meses en escribir diez leyes sobre unas tablas de piedra.

Pero durante esos dos meses su pueblo se sintió desamparado. Querían un dios visible que pudieran tocar. Decidieron entonces crear un becerro de oro y piedras preciosas. Un dios, según ellos, que pudiese iluminar su camino y marchar frente a ellos en busca de la tierra prometida. Sin su líder, este pueblo angustiado había confundido todo. Una imagen, como una estatua o una pintura, puede ayudar a ver a dios. Pero la imagen no es dios, es una imagen. Se puede hacer un retrato del ser querido, de una madre, por ejemplo. Pero el retrato es el retrato y la madre es la madre.

Cuando bajó Moisés de la montaña, se encontró con su pueblo rezando al becerro de oro y adorándolo. Se enfureció Moisés y rompió las tablas de piedra, donde estaban escritas las leyes, contra el becerro de oro. El becerro quedó en ese instante deshecho, hecho polvo brillante. El pueblo se llenó de temor, vieron que un objeto, así fuese de oro, no los protegería de nada. Solo un líder sabio, un dios espiritual y unas reglas de juego imborrables podrían protegerlos. Se escondieron en sus casas y esperaron dos meses más, pacientes, a que Moisés volviera nuevamente de la montaña con sus leyes escritas en tablas de piedra.

El melocotonero

Quince de mayo

En un hermoso huerto vivían árboles
magníficos que florecían y daban
frutos gracias a los riachuelos que corrían
entre ellos. Los árboles convivían en paz y les
gustaba conversar sobre las propiedades
de sus frutos, hojas y flores. Algunos
hablaban de las deliciosas mermeladas
que se podían hacer con las naranjas,
otros contaban de los jarabes para la tos que
se hacían con sus hojas y algunos hablaban maravillas de
las infusiones que se hacían con sus flores. Pero había un
melocotonero que siempre miraba con envidia al nogal.
Refunfuñaba en voz baja: «¿Por qué él tiene que dar más
frutos que yo?». Todos los días se lamentaba de no tener
tantos melocotones como nueces el nogal y entonces un
día dijo: «Voy a hacer lo mismo que él, me voy a llenar
de melocotones». El ciruelo, que vivía junto a él, le dijo:
«Ni lo intentes, amigo. ¿No ves cómo son de gruesas
las ramas del nogal? ¿No ves qué robusto es su tronco?
Cada árbol da frutos según sus fuerzas. Preocúpate tú
de dar buenos melocotones como siempre lo has hecho».
Pero el melocotonero no hizo caso. Pidió a sus raíces
que chuparan todos los nutrientes de la tierra, a sus

flores que florecieran más
y más rápido y a los frutos
que crecieran tanto como
pudieran. Cuando llegó la estación
más cálida, el melocotonero estaba
repleto de grandes, gordos y pesados
melocotones. Pero las ramas no
pudieron soportarlos y el tronco
también empezó a quebrarse.
Lanzando un gemido, el
melocotonero cayó al suelo haciéndose
añicos y los melocotones se
pudrieron debajo
del nogal.

El león enamorado

Dieciséis de mayo

Un león se había enamorado profundamente de la hija
de un campesino. Siempre rondaba su casa y le llevaba
flores. Un día, el león se animó a pedir a la joven en
matrimonio. El campesino y su hija se asustaron mucho,
pues no sabían cómo reaccionaría el león si lo rechazaban.
Lo pensaron mucho hasta que se les ocurrió una idea y
el campesino llamó al león: «Mira león, tú entenderás
que mi hija tenga miedo de casarse contigo, pues tienes
unas garras largas y unos dientes afilados. Ella aceptaría
si te cortas las garras y te quitas los dientes». El león era
vanidoso, era el rey de la selva, ¿quién lo respetaría sin

garras ni dientes? Pero estaba realmente enamorado
y aún le quedaba su abundante melena y su asustador
rugido. Así que aceptó. Se fue a su casa e hizo todo lo que
el padre de su prometida había pedido.

Cuando volvió ya sin garras ni dientes, el campesino
le dijo, ya sin miedo: «Tonto león, ¿cómo has creído que
puedes casarte con mi hija? ¿No te has dado cuenta de
quién eres?». El león se enfureció y se entristeció. Ya no
asustaba a nadie. Volvió a su casa y pasados varios años
se enamoró de una hermosa leona con quien se casó y
tuvo muchos leoncitos.

Parábola del banquete

Diecisiete de mayo

Jesucristo hablaba utilizando parábolas, como se acordarán. Contó entonces la historia de un hombre creído, llamado Juan, que como era de profesión escalador, le llamaban Juan el Escalador. Juan fue invitado a un banquete de bodas. Como no era un hombre muy apreciado, el puesto que le habían reservado era en la última fila. Pero Juan el Escalador se sentó en la primera fila, en un puesto que estaba desocupado, pensando que nadie se daría cuenta. Pero cuando llegó el hombre para quien estaba reservado este puesto, el anfitrión tuvo que pedirle a Juan que se fuese a la última fila. Juan se avergonzó mucho y todos los invitados se dieron cuenta de cuán poco apreciado era el Escalador.

Contó también Jesucristo la historia de Pedro el Agricultor. Cuando Pedro fue invitado a un banquete de bodas, él se sentó en un puesto que encontró desocupado en la última fila. Pero el anfitrión le había reservado al Agricultor, hombre apreciado como pocos, un puesto especial en la primera fila. Cuando lo vieron sentado allá lejos, fueron a buscarlo, lo abrazaron felices y todos se dieron cuenta de cuán apreciado era Pedro el Agricultor.

La caja de Pandora

Dieciocho de mayo

Cuando el mundo era gobernado por los dioses desde el Olimpo, el titán Prometeo creó la raza humana, a la que dotó de conocimiento y enseñó el respeto a los dioses. El gran dios Zeus quedó tan contento con el trabajo de Prometeo que decidió hacerle un regalo. Le pidió al dios Hefesto que creara a la primera mujer de la tierra como un regalo para Prometeo.

Así fue como Hefesto se dispuso a hacer a una bellísima mujer a la que llamó Pandora. Los otros dioses estaban tan impresionados, que quisieron darle otros atributos. Un dios le dio sabiduría, otro le dio dotes para la música y otro más para la poesía. Zeus le dio una hermosa caja que se suponía tenía tesoros para Prometeo y le pidió a Pandora que por ningún motivo la abriera.

Pandora y su caja fueron ofrecidos a Prometeo, pero él sospechó de Zeus y no quiso recibir el regalo, así que lo entregó a su hermano Epimeteo, quien se enamoró de Pandora. Un día, Pandora ya no soportó la curiosidad y abrió la caja. De la caja salieron cosas horribles para los seres humanos: enfermedades, guerras, hambre, envidia, odios y otras desgracias. Pandora intentó cerrar la caja, pero ya todo estaba afuera, menos una cosa: la esperanza.

Por eso la esperanza es lo único con lo que los seres humanos podemos sobrellevar los males.

El pastor y los lobeznos

Diecinueve de mayo

Un pastor encontró un día tres lobos cachorros. Al parecer, la mamá loba había muerto. El pastor pensó que eran unos cachorros muy bonitos y que podrían crecer al lado de sus ovejas y ayudarlo con ellas. Así fue. Los lobitos fueron creciendo y jugaban con las ovejas.

Pero pasado el tiempo, cuando los lobos se hicieron adultos, empezaron a comerse las ovejas. El pastor se lamentó por no haber pensado en esa posibilidad cuando los lobos aún eran cachorros. Ahora que eran grandes no pudo hacer nada y perdió a todo su rebaño.

Por qué se volvió blanco el conejo

Veinte de mayo

Los indígenas pielroja viven al norte de América. Son guerreros fuertes y valientes. En tiempos de una larga sequía, todos los animales emigraron al norte lejano, donde había nieve y agua todo el año. Un cazador llamado Ojo de Águila decidió irse a buscar a los animales. Su gente necesitaba carne para no morir de hambre.

Cuando llegó al gran glaciar, el territorio nevado del norte del mundo, Ojo de Águila quedó deslumbrado con el resplandor de la nieve. No podía ver casi nada. Así no lograría encontrar ningún animal. Decidió volver a casa, pero sus propias huellas se habían borrado en la nieve. Caminó sin rumbo hasta desfallecer. En medio de la nieve se acurrucó a llorar su desgracia. De repente sintió una caricia. Era un conejo pardo de ojos hermosos. Sobre el blanco de la nieve, el color pardo del conejo resaltaba muy visible. Así guió el conejo a Ojo de Águila hasta los límites de su territorio.

En agradecimiento, Ojo de Águila le rogó a sus dioses que volvieran blanco al conejo, para que sobre la nieve nadie pudiese verlo y cazarlo. Los dioses escucharon a Ojo de Águila. Desde entonces, los conejos del norte de América son blancos.

Parábola de la gran cena

Veintiuno de mayo

Un hombre generoso y sensato dispuso una gran cena para invitar a toda su familia. Cuando sus criados llevaron las invitaciones, todos se excusaron. Preferían fiestas llenas de excesos y no las cuidadas cenas del hombre sensato. El hombre les dijo entonces a sus criados que invitaran a todos quienes vivían en su pueblo. Llegaron muchas personas, todos muy agradecidos con el hombre. Cuando sus familiares vieron que la estaban pasando muy bien, se arrepintieron y quisieron entrar. Pero ya no había puesto para tanta gente. El hombre generoso disfrutó de su generosidad, muchas personas gozaron de su sensatez y sus familiares se quedaron aburridos.

Parábola de los dos hijos

Veintidós de mayo

Guillermo tenía dos hijos. El mayor era complaciente pero perezoso. Nunca peleaba con su padre pero tampoco le hacía caso. El menor era polémico pero trabajador. Discutía con frecuencia con su padre, pero acataba lo acordado. Un día Guillermo enfermó. Le pidió a su hijo menor que trabajase por él. El menor le dijo que no podía, que tenía que estudiar. Pero después se arrepintió y se compadeció de su padre. Estudió tan rápido y concentrado como pudo y se fue a trabajar por su padre. Ante la negativa del menor, Guillermo le pidió lo mismo al mayor. El mayor le dijo que claro que sí, que cómo le iba a decir que no. Pero luego se arrepintió y se fue a jugar con sus amigos.

San Francisco y el lobo

Veintitrés de mayo

Un lobo furioso y fuerte tenía asolado el pueblo de Asís. Ya nadie se atrevía a salir de su casa. San Francisco, el hermano Sol nacido en Asís, decidió salir al bosque a buscar al lobo y hablar con él. Al llegar al bosque, el lobo se interpuso en su camino, gruñendo ferozmente. San Francisco de Asís le preguntó:

—¿Qué tienes tú, hermano lobo? ¿No sabes que el lobo no come hombre? Somos hermanos.

Y el lobo le contestó diciendo:

—Los hombres no dejan nada para comer en el bosque. Arrasan la tierra con sus siembras. Son insaciables, cazan todo lo que hay para comer. Ya no hay conejos, ni liebres, ni nada. Un lobo hambriento no sabe de hermanos.

—Hermano lobo, te prometo que los hombres de Asís te alimentarán de ahora en adelante. Deja a los hombres en paz y nosotros te alimentaremos.

Compartiremos nuestras siembras y los productos de nuestra caza contigo.

—Confío en ti hermano. No atacaré más al hombre.

Entonces san Francisco intentó acercarse a darle la mano a su hermano lobo. O quizás quería acariciarle el lomo. Y el lobo gruñó de nuevo ferozmente. San Francisco le dijo:

—Creí que habíamos llegado a un acuerdo.

—Sí, hermano hombre. Llegamos a un acuerdo. Pero no te acerques a mí. No puedo combatir contra mi naturaleza. Aún soy un lobo hambriento.

Y así alimentaron los hombres al hermano lobo hasta su muerte. Nunca se acercaron a él, ni para saludar, ni para acariciarlo. El lobo fue siempre un lobo feroz, a pesar de ser alimentado por el pueblo de Asís.

La reina

Veinticuatro de mayo

Una reina buscaba con quien casarse. Tres hombres ricos se fueron a vivir a la comarca de la reina para cortejarla. La reina se disfrazó de pordiosera y fue a visitarlos. Uno de los hombres le ofreció de comer sobras podridas. El otro le dio cola de chivo. El tercero, el más joven, llamado Darío, le ofreció una suculenta comida. Al día siguiente la reina los invitó a cenar. A cada hombre le ofreció lo mismo que le habían dado el día anterior disfrazada de pordiosera. A uno le dio sobras, al otro cola de chivo y a Darío una suculenta comida. Pero Darío se negó a comer si no se ofrecía a todos lo mismo. Así supo la reina wayúu con quién debía casarse.

La zorra y la máscara

Veinticinco de mayo

Una zorra caminaba por el bosque. Estaba aburrida y no encontraba ni a un solo amigo para divertirse. De pronto, vio una casa muy bonita y vistosa. Como casi todas las zorras, era muy curiosa y, al ver que no había nadie, entró. Estaba asombrada de ver pelucas, trajes coloridos, zapatos enormes y cientos de objetos de todo tipo. Había llegado a la casa de un actor.

Encima de un mueble vio algo que le llamó la atención. Se trepó y lo cogió entre sus patas. Era una máscara. La miraba por todos lados, la volteaba, la giraba y finalmente la dejó en el piso, diciendo: «Qué bonita cabeza, lástima que no tenga cerebro». Después de probarse vestidos, pelucas y zapatos, la zorra salió de la casa del actor y siguió deambulando por el bosque.

El marido quejetas

Veintiséis de mayo

Un hombre se quejaba continuamente de la forma en que su esposa atendía la casa. La esposa, ya aburrida de las quejas, le propuso cambiar por un día de trabajos. Ella se fue a la oficina del hombre y él se quedó atendiendo la casa. El hombre despidió a la mujer y le dio la lonchera de la hija mayor en vez de su almuerzo. Después se demoró escuchando las noticias y el bus del colegio dejó a los niños. Lavó la ropa con el jabón equivocado. Limpió la cocina con la cera para el piso. Trapeó el piso con el corrosivo para estufas. Los niños se comieron todas las onces del mes y se enfermaron del estómago. Dejó el horno prendido. Se inundó el baño. Hubo un corto circuito. La mujer volvió muy contenta a contarle a su marido que había cerrado tres buenos negocios. Pero al ver la ropa hecha jirones, la cocina engrasada, el piso destruido, los niños vomitando, el horno echando humo, el baño inundado, los cables quemados, decidió no decirle nada y atender ella las cosas importantes de la vida, mientras el hombre seguía trabajando.

La lechuza y las palomas

Veintisiete de mayo

Una lechuza vivía en la torre de una iglesia. Un día voló cerca de un palomar y vio que allí las palomas se alimentaban bastante bien. Decidió entonces pintarse toda de blanco y camuflarse entre ellas. Así estuvo un tiempo, caminaba como ellas y comía junto a ellas. Hasta que un día se le olvidó que era una lechuza y abrió el pico e hizo un extraño sonido. Las palomas se dieron cuenta del engaño y la sacaron de su palomar a picotazos.

La lechuza volvió entonces a la torre de la iglesia, pero allí sus compañeras no la reconocieron por su plumaje blanco y también la sacaron a picotazos, perdiendo para siempre su propio refugio.

Chiqui y el cóndor

Veintiocho de mayo

Chiqui era un sacerdote muisca generoso y gocetas. Un día, mientras meditaba en las montañas, vio unos hombres que querían atrapar un colibrí de hermosos colores y larga cola. Chiqui defendió al pajarito luchando con fiereza contra los hombres. Al día siguiente, el colibrí buscó a Chiqui y le pidió que lo acompañara. El rey Cóndor quería darle las gracias. El cóndor y otros pájaros de los páramos invitaron a Chiqui a vivir con ellos.

Muchos años estuvo Chiqui disfrutando de las nubes y la fecundidad de las tierras altas. Hasta que un día sintió nostalgia por su cercado. Un chulo enorme llevó a Chiqui de vuelta a casa. Pero todo había cambiado. Chiqui no había sido consciente del paso del tiempo. Cuando se miró en el reflejo de un charco, se dio cuenta que él también había cambiado, era ya un anciano.

Parábola del mendigo Lázaro

Veintinueve de mayo

Jesucristo hablaba utilizando parábolas, como se acordarán. Contó entonces la historia del mendigo Lázaro. Para Jesucristo, la vida de los seres humanos es eterna. La estancia en la Tierra es solamente una etapa de un largo existir. Para Jesucristo la felicidad, acá en la Tierra y allá en la eternidad, depende de nuestro comportamiento.

Vivía Lázaro, el mendigo, debajo del alero de la ventana de la casa de un hombre muy rico. Tenía los pies y la espalda llenos de llagas, causadas por caminar descalzo y dormir sobre el asfalto. Lázaro recogía las migajas de los grandes banquetes que se celebraban en casa del rico. Perros callejeros se acercaban a Lázaro a lamerle sus llagas y a dormir a su lado. Él compartía las migajas de los banquetes con los perros.

Un día murió Lázaro. El mismo día murió el hombre rico. Cuando llegaron a la eternidad, los recibió dios. A Lázaro lo envió a una casa humilde pero cómoda y con alimento suficiente. Al hombre rico lo envió a vivir en un alero bajo la ventana de un palacio. El hombre rico protestó y dios le explicó que si se come demasiado en la vida en la Tierra, en la

eternidad se tendrá que pasar hambre. Y que si se pasa hambre en la Tierra, se podrá comer lo suficiente en la eternidad.

Prometeo

Treinta de mayo

Prometeo era el más inteligente de los titanes. Los titanes son divinidades, pero menores en comparación con los olímpicos. Son fuertes y temperamentales, pero sobre todo tienen un espíritu rebelde. Por su inteligencia y carácter, Prometeo fue adoptado por los dioses olímpicos. Era muy querido también por los seres humanos. Cada tanto bajaba a conversar con ellos y lamentaba que no tuvieran luz, calor ni forma de cocinar los alimentos. Los dioses no querían darle el fuego a los hombres, pues temían que, por tenerlo, se sintieran poderosos y quisieran rebelarse contra ellos.

Prometeo todavía guardaba la rebeldía propia de los titanes y decidió robar el fuego. Tomó un palo y lo arrimó al Sol e hizo que este se encendiera. Bajó donde los humanos y les regaló el fuego. Ahora tenían todo lo que necesitaban. Probablemente ya no iban a obedecer más a los dioses.

Zeus se enojó como nunca antes. El cielo y la tierra temblaron durante días. Pero el castigo para Prometeo no pudo ser peor. Zeus lo encadenó a un monte. La cadena permitía los movimientos apenas necesarios, pero esto no era lo peor: ordenó a un buitre que le comiera el hígado. Pero esto no era todavía lo peor. Zeus hacía que el hígado volviera a crecer cada mañana. Así, cada día el buitre devoraba el hígado y cada noche volvía a salir.

Pero un buen día, Zeus recordó cuánto quería a Prometeo y decidió perdonarlo. Si bien Zeus era de muy mal humor y exageró con el castigo, también era un buen dios y tenía un alma compasiva. Entonces autorizó a Hércules para que liberara a Prometeo.

Algunos hombres todavía recuerdan y agradecen a Prometeo por el mejor regalo que ningún dios les ha dado: el fuego.

El pavo real y la grulla

Treinta y uno de mayo

Era una cena de aves, de muchas y variadas aves. Conversaban y comían granos suculentos. De pronto, el pavo real le dijo a la grulla: «De entre todas las aves, yo soy la mejor». «¿Por qué lo dices?», preguntó la grulla. «Es obvio, mira mi cola, es un enorme abanico de finas y coloridas plumas. No hay un ave en el mundo que tenga tan bellas plumas».

«Es verdad —dijo la grulla—, tus plumas son hermosas, pero eso no te hace la mejor. Yo, por ejemplo, puedo volar y desde allá arriba puedo ver los más bellos paisajes que puedas imaginarte». El pavo real lo pensó, pero sin decir nada siguió comiendo el maíz de su plato.

Junio

El caballo de Troya

Primero de junio

Los griegos y los troyanos libraban una batalla muy larga, de casi diez años. Los unos y los otros estaban cansados, pero ninguno quería rendirse. Los griegos querían volver a sus hogares, al lado de sus esposas e hijos. Los troyanos se refugiaban detrás de enormes murallas, pero estaban agotados de defenderse día y noche.

Una mañana caminaba Ulises, líder del ejército griego, pensando en cómo dar fin a esta guerra, en cómo entrar a la ciudad de Troya. Entonces vio a un halcón que perseguía a una paloma. La paloma buscó refugio en un pequeño agujero al que no podía acceder el halcón. El halcón rondó durante un tiempo y se escondió sin que la paloma lo notara. Cuando la paloma ya no vio el peligro, salió de su escondite y en ese instante el halcón la atrapó. Eso le dio a Ulises una idea. Convocó a todo su ejército y les pidió que construyeran un caballo de madera, pero hueco, tan grande que pudieran esconderse allí adentro él y todos sus soldados.

Tardaron unos días construyendo un estupendo caballo con una puerta escondida en el lado derecho y en el lado izquierdo escribieron que se trataba de un regalo para la diosa Atenea como muestra de su voluntad de poner fin a la guerra y volver a Grecia. Los troyanos recibieron felices el obsequio como señal de paz e incluso derrumbaron parte de los muros que protegían su ciudad para que pudiera entrar el enorme caballo.

En la noche celebraban los troyanos el fin de la guerra, tomaron vino, comieron y bailaron hasta quedar exhaustos y dormidos. En ese momento Ulises dio la señal y salieron todos los soldados por la pequeña puerta del caballo. Otros más entraron por el muro derrumbado que protegía la ciudad. Así, armados y fuertes los griegos, ganaron la batalla a los troyanos a quienes tomaron por sorpresa, dormidos y borrachos.

La parábola del mayordomo

Dos de junio

Un mayordomo administraba en la ciudad los bienes de un hombre muy rico. El hombre rico vivía en una hacienda en el campo. Un día, le contaron que el mayordomo prestaba su dinero a intereses muy altos

para enriquecerse a su costa. El hombre fue a donde el mayordomo y le preguntó qué estaba haciendo. Le dijo: «Mañana debes presentarme cuentas de mis bienes. Si es cierto lo qué me han dicho, te dejaré en la calle». El mayordomo tuvo entonces apenas tiempo de llamar a todos a quienes les había prestado dinero ajeno. Les pidió que se olvidasen de los intereses, pero les pidió que le devolvieran el valor justo de lo prestado. Todos accedieron, de forma que cuando el hombre rico revisó sus arcas al día siguiente, vio que nada faltaba. El hombre rico supo que el mayordomo le había mentido, pero también supo perdonarlo al ver la prontitud con la que corrigió su error: «No seré yo, un hombre rico, quien te juzgue por tu ambición», le dijo el rico a su mayordomo.

El rey Sindabad y el halcón

Tres de junio

Sindabad, rey de un reino muy antiguo en tierras de la bella Sharazad, era un hombre bueno pero de muy mal temperamento. Lo único que lo tranquilizaba era irse de caza. Y la única compañía en la que confiaba era un viejo halcón que ubicaba siempre su presa.

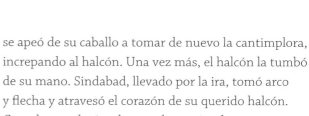

Sucedió un día, que habiéndose ido a cazar el rey Sindabad y su halcón, una serpiente ponzoñosa infectó con su veneno la cantimplora de agua del rey. El halcón, que sobrevolaba en busca de presa, se dio cuenta con su impresionante vista. Cuando el rey quiso tomar agua, el halcón voló en picada y le tumbó la cantimplora. El rey, muy enojado, se apeó de su caballo a tomar de nuevo la cantimplora, increpando al halcón. Una vez más, el halcón la tumbó de su mano. Sindabad, llevado por la ira, tomó arco y flecha y atravesó el corazón de su querido halcón. Cuando se volteó a alcanzar la cantimplora, su caballo estaba bebiendo del agua derramada. Antes de que el rey alcanzara a recogerla, el animal se desplomó, rechinando de dolor. En ese momento entendió el rey lo sucedido. Intentó socorrer a su halcón, pero ya era muy tarde.

Desde ese día, Sindabad dejó de ser un hombre de mal temperamento y lloró amargamente el resto de su vida la injusticia cometida, con propia mano, contra un ser tan querido.

La cigarra y la hormiga

Cuatro de junio

Era verano. Todos los animales descansaban al lado de los charcos y bebían limonada con hielo. Comían lo que querían, pues abundaban las frutas y los granos. La cigarra comía un banano a la sombra de una rama mientas veía pasar a una hormiga que iba y volvía siempre con un grano en su espalda.

La cigarra se reía de ella, pues todos descansaban mientras ella trabajaba.

Llegó el invierno. La cigarra casi moría de hambre, no había una sola fruta en los árboles ni un grano en su cocina. Pasó entonces cantando la hormiga ya sin nada en su espalda. Al ver a la flaca y pálida cigarra, le dijo: «Ya ves, si hubieras trabajado un poco en el verano, tendrías para comer en invierno. Ahora yo canto y tú no tienes fuerza para hacerlo». Desde entonces la cigarra canta, pero también trabaja en el verano.

La liebre y el león

Cinco de junio

Un león paseaba hambriento buscando una presa. De pronto, vio a una liebre dormida y pensó: «Es mi día de suerte. No tendré que hacer ningún esfuerzo para comerme aquella suculenta liebre». Pero de pronto pasó a su lado un ciervo y el león volvió a pensar: «Más suerte aún tengo. Ese ciervo está más grande y su carne es más rica».

Se dispuso el león a correr detrás del ciervo. Pero el ciervo corría muy rápido. Ya cansado, el león decidió comerse a la liebre. Pero la liebre estaba despierta. Tanto ruido había perturbado su sueño. Intentó el león atrapar a la liebre, pero esta corría a gran velocidad gracias a la siesta que había tomado.

El león volvió a su casa cansado y sin cena.

La reina de las preguntas

Seis de junio

Una reina buscaba con quién casarse. Dijo que se casaría con quien fuese más inteligente que ella. Para saberlo, cada pretendiente podría hacerle tres preguntas. Si no sabía la respuesta a una de las preguntas, se casaría con él. Así pasaron algunos años. La reina sabía siempre las respuestas a las preguntas. Lo que no sabían muchos, es que la reina le pagaba a una hermosa mujer que en las noches emborrachaba a los pretendientes y conseguía las respuestas. Hasta que llegó Iván, un avispado joven que pidió su oportunidad. Iván le preguntó a la reina: «¿De qué color era el caballo blanco de Nicolás el Terrible?». «Blanco», contestó la reina. «Los papás de Vladimir tenían cinco hijos que se llamaban Tan, Ten, Tin, Ton... ¿y?». «Vladimir», contestó la reina. Iván planteó su última pregunta: «¿Cómo has hecho para saber todas las respuestas de todos tus pretendientes durante todos estos años?». Como la reina no podía revelar su secreto, tuvo que casarse con Iván.

El cazador de serpientes

Siete de junio

Un hombre vivía del espectáculo de sus serpientes encantadas. Un día fue a buscar una a la montaña pero lo que encontró fue un dragón, un dragón congelado. Lo amarró muy bien y como pudo se lo echó a sus espaldas y lo arrastró hasta el pueblo. Allí dijo a todos los habitantes que casi pierde la vida luchando con ese dragón.

Lo exhibió en la plaza y cobraba algunas monedas a todo aquel que quisiera verlo.

Pasaron los días y el sol empezó a calentar. Se empezaron a derretir las escarchas de hielo que cubrían al dragón y pronto empezó a estirar sus músculos, desenroscó su cola y abrió sus fauces. Furioso de encontrarse amarrado y exhibido, la emprendió contra todos los que estaban cerca y de un bocado se tragó al encantador de serpientes. Todos en el pueblo aprendieron a no tomar de la naturaleza nada que no fuera absolutamente necesario.

El zorro y el gallo

Ocho de junio

Una vez, un zorro aprovechó un descuido de un granjero y se le metió al gallinero. De inmediato el gallo valiente enfrentó al zorro. El zorro no tuvo más opción que atraparlo entre sus fauces. Las gallinas saltaron todas encima de la cabeza del zorro a picotearlo. Fue tal la alharaca que armaron las gallinas, que llegaron todos los perros a perseguirlo. Y ladraban tanto y tan fuerte los perros, que los granjeros acudieron a pegarle con palos y piedras. Estando en esas, el gallo le dijo al zorro: «Sí que eres cobarde tú. Corres y corres como gallinita en vez de defenderte con tus poderosos colmillos». Abrió entonces el zorro sus fauces para contestar la ofensa. Apenas las abrió, el gallo pudo librarse y picotear los ojos del zorro. Las gallinas le picoteaban la cabeza. Los perros lo correteaban y le mordían cola y talones. Los granjeros le daban palazos y pedradas. No pudo más el zorro que huir para salvar su vida. Y nunca más se metió con un gallo.

El asno y el lobo

Nueve de junio

Un asno caminaba placidamente. De pronto, miró hacia atrás y vio que se acercaba un lobo, y pensó: «Este lobo hambriento viene por mí y ya no alcanzo a correr. Debo pensar rápido». Entonces el asno se tendió en el piso y fingió estar adolorido. Cuando el lobo estuvo cerca, le preguntó: «¿Qué te ha pasado?» «Me clavé una enorme espina en mi pata. Ya sé que quieres comerme, solo te recomiendo que me quites la espina si no quieres lastimarte la boca».

El lobo pensó que el asno era amable y que en verdad quería comérselo sin dificultad alguna. Entonces se agachó para quitarle la espina y, en ese preciso momento, el asno le dio una fuerte patada —como solo los asnos saben hacerlo— y le tumbó todos los dientes al lobo. Con la mano en la boca se alejó el lobo recriminándose su ingenuidad.

La adivinanza del rey

Diez de junio

Cienfuegos era un campesino fuerte y justo que lideraba la resistencia contra un rey inteligente pero injusto. Tras largos años de lucha, los ejércitos del rey lograron apresar al campesino. El rey le preguntó: «¿Por qué luchas contra mí?» Cienfuegos le respondió: «Eres un rey inteligente, pero no eres justo». El rey dijo: «Te mostraré cuán justo soy. A pesar de todos los años que has luchado contra mí, te daré una oportunidad. Te dejaré ir a tu casa. Pero mañana tendrás que visitarme vestido y sin vestir. Deberás venir a pie y a caballo. Y deberás traerme un regalo y no traerme ningún regalo.

Si cumples, te dejaré libre». Al día siguiente llegó Cienfuegos, que aunque no era inteligente como el rey, sí sabía de justicia. Lucía un hermoso sombrero de ala ancha y nada más, debajo de su sombrero no vestía nada.

Venía de pie sobre el lomo de su caballo. Y de regalo le traía al rey un hermoso pájaro rojo. Cuando quiso entregarle su regalo, el pájaro voló. El rey, inteligente como era, le propuso a Cienfuegos ser su asesor. Así terminaron trabajando juntos dos que antes eran enemigos.

El pescador flautista

Once de junio

Este hombre no solo era pescador, también era un buen músico. Una mañana muy temprano, salió a pescar con la idea de que podría encantar a los peces con el sonido de su flauta y pescarlos sin red ni caña, como lo hiciera alguna vez el flautista de Hamelín con los ratones. Ya en el río, empezó a tocar las melodías más dulces. El pescador esperaba y continuaba tocando.

Así estuvo casi toda la mañana sin lograr encantar pez alguno, hasta que desistió de la idea y entonces lanzó la red. Cuando puso los peces atrapados en su bote, estos empezaron a moverse de un lado para otro. Y así les dijo el pescador flautista: «No bailaron cuando yo toqué y ahora en el bote sí bailan la danza de la muerte».

Los músicos de Bremen

Doce de junio

En una ciudad de alemania vivían un hombre y su asno. El asno ya era viejo y había cargado muchos bultos a lo largo de su vida y ya no podía trabajar como antes. Entonces cayó en cuenta de que su amo no podría alimentarlo más y que pronto lo mataría. Por lo que decidió escaparse. Había escuchado de una bonita ciudad cerca de allí llamada Bremen y hacia allá se dirigió. En el camino se sintió aliviado de no tener que trabajar más y poder hacer lo que siempre había querido: siempre quiso ser músico.

De pronto, apareció un perro que venía corriendo con la lengua afuera. El asno le preguntó:

—¿Qué te pasa? ¿por qué vienes corriendo de esa manera?

—Soy un perro de caza y ya estoy viejo —respondió—. No puedo ir detrás de la presa y mi dueño quiere matarme.

—Yo estoy en la misma situación —dijo el asno— y voy a Bremen para hacerme músico. ¿Por qué no te haces músico tú también y formamos un grupo?

El perro aceptó y continuaron caminando hacia la ciudad. Pronto se encontraron con un gato que también huía de su amo, quien quería matarlo porque ya no podía cazar ratones. Se unió el gato al grupo y siguieron el camino. Pasaron frente a una granja y los estremeció un ruido espantoso. Era un gallo que intentaba cantar con todas sus fuerzas, había escuchado que lo matarían para la cena del día siguiente, pues ya era viejo y no cantaba como antes. Los tres animales lo invitaron a unirse a su aventura y así hizo el gallo.

Los cuatro animales llegaron a una casa en la que a través de la ventana se veía a un grupo de ladrones deleitándose con una rica y abundante comida. Al asno se le ocurrió que podrían alegrar a los ladrones con una canción y así les darían de comer algo de su mesa. Entonces le dijo al perro que se subiera en su lomo, el gato sobre el perro y el gallo en la cabeza del gato. Empezaron a cantar pero lo que salió de cada uno fue tan estridente y confuso, que los

ladrones creyeron que eran fantasmas y espíritus que venían a castigarlos, y salieron corriendo despavoridos. Después de esto, los animales pensaron que tal vez no serían buenos músicos y decidieron quedarse a vivir en aquella cálida casa. Sin embargo, todo el mundo los recuerda como los músicos de Bremen, que ni fueron músicos ni llegaron nunca a Bremen.

El rey Midas

Trece de junio

Era un campesino que había trabajado su tierra durante muchos años. Tenía un campo con hermosos tomates y diversas frutas. Su nombre era Midas. Un día, llegó a su casa un borrachito con mucha hambre y sueño. El campesino lo acogió y le dio un buen caldo de pollo y papas y le ofreció su cama para dormir.

Al día siguiente, se enteró de que este borrachito era un dios un poco perdido pero muy apreciado por otro gran dios de las fiestas: Dionisios. En agradecimiento, Dionisios lo hizo rey y le dijo que, además, podría pedir otro deseo. El ahora rey Midas deseó que todo lo que tocara se volviera oro. Ya había conocido las riquezas y no quería trabajar un solo día más de su vida. Dionisios le dio el poder al rey, quien inmediatamente tomó una copa que se convirtió en una copa de oro, tocó su cama y se convirtió en oro. Estaba tan feliz que corrió a contarle a su mujer, la abrazó e inmediatamente se convirtió en una estatua de oro. El rey Midas quedó muy desconsolado, por lo que sus empleados quisieron alegrarlo con los mejores manjares, pero tocaba la comida y esta se convertía en oro. El rey Midas ya no podía más. Estaba solo y moría de hambre.

Allí, rodeado de oro y riquezas, Midas solo deseaba volver a su antigua casa y cosechar sus frutas y tomates. Dionisios lo escuchó y le dijo que tendría que bañarse en un río llamado Pactolo. Allí fue el rey y logró deshacer el poder de convertir todo lo que tocaba en oro. Midas volvió a su antigua casa y cada día de su vida lo trabajó más feliz que nunca. Desde entonces y hasta ahora muchos van al río Pactolo a buscar oro.

Elsa la lista

Catorce de junio

Una pareja de buenos campesinos tenía una hija llamada Elsa. Elsa ya había cumplido la edad necesaria para casarse, pero aún no había aparecido pretendiente alguno. Hasta un día que llegó a la puerta de su casa un viajero que pedía posada, su nombre era Juan. Los padres de Elsa pensaron que sería un buen marido. A él le gustó Elsa, pero advirtió a sus padres que su esposa debería ser una mujer lista. La madre de Elsa le dijo que su hija era tan lista que hasta podía escuchar el estornudo de una mosca.

Estaban cenando los cuatro cuando el padre le pidió a Elsa que bajara al sótano a traer una jarra de cerveza. Elsa bajó al sótano y mientras llenaba la jarra, miró hacia el techo. Observó que había una viga suelta y se puso a llorar. La madre, al ver que Elsa no volvía, decidió bajar al sótano a ver qué pasaba. Allí encontró a Elsa llorando y le preguntó qué le pasaba. Elsa le respondió: «Ay madre, cómo no voy a llorar. Si me caso con Juan y tenemos un hijo y llega a crecer y viene aquí abajo a buscar cerveza, a lo mejor, esa viga le cae en la cabeza y lo mata». La madre se sentó a llorar diciendo: «¡Ay, qué Elsa más lista tenemos!» Transcurrido un rato, el papá bajó para ver qué pasaba con su hija y su esposa. Allí en el sótano las encontró a las dos llorando. El padre preguntó las razones del llanto y cuando Elsa le contó sus razones, se sentó a llorar diciendo: «¡Ay, qué Elsa más lista tenemos!».

Juan esperó un rato y decidió bajar al sótano. Allí estaban Elsa, su padre y su madre llorando. Juan preguntó lo sucedido y Elsa le dijo:

—¡Ay Juan, cómo no voy a llorar! Si me caso contigo y tenemos un hijo y llega a crecer y viene aquí abajo a buscar cerveza, a lo mejor, esa viga le cae en la cabeza y lo mata.

Juan la abrazó y decidió casarse con ella diciendo:

—¡Ay, qué Elsa más lista tendré!

El enigma de la esfinge

Quince de junio

En una ciudad de Grecia apareció la Esfinge, un ser con cabeza de mujer y cuerpo de león. La Esfinge siempre hablaba con palabras bellas pero extrañas, era muy difícil descifrar sus versos. Un día, dijo que mataría a todo aquel que no lograra responder una adivinanza. Esta era: «¿Cuál es el animal que por la mañana camina en cuatro patas, en la tarde en dos y al atardecer en tres?». Los ciudadanos de Grecia intentaron responder, pero uno a uno los fue matando la Esfinge, pues su respuesta no era la correcta.

El rey de Grecia estaba desesperado con esta situación, así que prometió que entregaría su reino y a su hermana Yocasta como esposa a aquel que lograra responder correctamente a la Esfinge. Un extranjero que pasaba por allí, llamado Edipo, fue hasta las montañas donde vivía la Esfinge y le dijo: «Escucha, ser de mala suerte, yo te daré la respuesta. Te refieres al hombre, que cuando es bebé gatea, indefenso cuadrúpedo con piernas y brazos. Cuando crece es bípedo y, al final de su vida, ya viejo, apoya su bastón como un tercer pie». La esfinge se enfureció porque Edipo había respondido correctamente y corrió hasta un lejano desierto donde quedó petrificada. Edipo se convirtió en rey de Grecia y se casó con Yocasta.

Rumpelstiltskin

Dieciséis de junio

Un panadero tenía una hija que bordaba muy bonito. Estaba orgulloso de ella y exageraba diciendo que bordaba con cualquier cosa como si fueran hilos de oro. El rey se enteró de esto y encerró a la hija del panadero en un cuarto lleno de paja. Le dijo que tenía toda la noche para bordar con esa paja como si fueran hilos de oro, de lo contrario moriría. La joven no sabía qué hacer, no tenía más remedio que sentarse a llorar su desgracia y esperar a que amaneciera.

De pronto apareció un hombrecillo y le dijo que convertiría en hilos de oro toda esa paja y tejería para ella si a cambio le daba su primer hijo cuando fuera reina. La joven pensó que nunca una hija de panadero se había convertido en reina y no tendría nada que perder. La joven aceptó la oferta.

Al día siguiente el rey estaba feliz con todas esas telas bordadas en hilos de oro. Pensó que aunque fuera pobre tenía un don que lo haría muy rico y la hizo su esposa. Ahora la hija del panadero era reina y pronto daría a luz a su primer hijo. Cuando esto

ocurrió, apareció el hombrecillo reclamando lo suyo. La reina había olvidado la promesa y le suplicó que no se lo llevara. El hombrecillo le dio tres días para adivinar su nombre, si acertaba, no se llevaría a su hijo.

La reina ordenó a sus súbditos hacer listas con todos los nombres que existieran. Cuando el hombrecillo llegó, la reina empezó por orden: Aarón, Abel, Abelardo y así hasta Zacarías. El hombrecillo solo respondía: «No», «no», «no». La reina, desesperada, envió nuevamente a otros mensajeros a los rincones más profundos del reino y del bosque a reunir nombres extraños y comunes. Uno de ellos volvió muy triste pues se acababa el tiempo. Le dijo que lo único extraño que había visto en el bosque era un duende que cantaba una canción sobre un asado, un niño y un nombre: Rumpelstiltskin. La reina se puso muy feliz.

Cuando llegó el hombrecillo, al tercer día, la reina le dijo: «¿Te llamas acaso Leonardo?» «Nooooo», respondió el hombrecillo. «¿Te llamarás, entonces, Samuel?» «Nooooo», respondió el hombrecillo, listo para llevarse al niño. La reina lo miró con una sonrisa y le dijo: «No puede ser, ¿acaso te llamas Rumpelstiltskin?». El hombrecillo pataleó con tanta furia que se desintegró, y la reina vivió muy feliz viendo crecer a su hijo de quien, por cierto, nunca supimos su nombre.

La zorra y las uvas

Diecisiete de junio

Una zorra pasaba todos los días frente a un árbol de uvas, esperando que crecieran y tomaran el color rojo propio de las uvas más dulces. Una mañana de mucho sol decidió que se comería un racimo. Saltó lo más alto que pudo pero no logró atrapar ni una. Entonces tomó un tronco para subirse en él, pero se resbaló y se torció un tobillo. Sin importarle este percance, fue a su casa a buscar una escalera, la apoyó sobre la cerca que protegía el árbol de uvas y cuando ya estaba muy cerca, pasó a toda velocidad un conejo que iba tarde y tumbó la escalera. La zorra en el suelo se levantó, se sacudió el polvo y se dirigió al bosque, diciendo: «Al fin y al cabo, las uvas todavía están verdes, no me conviene comerlas».

¿Dónde está Elsa la lista?

Dieciocho de junio

Elsa la lista, que no era tan lista, se casó con el bueno de Juan. Una mañana, Juan le dijo: «Iré a trabajar. Tú también debes hacerlo. Ve a segar el trigo para que podamos hacer pan».

Elsa asintió encantada y antes de marcharse organizó una merienda. Cuando llegó al campo de trigo, no supo qué hacer primero: si trabajar o comer. Después de un buen rato de pensarlo, decidió que primero comería. Comió tanto y tan rápido que decidió hacer una siesta antes de empezar a trabajar. Pero pasó el tiempo y Elsa no despertaba. Como ya estaba oscuro, Juan estaba preocupado y fue a buscar a su mujer al campo de trigo. Se sorprendió mucho de verla durmiendo plácidamente y el trigo sin segar. Se fue Juan a su casa y trajo una red para cazar pájaros, de esas que tienen en sus puntas unos cascabeles. Cuidadosamente puso la red sobre Elsa y se marchó a casa.

Cuando Elsa despertó, escuchó un tintineo. No sabía de dónde venía. Se confundió tanto que pensó que ella no era Elsa, sino otra que tintineaba al caminar. Se le ocurrió que tal vez en su casa Juan le diría si era ella o no. Cuando llegó, golpeó la puerta y dijo así: «Juan, ¿está Elsa en casa?».

Juan respondió afirmativamente y Elsa, desconcertada, siguió preguntando casa por casa. Hoy todavía no se sabe qué fue de la vida de Elsa, la lista.

La gallina de los huevos de oro

Diecinueve de junio

Era un campesino muy, muy pobre. El pedacito de tierra que tenía era muy seca y no le daba ninguna fruta ni verdura para comer o vender. Ante tanta pobreza se conmovió cierta vez un duende, que se le apareció y le dijo: «Sé que eres un buen hombre pero la suerte no te ha acompañado. Yo haré que esto cambie». Entonces sacó de una bolsa dorada una gallina. Esta gallina no parecía tener nada especial, era una gallina como cualquier otra. El campesino igual le dio las gracias y con mucho cariño la puso en el pequeño gallinero detrás de su casa.

Al día siguiente, el campesino fue a darle los buenos días a su gallina y cuál no sería su sorpresa cuando vio que había puesto un huevo de oro.

El campesino saltaba de alegría y bailaba con la gallina en sus brazos. Se fue al pueblo y vendió el huevo. Al día siguiente ocurrió lo mismo: la gallina había puesto otro huevo de oro. En poco tiempo el campesino se convirtió en uno de los hombres más ricos de la ciudad.

Pero un mal día, uno de esos que uno quisiera que nunca hubiera llegado, el campesino rico pensó: «Para qué esperar día tras día a que la gallina ponga un huevo, si dentro de ella debe haber toda una mina de huevos de oro». Entonces mató a la gallina y no encontró ninguna mina de huevos de oro. Se quedó el campesino sin oro y lamentó el resto de su vida haber matado a aquel noble animal.

El zorro y las gallinas solidarias

Veinte de junio

Un zorro logró meterse en un gallinero. Atrapó una gallina, la metió en un costal y salió corriendo. Camino a casa se encontró el zorro con otra gallina. Pensando que era su día de suerte, dejó el costal en el piso. Pero antes de esforzarse en atraparla, la gallina le

dijo: «Méteme por favor en el costal con mi hermanita, prefiero morir con ella a vivir sin ella». Mientras tanto, la gallina que estaba en el costal se escapó y dejó en su lugar una piedra. El zorro metió la gallina nueva y siguió feliz su camino, hasta que se encontró con otra gallina, que le dijo: «Prefiero morir con mis hermanas a vivir sin ellas». Nuevamente emprendió el zorro su camino, con dos piedras y una sola gallina. Hasta que encontró a seis gallinas que, parándose en fila, le dijeron en coro: «Preferimos morir con nuestras hermanas que vivir sin ellas». Mientras se volteaba a agarrar una, la otra se escapaba y dejaba una piedra en su lugar. Al

fin, el zorro se desmayó de cansancio, cargando su tremendo costal lleno de piedras y una sola gallina. Así venció la solidaridad sobre la gula.

El zapatero y los duendes

Veintiuno de junio

Un zapatero y una modista eran esposos. Él hacía zapatos finos y bonitos, ella hacía vestidos elegantes y remendaba ropa vieja. Llegó el tiempo en que él ya no tuvo más dinero para comprar cuero y a ella solo le quedaban unos pocos retazos de tela. El zapatero decidió hacer el último par de zapatos con el trozo de cuero que le quedaba. Lo preparó y lo dejó listo en la mesa de trabajo.

A la mañana siguiente, lo invadió la felicidad y el desconcierto al ver sobre la mesa el par de zapatos no solo listos, sino muy bien cocidos y lustrados. Tan buenos eran los zapatos que el dueño del banco decidió comprarlos inmediatamente y le dio al zapatero el doble del dinero que le había pedido. Con ese dinero, el zapatero compró cuero para dos pares de zapatos y, como hacía siempre, los dejó cortados y listos para hacerlos al día siguiente.

Mayor fue la sorpresa del zapatero y su esposa cuando vieron sobre la mesa

un par de botas y unos zapatos de fiesta. Nuevamente vendieron los zapatos. Sucedió lo mismo durante unos meses, hasta que la noche de Navidad la mujer le propuso a su esposo que se escondieran para ver si entendían cómo era posible que aquello ocurriera. Así hicieron y a medianoche vieron llegar a tres, cuatro, cinco duendes, todos desnudos, que tomaban la aguja, el hilo y el cuero, y con una maestría inaudita cocían hermosos zapatos.

El zapatero y su mujer entendieron por fin el misterio y lamentaron que mientras ellos se hacían ricos con el trabajo de los duendes, estos no tenían ni como vestirse. Así que la modista hizo cinco hermosos trajes con sombreros y los dejó sobre la mesa la noche que terminó. Se escondieron para saber qué pasaba. Los duendes llegaron y esta vez no cocieron zapatos, estaban felices con sus nuevos trajes. Se los pusieron y bailaron toda la noche. Esa fue la última noche que el zapatero y su mujer vieron a los duendes. Imaginaron que estarían ayudando a alguien más que seguramente los necesitaría.

Ulises y el cíclope

Veintidós de junio

Ulises y su ejército griego volvían victoriosos hacia su país no sin antes enfrentar muchas aventuras y adversidades. En una ocasión, divisaron a lo lejos una isla y pensaron que allí podrían encontrar agua y alimentos. Ulises le pidió a doce de sus hombres que lo acompañaran. El resto de la tripulación debía quedarse en el barco y estar atentos a cualquier peligro o dificultad. En la isla encontraron una cueva en la que había muchos quesos, cabritos y ollas llenas de leche. Los hombres le dijeron a Ulises que podrían llevarse lo que allí había, con eso sobrevivirían el resto del viaje. Pero Ulises desaprobó semejante ocurrencia, pues eso sería actuar como ladrones. Sugirió esperar al que allí vivía y negociar con él. Lo que no sabía Ulises era que esa era la isla de los cíclopes, gigantes que solo tienen un ojo. Lo que tampoco sabía Ulises es que en aquella cueva vivía un cíclope bravo, hijo de Poseidón, dios del mar. Este cíclope se llamaba Polifemo. Al caer la tarde, Polifemo llegó a su casa, es decir, a su cueva. Se enojó muchísimo al ver que había intrusos allí. Ulises le contó que iban camino a Ítaca y no tenían alimentos. Le pidió unos quesos y tres cabritos en nombre de Zeus y de otros dioses que ordenan hospitalidad hacia los extranjeros. Tampoco sabía Ulises que los cíclopes no tienen dioses ni creen en los dioses de otros. El cíclope se rió

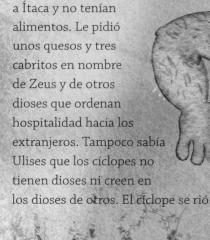

estruendosamente. No solo no les dio lo que pedían, sino que cerró la cueva con una roca enorme y se comió a dos de los soldados de Ulises.

Ulises, preocupado, pensó en una estrategia para salir de allí. La roca que tapaba la entrada era muy pesada y no lograrían quitarla. Así que mientras el cíclope estaba afuera, tomaron un tronco y prendieron la punta con fuego. Cuando Polifemo llegó, hundieron el tronco incandescente en el único ojo del gigante. Furioso corría por todos lados y se tropezaba.

—¿Cómo te llamas, tú, que has osado herir a Polifemo?

—Me llamo Nadie —dijo Ulises. En ese momento, al oír los gritos, llegaron otros cíclopes y le preguntaron qué ocurría. Polifemo les dijo.

—Nadie me ha herido.

Los otros cíclopes lo tomaron por loco y se fueron. Mientras tanto, Ulises y sus hombres se amarraron debajo de las barrigas de los cabritos y así se escaparon de la cueva sin que el cíclope supiera, mientras dejaba salir a cada cabrito tocando su lomo. El padre de Polifemo, efectivamente, se enojó muchísimo con Ulises y ocasionó una terrible tormenta que puso, de nuevo, en aprietos a Ulises y a sus valerosos hombres. Cómo salieron librados de esta situación, es tema de otra historia.

El gato con botas

Veintitrés de junio

Un molinero antes de morir dejó a su hijo menor un gato. El joven lloraba no solo la muerte de su padre, sino también la poca herencia con la que quedaba. De pronto, escuchó una voz. El joven se frotó los ojos y las orejas, pues no creía lo que veía ni lo que oía: la voz venía del gato. El gato le decía que no debía preocuparse de nada, pues su padre le había explicado lo que tenía que hacer. El gato le entregó tres monedas de oro y le dijo que debía comprarle unas botas de cuero y una capa elegante. El chico así hizo, confiado del gato, pero aún muy desconcertado.

Cuando el gato tuvo sus botas y su capa, se fue al palacio del rey y se presentó como el empleado del recién llegado marqués. Dijo que era joven, generoso y rico, que se apellidaba Carabás, el marqués de Carabás. Allí mismo se enteró de que esa tarde la princesa y su padre iban a dar un paseo en el coche real.

El gato corrió tan rápido como sus botas se lo permitieron hasta donde su amo y le dijo que se fuera al río y se diera un baño. El joven seguía desconcertado pero cada vez confiaba más en su amigo y siguió todas sus instrucciones al pie de la letra. Allí estaba el joven bañándose; cuando el gato vio que se acercaba el carruaje del rey con su hija, escondió la ropa del joven y empezó a gritar:

—¡Auxilio, auxilio! ¡Unos ladrones han robado la ropa del marqués de Carabás!

El carruaje frenó por orden del rey y todos ayudaron al joven que ahora debía fingir que se llamaba Carabás, por consejo del gato. A la princesa le pareció muy guapo y al rey le pareció muy educado. El rey ofreció llevarlo hasta su casa que, suponía, debía ser un palacio. Antes de que el joven dijera nada, el gato dijo que con gusto él iría adelante y los guiaría. El joven, nuevamente, confió en su amigo y se subió al carruaje.

El gato corrió tan rápido como sus botas se lo permitieron hasta unas tierras que se decía eran de un malvado ogro que asolaba a todos sus habitantes. El gato hizo correr la voz de la necesidad de participar de un plan para sacar al ogro de allí. Solo debían decir que todo aquello pertenecía al marqués de Carabás. El gato se devolvió tan rápido como sus botas se lo permitieron para indicar al conductor del coche qué camino tomar.

Cuando ya todo estaba claro, el gato volvió a correr tan rápido como sus botas se lo permitieron hasta el castillo del ogro. En el camino el rey iba preguntando a la gente por el nombre del dueño de esas tierras. Todos respondían, siguiendo el plan del gato, que eran del marqués de Carabás.

Mientras tanto, en el castillo, el gato conversaba con el ogro. El gato le preguntaba si era cierto que tenía tanto poder como para convertirse en el animal

que quisiera. El ogro, vanidoso y espantoso, soltó una carcajada y se convirtió inmediatamente en una horrorosa hiena. El gato intentó controlar el miedo para no salir corriendo tan rápido como sus botas se lo hubieran permitido. Entonces le dijo al ogro, o a la hiena, que si era tan poderoso como para convertirse en algo más pequeño, un ratón, por ejemplo. El ogro, o la hiena, soltó un estruendoso gruñido y se convirtió en un ratón. El gato no lo pensó dos veces y de un bocado se lo comió.

Los empleados del castillo estaban felices con la desaparición del ogro y organizaron una cena maravillosa para esperar al nuevo dueño del castillo: el marqués de Carabás.

En efecto, cuando el rey, la princesa y el joven llegaron, quedaron deslumbrados. El joven supo disimular su sorpresa y se sentaron todos a la mesa a cenar y a pensar en una futura unión entre el nuevo marqués y la bella princesa.

El marqués entregó a todas las personas las tierras que años atrás el ogro les había quitado y les ayudó a construir mejores casas, una escuela y un hermoso parque.

La mujer precavida y el hombre pretencioso

Veinticuatro de junio

Una mujer vivía en el campo con su marido. La mujer era feliz, satisfecha con su vida austera, sin lujos pero sin angustias. Su marido, en cambio, soñaba siempre con lujos. Un día la mujer encontró una gran roca de oro en uno de sus cultivos. Pensó entonces: «Si mi marido encuentra la roca, se irá al pueblo a buscar ayuda para sacarla. Y cambiará el oro por montones de cosas que no necesitamos. Y nuestra vida tranquila se arruinará por los lujos». La mujer sembró entonces al lado de la roca unas truchas. Y al lado de las truchas unas liebres.

Cuando el hombre fue al día siguiente a trabajar en el cultivo, encontró primero las truchas, después las liebres y también el oro. Como la mujer había temido, el hombre salió corriendo al pueblo a buscar ayuda para sacar la gran roca de oro. Cuando le preguntaron dónde la había encontrado, él dijo: «En mis cultivos, al lado de las truchas y las liebres». Nadie le creyó entonces ni una sola palabra. El oro se quedó enterrado y la pareja vivió largos años en paz, austeridad y tranquilidad.

La liebre y el león

Veinticinco de junio

Un león insaciable se comía todo lo que se movía en su territorio. Una liebre inteligente convenció a los demás animales y fueron a hablarle: «Te proponemos que comas una sola vez al día. A cambio, nos turnaremos para ser tu comida, de manera que no tengas que esforzarte en perseguirnos». Al león le pareció un buen acuerdo. La liebre se había ofrecido desde el comienzo en ser el primer turno. Llegó entonces al día siguiente agotada y sudorosa. «¿Qué te pasa? —le preguntó el león —si yo no te he perseguido». «No, tú no. Es otro león, más fuerte y joven que tú, que está en la laguna persiguiéndonos a todos», le dijo la liebre. El león gritó de furia y fue a buscar a su contrincante para expulsarlo de su territorio. Al llegar a la laguna vio su reflejo en el agua y se lanzó al fondo de las aguas con su tremendo rugido de lucha. Y murió el vanidoso león ahogado, víctima de la inteligencia de una inofensiva liebre.

El perro y su imagen

Veintiséis de junio

Este era un perro que volvía feliz a su casa. Estaba muy contento porque le acababan de regalar un hueso muy grande en la carnicería del pueblo. En el camino pasó al lado de un arroyo. En el agua del arroyo vio el perro su imagen. Pero el perro no entendió que era él mismo sino otro perro y con un hueso más grande.

Quiso este perro quitarle al perro del agua su hueso y se lanzó al arroyo. Abrió su boca para hacerse del otro hueso y de repente ya no tenía ni el propio. Salió del agua pensando que ha debido quedarse con uno y no pretender tener más. Ahora volvía triste a su casa.

Reinaldo y los pescadores

Veintisiete de junio

Reinaldo el zorro tenía hambre. Llevaba varios días buscando sin suerte comida en el bosque. Decidió acercarse al pueblo, pero no mucho, pues la gente de allí le tenía miedo y su propósito, al menos por ahora, era comer. Cuando estaba cerca de la carretera, escuchó un ruido y vio a lo lejos a un par de pescadores que arrastraban una carreta llena de pescado. Reinaldo saltaba en ambos pies tapándose la boca para que su alegría no ahuyentara a los pescadores.

Reinaldo, como zorro que era, tuvo una idea. Se acostó en medio de la carretera y, patas arriba, con los ojos cerrados y la lengua afuera, fingió estar muerto. Los pescadores se acercaron y pensaron que, en efecto, estaba muerto. Como los pescadores sabían que la piel de zorro es muy apreciada por algunas personas para hacer abrigos, consideraron que la podrían vender muy bien. Lo cogieron de las patas y lo lanzaron a la carreta llena de pescado.

Reinaldo comió arenques, bagres y atunes. Las anguilas estaban todas amarradas a una cuerda a modo de collar, probablemente porque era más fácil para los pescadores trasladarlas. Reinaldo, como zorro que era, se puso en el cuello el collar de anguilas y saltó de la carreta. Con el collar en el cuello, Reinaldo se despidió de los pescadores. Los pescadores no podían creer lo que veían. Intentaron perseguirlo, pero claro, Reinaldo, como zorro que era, corría más rápido.

Hermes y la Tierra

Veintiocho de junio

Después de que Zeus hizo al hombre y a la mujer, le pidió a Hermes, uno de los dioses de su confianza, que los bajara a la Tierra y les mostrara todo lo que allí había. Le pidió también que les enseñara cómo alimentarse y dónde tenían que cavar para sembrar y conseguir alimentos. Bajó Hermes a la Tierra con el hombre y la mujer y les dio herramientas para cavar en ella. La Tierra se resistió, tembló y se quejó; pero Hermes insistió, diciendo que era una orden de Zeus. La Tierra accedió y les dijo: «Muy bien, pueden hacer cuantos hoyos quieran, pero ya sabrán de mí y lo pagarán con lágrimas y lamentos». Al parecer, las palabras de la Tierra han sido verdad.

La ostra y el ratón

Veintinueve de junio

El pescador había ya terminado su jornada, que inició muy temprano. Mientras dormía, dejó en el canasto todo lo que había atrapado: muchos y variados peces y, entre ellos, una ostra. La ostra suspiraba y miraba el mar desde el canasto, pues la casa del pescador estaba muy cerca. Decía: «Ay, qué tristeza, creo que mi vida terminó aquí. Si tan solo pudiera volver al mar». De repente, vio pasar a un saludable ratón y lo llamó: «Psss, psss, ¡ratón, ven acá!». El ratón miró por todas partes y no vio nada. Nuevamente la ostra lo llamó, esta vez más fuerte: «Psss, psss, ¡ratón, aquí en el canasto!» El ratón se acercó, y al ver a la ostra tan hermosa y grande, pensó que debía tener una rica pulpa. «¿Qué quieres?», preguntó. La ostra le dijo: «Ratón, ¿serías tan amable de llevarme al mar?». El ratón pensó que era su oportunidad para comérsela y le dijo: «Claro que sí, pero tienes que abrirte un poco, porque no puedo llevarte cerrada». La ostra aceptó y cuando el ratón quiso comérsela, se movió y se cerró fuertemente, aprisionando la nariz del ratón y provocándole un terrible chillido. El gato que merodeaba por allí escuchó el grito del ratón y se lanzó sobre él. El ratón, que quería comerse a la ostra, fue comido por el gato.

Alí Babá y los cuarenta ladrones

Treinta de junio

Alí babá era de profesión aguatero. Llevaba en su burrito agua al pueblo desde un pozo cercano. En una época de sequía, Alí Babá decidió buscar otras fuentes en aquellos parajes. Caminaba todo el día por los alrededores, aguzando el oído para escuchar el rumor del agua. Alguna vez, ya cansado, se quedó dormido bajo un árbol. En la noche lo despertó el ruido de varios caballos que llegaban al frente de una roca, cerca a donde él descansaba. Cuarenta caballos con sus jinetes se quedaron detenidos frente a la roca. Alí Babá no entendía qué esperaban. De pronto, el que parecía ser el líder del grupo, se apeó y se acercó a la roca. Levantó los brazos y gritó: «Ábrete sésamo». En ese momento la roca se abrió y dejó ver un tremendo resplandor.

Alí se quedó esperando. Cuando los hombres se fueron, se acercó a la roca y gritó: «Ábrete sésamo». Se abrió entonces la roca y pudo ver que el resplandor venía de montones de riquezas incontables. Monedas de oro regadas por doquier, piedras preciosas en alforjas, objetos de oro y plata, espejos y collares. Alí Babá tomó algunas monedas y unas pocas piedras preciosas, lo que consideró suficiente para vivir tal cual vivía el resto de su vida, sin pasar hambres ni angustias.

Al día siguiente, Alí Babá le contó a su hermano lo que le había sucedido, no sin antes hacerlo prometer que no se lo contaría a nadie. El hermano se fue al lugar indicado, hizo lo que había contado Alí, pero en vez de llevarse solo algunas monedas y unas pocas piedras, de manera que los ladrones no notaran nada, se llevó todo lo que pudo. Y volvió al día siguiente a hacer lo mismo, y el siguiente y el siguiente. Hasta que los ladrones se dieron cuenta que faltaban riquezas. Se escondieron entonces en unas alforjas esperando al ladrón que los robaba a ellos, también ladrones. Y volvió, una vez más, el insaciable hermano de Alí. Encontrando esta vez nada diferente a su propia muerte. Pues nada ofende más a un ladrón, que ser robado.

Julio

Parábola del hijo pródigo

Primero de julio

Un padre bondadoso tenía dos hijos: Humberto y Alberto. Cuando ya el padre se sintió viejo, repartió sus bienes entre sus dos hijos. Alberto se quedó al lado de su padre, cuidando de él y de su finca. Humberto, el hijo pródigo, se fue de casa a viajar y hacer su vida lejos de la familia. Humberto malgastó su dinero, pródigo como era. Vinieron tiempos difíciles y Humberto pasó hambres y penas. Decidió entonces volver a donde su padre, pedirle perdón y rogar por su cobijo.

Cuando el padre lo vio venir, armó un gran festín. Humberto le pidió perdón, pero el padre estaba tan feliz de verlo que ni siquiera lo escuchó; lo abrazó, lo bañó y lo vistió de gala. Al Alberto enterarse de todo esto, fue a reclamarle a su padre:

—¿Cómo es que tratas tan bien a este que nos abandonó y malgastó el trabajo de toda tu vida?

—Hijo mío, tú siempre has estado a mi lado y siempre lo estarás. A nadie podré querer más. Cuentas tú igual conmigo siempre. Pero este otro, este había muerto para mí. Y ahora ha vuelto, como si hubiese resucitado. No hay peor tristeza para un ser humano que la muerte de un hijo. Y no puedes imaginar mayor felicidad que verlo resucitar.

El barquero inculto

Dos de julio

Este era un joven que había pasado su vida estudiando y leyendo largas horas en la biblioteca de su ciudad. Era muy arrogante y vanidoso. Un día, necesitó ir al otro lado de la ciudad y para ello debía cruzar el río. Entonces le pidió al barquero que lo llevara.

El barquero, muy amable, empezó a remar en silencio. De repente, una bandada de pájaros voló sobre ellos y el joven le dijo al barquero: «Dígame una cosa, ¿ha estudiado usted sobre la vida de los pájaros?» «No señor, no sé nada de la vida de los pájaros», respondió el barquero. «Entonces has perdido una cuarta parte de tu vida», dijo en un tono engreído el joven.

Al barquero pareció no importarle y siguió remando. Pasaron entonces cerca de unas plantas acuáticas parecidas a los lotos. El joven nuevamente preguntó al barquero: «¿Y sabe usted de botánica?». El barquero le respondió: «No, no sé nada de plantas». «Ah, lamento decirle, buen hombre, que ha perdido la mitad de su vida», le dijo el joven. «Pero ya que lleva tanto tiempo dedicado a este bote, debe saber mucho sobre el agua», insistió el joven. «No, no sé nada de esta agua ni de otras», le aclaró el barquero. «Oh, mi querido amigo, en realidad ha perdido más de la mitad de su vida», dijo el joven cada vez más arrogante.

De un momento a otro la barca comenzó a hundirse y no había manera de remediar la situación. Así que esta vez el barquero le preguntó al joven: «¿Sabe usted nadar?» «No, no sé nadar», respondió el joven, y el barquero dijo: «Entonces, me temo señor que ha perdido usted toda su vida».

El burro perdido

Tres de julio

Un hombre buscaba desesperado a su burro. En el camino se encontró con Sinforiano. «¿Habrá usted visto por casualidad un burro perdido por este camino?», le preguntó el hombre. «¿Era tuerto su burro?», preguntó Sinforiano. «¡Sí señor!», exclamó ilusionado el hombre. «¿Era cojo su burro?», preguntó Sinforiano. «¡Sí señor!», exclamó eufórico el hombre. «¿Tenía el rabo cortado su burro?», preguntó Sinforiano. «¡Sí señor!», exclamó el hombre al borde de las lágrimas, «¿dónde ha visto usted a mi burro amado?». «En ninguna parte», contestó Sinforiano, «solo me fijé hace un rato en que la hierba del camino está comida de un lado sí y del otro no. Vi unas huellas y las de un lado estaban más marcadas que las del otro. Y vi restos de excremento de burro en un solo montón, no esparcidos como cuando los burros tienen la cola sin cortar». El buen hombre no tuvo ningún ánimo de agradecer la inteligencia, más bien inútil, de Sinforiano. Así que siguió su búsqueda sin dar las gracias.

Las Piedras de Tunja

Cuatro de julio

En un lugar en Colombia, en la provincia de Cundinamarca, llamado Facatativá, hay unas piedras inmensas, llamadas las Piedras de Tunja. Tunja es una ciudad grande, que queda en la provincia de Boyacá, a muchos kilómetros de Facatativá. Se preguntan entonces siempre los visitantes, ¿por qué se llaman las Piedras de Tunja? Hace muchos años un brujo poderoso que habitaba un lugar al sur de Colombia, le pidió a un dios que le ayudará a llevar unas inmensas piedras que se hallaban en Tunja a su territorio. El dios se cansó en el camino y, mientras descansaba, apoyó las piedras en Facatativá. El brujo entonces se burló de su fuerza: «Eres un poco debilucho para ser dios». El dios, ofendido, dejó entonces las piedras ahí tiradas para siempre. Por eso hoy están aún las Piedras de Tunja tiradas en Facatativá.

El caminante y la oruga

Cinco de julio

Alí debió salir un día a comprar una vaca en un pueblo vecino. El camino era largo y le tomaría, por lo menos, dos días de ida y tres de regreso. Alí tenía una esposa a quien quería mucho y siete hijos a los que cuidaba como el mejor de los padres. Estaba muy preocupado por lo que sería de ellos durante su ausencia. El primer día se durmió intranquilo y cansado. Entonces tuvo un sueño. Estaba en la playa y poco a poco se acercaba al mar. Primero el agua le llegaba a los tobillos, después a las rodillas, y cuando le llegó el agua al pecho, una gran ola lo llevó mar adentro y lo arrastró cerca de una roca. Alí sacó fuerzas de donde pudo y logró aferrarse a aquella roca. Cuando el mar estaba más tranquilo pudo ver en un agujero de la roca a una pequeña oruga. Alí se agachó para ver más de cerca cómo comía aquella oruguita una hoja de una planta marina. Pero a la planta ya no le quedaban más que dos hojas y la oruga comía muy rápido. Entonces Alí se preguntaba cómo habría podido subsistir hasta ahora y cómo sobreviviría cuando se terminaran las dos hojas que le quedaban. Fue cuando vio con gran sorpresa que ante sus ojos se formaba otra hoja, que crecía en el mismo lugar que la anterior.

Se despertó Alí pensando: «Si Dios no ha olvidado a esta oruguita, tampoco se olvidará de mis hijos y mi esposa». Así que se levantó tranquilo y con mucho entusiasmo fue por la vaca.

Cronos

Seis de julio

Cronos era el hijo de Urano y Gea, los primeros dioses. Cronos había sido valiente al liberar a sus hermanos de la maldad de su padre, quien había encerrado a sus hijos en las entrañas de la tierra, pues temía que uno de ellos le quitara el trono. En la lucha entre Cronos y su padre, este se rindió no sin antes anunciarle que le iba a ocurrir lo mismo: un hijo suyo le quitaría el reino.

Cronos se casó y ante el miedo de que le ocurriera lo que su padre le había dicho, se comía cada hijo que nacía. La esposa de Cronos ya no soportaba esta tristeza. Cuando nació Zeus, su sexto hijo, ella decidió esconderlo. Engañó a Cronos dándole una piedra envuelta en telas como si fuera su hijo. Cronos se lo comió sin darse cuenta del engaño. Zeus creció junto a las cabras en una montaña hasta que tuvo la edad suficiente para luchar contra su padre.

Zeus preparó una sustancia. Su madre hizo que Cronos la bebiera. La sustancia hizo que todos los hijos salieran de la barriga de Cronos y también la piedra. Después de una lucha de diez años, Zeus destronó a su padre, y lo lanzó a la Tierra. Cayó en una ciudad que no tenía nombre, así que la llamó Saturnia, pues a Cronos también se le conoce como Saturno. Allí ayudó a las personas a cultivar la tierra, a recoger los frutos y a celebrar las fiestas después de cada cosecha.

Ratón de campo y ratón de ciudad

Siete de julio

Jacinto vivía entre las raíces que sobresalían de un árbol enorme. Allí guardaba las semillas y frutas que recogía durante sus paseos por el campo. Como no vivía ningún gato por ahí cerca, Jacinto podía dedicarse tranquilamente a sus labores. Una tarde, llegó a visitarlo su amigo Ambrosio, que venía de la ciudad. Fastidiado por el pasto largo y las hojas húmedas que se le pegaban al cuerpo, Ambrosio de dijo a Jacinto: «Cómo puedes vivir así todo el tiempo, en la ciudad podrías vivir mejor».

Entonces tomaron un tren hacia la ciudad y estando allí, no faltó nada para que Jacinto quedara enredado en la rueda de una bicicleta. Después se perdió de su amigo pues el humo de los carros no lo dejaba ver nada. Cuando se encontraron por fin y llegaron a la enorme y lujosa casa donde vivía Ambrosio, Jacinto se relajó y pudo ver los más deliciosos platos: torta de nuez, galletas de manzana y chocolate y una deliciosa pierna de jamón. Pero cuando estaba a punto de darles un bocado, su amigo lo sacó de una pata, pues venía el gato de la casa. Cuando de nuevo estaba tomando una deliciosa leche de almendras, apareció la dueña de la casa con una escoba en la mano.

Con mucha hambre y el corazón a punto de saltar, Jacinto le dijo a su amigo: «Me alegra por ti que te guste esta vida llena de peligros y emociones, banquetes y lujos, pero yo vuelvo a mi árbol, mi vida allí es sencilla pero tranquila».

Parábola de la semilla

Ocho de julio

Luis y Fernando eran hermanos. Vivían uno al lado del otro. Cada cual en su finca. Luis sembró una semilla. Fernando también. Luis deseaba tener un hermoso árbol frutal. Regaba su semilla, le espantaba los insectos, le ponía abono, no dormía deseando ansioso ver el momento en que su semilla amada germinase. Fernando deseaba tener un hermoso árbol frutal. Regaba su semilla cada mañana, no se preocupaba demasiado por los insectos, le ponía abono una vez a la semana, dormía tranquilo confiado en que su semilla germinaría en el momento oportuno. La semilla de Luis no germinaba. En cambio, la semilla de Fernando germinó en su momento y crecía ya un bello árbol. Finalmente, Luis se rindió y se fue a dormir. Estaba tan cansado que durmió una semana entera. Al levantarse y salir, vio sorprendido y feliz un hermoso arbolito creciendo.

El gran Ozu

Nueve de julio

Había en Japón un joven llamado Ozu. Era tan pequeño como un gato cachorro. Pero tan terco y obstinado como un tigre de Bengala. Quería ser guerrero samurái y nada ni nadie pudo detenerlo. Cuando viajó a convertirse en samurái, su abuela le regaló un dedal para que lo usara de casco. Su madre le regaló un botón de duro carey para que lo usara de escudo. Y su padre le regaló una aguja de oro para que la usara de espada. Así de pequeño era.

Ozu volvió a casa años después convertido en un valiente guerrero samurái. No sabía que desde hacía un tiempo un gigante abusivo asolaba su pueblo.

Apenas llegó, la abuela lo metió debajo de sus faldas para protegerlo del gigante. Pero Ozu se escapó, aprovechando su tamaño, y fue a enfrentar al gigante. Cuando lo oyeron en el pueblo retando al gigante, todos se taparon los ojos. Pensaron que Ozu tendría una muerte terrible. Pero cuando volvieron a abrir los ojos, lo que vieron fue al gigante escapando a toda velocidad.

Ozu lo había atacado con su espada de oro entre las uñas de los pies. El gigante no alcanzaba a verlo, de lo pequeño que era. Pero oía su voz increpándolo. Muy adolorido, decidió no enfrentar a un guerrero de poderes tan extraños y dejó el pueblo en paz.

San Francisco de Asís

Diez de julio

Francisco vivía en Asís y era hijo de un comerciante rico. Fue un niño muy generoso y jovial. Siendo un joven, y siendo tan querido por todos, le preguntaron con quién se casaría. Él dijo que se casaría con una dama de belleza sin igual. Al poco tiempo se supo que hablaba de la Dama Pobreza. Para poderse casar con la pobreza, Francisco regaló todas sus riquezas. El grave problema es que sus riquezas no le pertenecían a él, sino a su padre. Su padre se enojó mucho y Francisco tuvo que esconderse. Años después volvió Francisco a Asís y en la plaza del pueblo le devolvió a su padre todo lo tomado. Le explicó que no había nada tan bello como la pobreza. Se desnudó y renunció a todo bien material. Vivió desde entonces entregado a los demás, al bien común, al amor por la humanidad y la naturaleza. Desde su muerte es recordado como San Francisco de Asís.

Parábola del sembrador

Once de julio

Dios malhumorado el dios de los cristianos, pero dios piadoso también. Como se portaban mal los hombres, dios envió a su propio hijo a hablar con nosotros. Jesucristo fue su nombre. Su presencia en la Tierra cambió la historia para siempre. Jesús hablaba a los hombres en forma de parábolas. Una parábola fue la del labrador y las semillas.

Cuando el labrador siembra las semillas, algunas caen a la vera del surco. Otras caen sobre piedras. Otras caen entre zarzas de espinas. Y algunas caen sobre la tierra preparada para ellas. Las que caen a la vera del surco serán arrastradas por los pies de los agricultores, barridas por la lluvia o serán comidas por los pájaros. Las que caen sobre piedras germinarán, pero no tendrán suelo para que su raíz crezca y así morirán pronto. Las que caen entre zarzas, germinarán y tendrán raíz, pero no podrán crecer ni recibir la luz del sol y morirán pronto. En cambio, las que caen sobre la tierra labrada, preparada para recibir la semilla, germinarán y crecerán hasta dar fruto.

Así explicaba Jesús cómo las palabras sabias son entendidas por algunos y por otros no. Algunos escuchan las palabras pero nada en ellos germina. Otros escuchan las palabras, algo en ellos germina, pero nada se afirma y las palabras sabias son olvidadas pronto. En otros la sabiduría germina, pero las preocupaciones y obstáculos del mundo no dejan que la sabiduría crezca. Solo en algunos las palabras sabias se convierten en sabiduría.

San Agustín

Doce de julio

Agustín fue un filósofo y pensador que en un momento de su vida se consagró a reflexionar sobre las palabras de Jesucristo. Se sentó un día en la playa a pensar en cómo contarle al mundo entero el sentido de estas palabras: «Amaos los unos a los otros». Contemplaba mientras tanto a un niño que, solitario, entre risas y carcajadas, jugaba en la playa. Pasaron las horas y el niño seguía feliz llevando agua del mar en un balde a un hoyo que había hecho en la arena. Agustín pensaba mientras el niño reía. Cuando se acercaba el atardecer, Agustín le preguntó al niño: «¿Qué haces tú?» Y el niño le dijo: «Estoy pasando toda el agua del mar a este hoyo que cavé en la arena». En las palabras del niño, Agustín encontró la respuesta a su divagación. No importa si es posible nuestra misión. El sentido de nuestros propósitos es ser felices mientras intentamos llevarlos a cabo. Tan fértiles fueron las reflexiones de Agustín sobre todos estos asuntos, que después de su muerte lo recordamos como San Agustín.

Los dos sabios

Trece de julio

En dos islas, una muy cerca de la otra, vivían dos sabios. En una vivía el sabio más joven, era célebre y tenía gran reputación. En la otra vivía el sabio anciano, sencillo y de noble corazón, pero no gozaba de fama alguna. Un día, el sabio viejo tomó una barca y fue hasta donde el joven sabio para pedirle guía espiritual.

También quería que le enseñara un mantra, que son unas palabras que al repetirlas llevan a las personas a un hermoso estado de tranquilidad y permiten la meditación. Así hizo el joven sabio y el anciano se volvió a su isla muy agradecido.

Al rato volvió el anciano muy compungido y le dijo al joven: «Lamento molestarlo, honorable sabio. He olvidado las palabras del mantra, soy un pobre ignorante. ¿Podría repetírmelas?» El joven repitió con paciencia las palabras pero pensó que este pobre hombre no avanzaría por el camino espiritual si ni siquiera podía recordar las pocas palabras del mantra. Pero su sorpresa fue enorme cuando de pronto vio que el anciano se iba a su isla caminando sobre las aguas.

La sabiduría del Rey Salomón

Catorce de julio

Hace mucho tiempo, en un reino lejano, vivía un rey muy sabio, llamado Salomón. Provenientes de muchas tierras, llegaban gentes buscando ayuda y consejo del sabio rey Salomón.

Fue así que dos mujeres que vivían en la misma casa, habían dado a luz casi al mismo tiempo a dos hermosos bebés. Al mes de haber nacido, uno de los bebés murió. La madre del bebé muerto fue a escondidas, de noche, cuando todos dormían, al cuarto del otro bebé. Y cambió al bebé muerto por el bebé vivo. Al amanecer, la madre del bebé vivo encontró el cuerpo del bebé muerto y lloró amargamente, pensando que se trataba de su hijo. Pero cuando se hizo de día y hubo luz, pudo reconocer que no se trataba de su hijo. Fue entonces a reclamar a la otra mujer. Pero la otra mujer lo negó todo.

Fueron entonces a donde el rey Salomón. El rey les dijo: «Es de fácil solución este problema que me planteáis. Traedme una espada. Partiré al niño por la mitad y así cada una tendrá medio hijo».

La madre falsa estuvo de acuerdo con la solución. En cambio la verdadera madre rogó por la vida del niño y aceptó dárselo entero a la otra mujer con tal de conservarlo con vida. Supo así el rey Salomón quien era la verdadera madre del niño. Que era, claro, aquella que salvaría la vida de su hijo a como diese lugar. Ordenó entonces el rey Salomón que le fuese devuelto el bebé entero y vivo a su verdadera madre.

Parábola de la cizaña en medio de la papa

Quince de julio

Luis y Fernando eran hermanos. Vivían uno al lado del otro. Cada cual en su finca. Luis se demoró en preparar la tierra para el tiempo de la siembra. Fernando, en cambio, preparó su tierra en el momento justo y sembró a tiempo. Luis se sintió envidioso y en la noche sembró cizaña en medio de las papas sembradas por Fernando. Días después, los trabajadores de Fernando se dieron cuenta de que en medio de la papa, germinaban también semillas de cizaña. «¿Desyerbamos la cizaña?», preguntaron los trabajadores. Fernando les contestó: «No. La cizaña tiene raíces largas. Podemos dañar la papa al intentar arrancar la cizaña. Cuidemos de la cizaña. En el momento justo la utilizaremos para techar el granero». Y así fue, Fernando logró beneficios tanto de la cizaña como de la papa.

La hormiga y el grano de trigo

Dieciséis de julio

Llegó la época de cosechar el trigo. Varios hombres y mujeres dedicaron días enteros a esta tarea. Al final de la jornada quedó un grano de trigo debajo de unas ramas. El grano estaba feliz. Pensó que podría esconderse en algún sitio, esperar las lluvias y crecer muy alto. Reflexionaba en esto cuando sintió que algo o alguien lo levantaban. Miró de reojo y era una hormiga que lo llevaba en su espalda. La hormiga estaba feliz de haber encontrado esta semilla. El grano estaba preocupado y le dijo a la hormiga:

—¿A dónde crees que me llevas? ¿Por qué no me dejas tranquilo allí donde me encontraste?

—Te llevo a mi nido. No puedo dejarte, pues la tarea de las hormigas es llevar cuanta comida sea posible a nuestros nidos para las largas épocas de invierno —respondió la hormiga.

El grano de trigo estuvo un rato pensando mientras se movía de un lado al otro en la espalda de la hormiga. Hasta que al fin se le ocurrió una idea:

—Hormiga, te propongo un trato. Si me dejas aquí, en mi campo, te prometo que dentro de un año te daré cien granos de trigo. Piénsalo bien: un grano ahora o cien en un año.

La hormiga lo pensó largamente. En realidad le parecía un buen trato. Finalmente accedió y ayudó al grano a abrir un agujerito para que allí mismo pudiera crecer. El grano le agradeció mucho. Pasado un año, la hormiga volvió a aquel sitio y allí estaba su amigo que ahora era una larga y dorada espiga. Esta espiga le dio los cien granos prometidos y las hormigas tuvieron provisiones por mucho tiempo.

Ulises y la isla de los lotófagos

Diecisiete de julio

Camino a Ítaca, destino en Grecia, Ulises, al lado de su ejército, debió soportar una nueva dificultad: una despiadada tormenta arrastró su barco hasta una extraña isla. Ulises envió a algunos de sus hombres a explorar y ver si había agua dulce y alimentos para continuar el camino. Los hombres llegaron a la playa y encontraron a varios de sus habitantes durmiendo o conversando plácidamente. Recibieron a los soldados de Ulises con los brazos abiertos y les ofrecieron lo mejor de su isla: lotos dulces y suaves. Los soldados los comieron sin saber que se trataba de un fruto con delicioso sabor pero con extraños efectos secundarios: quienes lo probaban olvidaban el pasado y también los proyectos futuros. Por eso los lotófagos, habitantes de esta isla,

viven plácidamente, porque si tienen algún problema, lo olvidan rápidamente y no les preocupa el futuro ni cómo construirlo. Pues eso mismo sucedió a los hombres de Ulises tan pronto probaron los lotos: olvidaron a Ulises, la tarea encomendada, y ya no les preocupaba volver a casa.

Ulises se preocupó por la tardanza de sus amigos y fue a buscarlos. Al encontrarlos comprendió la situación y le pidió a sus compañeros que lo ayudaran a amarrarlos y llevarlos al barco. Estos patalearon y protestaron; así estuvieron un buen rato hasta que pasó el efecto del loto. Ya en el barco y camino a casa nuevamente, los soldados agradecieron a Ulises el haberlos rescatado de ese sopor dulce pero engañoso.

El oso de anteojos

Dieciocho de julio

El oso de anteojos quería ser un animal sabio. Un día, se levantó y cortó una rama enorme y buscó una anaconda. Y le dijo: «Yo creo que esta rama es más larga que tú». «Claro que no», respondió la orgullosa serpiente. Cuando se estiró al lado de la rama para medirse, el oso la amarró. Subió hasta los páramos sagrados y habló con el chulo, el animal más sabio de todos: «Quiero ser sabio» —dijo el oso—, «mira lo que soy capaz de hacer», y le mostró la temible anaconda amarrada a un palo.

El chulo le dijo: «Sigue intentando». El oso atrapó abejas africanas, nidos de avispas, pumas enojados, ranas venenosas. El chulo le decía: «Sigue intentando». Hasta que el oso se rindió. «No puedo ya mostrar más sabiduría», le dijo llorando al chulo. Y el chulo le contestó: «Pero si no has empezado. Hasta ahora he visto solo astucia y crueldad». Volvió el oso cabizbajo a su territorio y nunca más pretendió ser sabio. Vivió en silencio y discreto. Antes de su muerte, el chulo lo visitó y le dijo: «Ahora sí veo a un ser sabio». Desde entonces acostumbramos ver en los anteojos un símbolo de sabiduría.

El enterrador

Diecinueve de julio

Un enterrador y un policía novato eran hermanos. Los dos eran buenas personas pero más bien ingenuos, por no decir algo atontados. Enterrando un muerto, el enterrador se encontró un día una moneda de oro. Compró un tarro de miel y lo dejó en casa para sorprender a su hijita. Pero no fue su hija sino un enjambre de moscas golosas quienes se comieron la miel. Se enojó tanto el enterrador, que fue a donde la policía a poner la queja. El sargento de la policía le pidió la descripción del delincuente. Con la exacta descripción de una mosca en la mano, el sargento ordenó a sus hombres iniciar la búsqueda. Y dijo: «Tenéis licencia para ejecutar en el acto la pena de muerte contra aquel que responda a esta descripción». Casi todos se rieron. Menos el hermano del enterrador. Con tan mala suerte que en ese momento se paró una mosca en la cabeza del sargento. El policía novato no lo pensó dos veces y le soltó un tremendo «bolillazo» a la mosca en la cabeza del sargento. Así, un poco dolorosamente, aprendió el sargento a no burlarse de los ingenuos.

Parábola de los jornaleros

Veinte de julio

Luis y Fernando eran hermanos. Vivían uno al lado del otro. Cada cual en su finca. En el tiempo de la cosecha, ambos fueron en la mañana a buscar jornaleros. Cada uno contrató a quienes encontró con el compromiso de pagarles una moneda de plata. A mediodía fueron a buscar más jornaleros. Cada uno contrató a quienes encontró, pero Luis les ofreció media moneda de plata mientras que Fernando se comprometió a pagarles una moneda de plata, igual que a los primeros. Cuando los primeros jornaleros de Fernando se enteraron, le reclamaron: «¿Cómo es que les pagas a los últimos lo mismo que a los primeros». A lo que Fernando respondió: «A ustedes no debe incomodarles mi bondad. El día de mañana podrán ser ustedes los últimos y sabrán agradecerme, ya que todos por igual deben llevar comida a sus casas». Desde entonces todos los jornaleros prefirieron trabajar con Fernando.

Parábola de las semillas grandes y pequeñas

Veintiuno de julio

Luis y Fernando eran dos hermanos. Ambos fueron a un invernadero a comprar semillas para sembrar un árbol. Ambos querían tener un árbol frondoso y grande frente a la casa. Ambos querían disfrutar de la sombra del árbol durante el largo verano. Les ofrecieron varias semillas. Todas eran pequeñas menos una, que era una pepa de guama. Luis se apresuró en agarrar la única semilla grande que había y se fue de prisa. Fernando, en cambio, se tomó el tiempo de preguntar por cada semilla. Eligió una pequeñísima pepa de naranja. Al cabo del tiempo, Luis tuvo un pequeño árbol de pocas ramas, llamado guamo. Fernando, en cambio, tuvo un naranjo inmenso y frondoso que producía una deliciosa sombra en verano.

Juan el Bautista

Veintidós de julio

Cuando Jesucristo vino a la tierra, vivía un profeta muy respetado que se llamaba Juan el Bautista. Juan anunciaba la venida de Jesucristo y preparaba a la gente para su llegada. La forma de prepararlos era el bautizo. Juan derramaba agua bendita sobre sus cabezas y pronunciaba palabras sabias. Así, quien practicaba este ritual, quedaba iniciado para escuchar a Jesucristo. Se sorprendió mucho Juan el Bautista cuando vio llegar a Jesucristo. Y le dijo:

—¡Señor! Cómo puedo yo bautizarte a ti, si es en tu nombre que yo bautizo.

Y Jesús le dijo:

—Bautízame tú, Juan, por favor, en nombre de dios nuestro señor. Y yo te bautizaré a ti Juan, en nombre mío. Así fue que, para sorpresa de todos, Juan bautizó a Jesucristo y Jesucristo bautizó a Juan.

El candado

Veintitrés de julio

Una rica señora viuda malgastó todo su dinero. Vivía en una mansión inmensa y tuvo que arrendar sus muchas habitaciones para no morir de hambre. Pasó el tiempo y la mansión estaba cada vez más ruinosa. Así como la mansión, sus inquilinos eran también cada vez más pobres y desaliñados. Un día llegó una nueva inquilina que cerró la puerta de su cuarto con un candado pesado y costoso. Todos empezaron a preguntarse qué objeto tan preciado guardaría la mujer en ese cuarto. «Quizás sea una cama costosa», dijo uno. «O unos almohadones de plumas», dijo otro. «Quizás una bata de seda», opinó alguien. «O un vestido de lujo», pensó otra. «Quizás un collar de diamantes», sugirió una. «O un cofre lleno de joyas», propuso el de más allá. «Yo digo que guarda un baúl lleno de riquezas», sentenció finalmente la viuda. Apenas la mujer salió de la casa a su trabajo, todos los inquilinos se unieron y tumbaron la puerta. Fue grande su sorpresa al ver que no había nada para ver. En la habitación no había absolutamente nada. Lo que la mujer quería ocultar con su gran candado era su terrible pobreza.

Ernesto y los huevos duros

Veinticuatro de julio

Ernesto era un joven pobre, tan pobre como un chamizo. Uno de sus vecinos le regaló un día dos huevos duros para que no muriese de hambre. Ernesto decidió irse de su pueblo a buscar mejor suerte. Con tan buena fortuna que se hizo rico. Volvió diez años después a su pueblo natal.

A los pocos días de su regreso, recibió una citación del juez. El vecino que diez años antes le había regalado dos huevos, exigía ahora la mitad de su fortuna. Ernesto acudió a su cita. El vecino le dijo al juez: «Si yo no hubiese regalado los huevos, podría haber tenido dos pollitos. Los dos pollitos se habrían convertido en dos gallinas. Las dos gallinas me habrían dado muchos huevos que me habrían dado muchos pollitos que se habrían convertido en muchas gallinas. Y así por diez años». Ernesto llevaba en su mano un plato lleno de guacamole, y dijo: «Para resarcirme, acá traigo este guacamole para ti. Si lo siembras tendrás un hermoso árbol de aguacate. Te podrás hacer rico». Entonces el juez dijo: «¿Y desde cuándo el guacamole se siembra?» «Desde que los huevos duros dan pollitos, señor juez», contestó Ernesto.

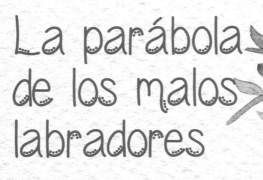

La parábola de los malos labradores

Veinticinco de julio

Contaba Jesucristo otra historia: la de los malos labradores. Érase una vez un hombre bueno, llamado Uldarico, que siendo joven había trabajado mucho y conseguido una hacienda muy grande. Ya mayor, decidió vivir con su familia al oriente de su hacienda y arrendar el occidente de la hacienda a otros labradores. Puso un aviso y llegaron unos hombres de buena facha pero de malos corazones. Uldarico les arrendó el occidente de su hacienda a cambio de que ellos la trabajaran y le dieran un porcentaje del fruto rendido por la tierra. Los hombres estuvieron de acuerdo. Seis meses después envió Uldarico a uno de sus criados por su porcentaje de los frutos. Los hombres recibieron a palo al criado. El criado volvió golpeado, llevando algunos palos, y le dijo a Uldarico:

—Dicen los hombres a quienes arrendaste tu tierra que esta es tu parte del fruto rendido.

Seis meses después envió Uldarico a otro de sus criados por su porcentaje de los frutos. Los hombres recibieron a piedras al criado. El criado volvió golpeado y sangrando, llevando algunas piedras, y le dijo a Uldarico:

—Dicen los hombres a quienes arrendaste tu tierra que esto es lo único que ha producido.

Seis meses después envió Uldarico a su mayordomo, pensando que por su edad y experiencia sí sería respetado. Los hombres recibieron a golpes al mayordomo. El mayordomo volvió golpeado, sangrando y cojeando, y le dijo a Uldarico:

—Dicen los hombres a quienes arrendaste tu tierra que nada más que golpes es lo que ha producido.

Esperó seis meses más Uldarico y envió a su propio hijo, pensando que a este sí lo respetarían, por ser sangre de su sangre. Pero los hombres asesinaron a su hijo. Malos y torpes como eran, pensaron que matando a su hijo podrían heredar el occidente de la hacienda.

Al ver que su hijo no volvía, Uldarico fue con todos sus hombres al occidente de la hacienda, a ver por sus propios ojos qué estaba pasando. Como la tierra era fértil, y él la había trabajado bien por muchos años, no necesitó del esfuerzo de los hombres de mal corazón para producir hermosos árboles frutales, bellas praderas para vacas y ovejas, plantas aromáticas, tubérculos deliciosos, maíz, tomates, lechugas… Bastó con la palabra recia de Uldarico y el poder que le otorgaban su bondad y los años de trabajo, para que los hombres de mal corazón abandonaran su hacienda. En el lugar donde enterró a su hijo, creció el árbol de manzanas más grande nunca visto.

El occidente de la hacienda de Uldarico fue trabajado por sus propios criados, quienes pagaron siempre abundante y oportuno tributo a su jefe y mentor.

La Virgen de Guadalupe

Veintiséis de julio

Juan Diego Cuauhtlatoatzin fue un indígena chichimeca de México. Juan Diego era bueno como el pan, gran persona, trabajador y bondadoso. Su tierra había sido brutalmente conquistada por otro pueblo lejano, que venía del otro lado del mar, llamado el pueblo de los españoles. Los españoles adoraban a otro dios, distinto al de los chichimecas. Adoraban a Jesucristo y a su padre dios y al Espíritu Santo y a la Virgen María, madre de Jesucristo.

Juan Diego Cuauhtlatoatzin escuchó las historias de Jesucristo, sus parábolas, y le parecieron muy bellas. Uno no puede cambiar de dios así como se cambia de camiseta, porque esas creencias vienen con la tierra de donde uno nace. Pero Juan Diego pensó que el dios de sus enemigos era un buen dios. Lo que lo hacía dudar eran las imágenes que hacían los españoles de ese dios. Pintaban a Jesucristo vestido de oro y brillantes. ¿Acaso no había nacido pobre, vivido pobre y muerto pobre Jesucristo?, se preguntaba Juan Diego. Lo pintaban de barba rubia, blanco y de ojos azules. ¿Pero acaso no fue un hombre del desierto, de tierras cálidas y áridas? ¿No debería ser un hombre rudo, de barbas negras, tez oscura? Un día se le apareció la Virgen María a Juan Diego. Le entregó una tela enrollada y le pidió que se la llevara al obispo español que mandaba en esas tierras. Así hizo Juan. Cuando llegó adonde el obispo, desenrolló la tela y había en ella una imagen de la propia Virgen María. Pero, para el tremendo asombro del obispo, sus rasgos eran de indígena chichimeca y sus ropas pobres y humildes.

El obispo le preguntó a Juan Diego dónde había visto a la Virgen. Juan digo le contestó que en

Tonantzin. Así fue llamada esta virgen, la Virgen de Tonantzin. Fue después, en el mandato de un obispo que tenía problemas para pronunciar los nombres chichimecos, que se empezó a llamar Virgen de Guadalupe.

El horóscopo chino

Veintisiete de julio

Un emperador chino decidió un día hacer un horóscopo especial. Quería que hubiera doce animales según el año del nacimiento de cada persona. El emperador seleccionó doce animales pero no sabía cómo elegir el primero o el último y, claro, casi todos los animales querían ser los primeros del horóscopo. Entonces el emperador decidió hacer una carrera y según el orden de llegada, se establecería el orden en el horóscopo. La carrera se haría nadando de un extremo al otro de un gran lago.

En ese entonces la rata y el gato eran amigos y muy malos nadadores. Decidieron hablar con el buey para que los cruzara sobre su lomo. El buey, que es un animal tan noble, no tuvo ningún problema, incluso estaba dispuesto a renunciar al primer lugar. Pero la rata sí quería llegar de primeras y entonces arrojó al gato al agua. A partir de este momento y hasta hoy, se hicieron enemigos y el gato nunca más quiso saber del agua, por eso se baña con su lengua.

Aunque con trampa, llegó la rata en primer lugar, el buey fuerte y noble fue el segundo. El tigre llegó de terceras y de cuartas el conejo, que de varios saltos entre las rocas llegó al otro extremo. El dragón llegó de quintas. El emperador estaba muy extrañado, pues todos sabemos que estos enormes animales pueden volar y desplazarse rápidamente. El dragón le explicó al emperador que tuvo que detenerse en el camino para ayudar a unas personas que aguantaban frío y encendió unas fogatas. Detrás del dragón venía galopando el caballo después de salir del agua, pero se le apareció muy de cerca la serpiente y lo asustó tanto que tuvo que retroceder. Así que la serpiente llegó de sexta y el caballo, una vez se calmó, llegó de séptimo.

Ya solo quedaban la oveja, el mono y el gallo, que se ayudaron entre sí. El emperador estaba feliz por esto. El perro, tan buen nadador como es, se retrasó jugando en el agua. Así que llegó en el puesto once. El cerdo llegó de último, pues se quedó comiendo y durmiendo y se le olvidó la carrera. Hizo, en todo caso, un gran esfuerzo para llegar. El gato estaba tan triste y tenía tanta rabia con su amiga rata, que no pudo llegar y no le perdonó jamás esta traición.

La Virgen de Chiquinquirá

Veintiocho de julio

En una humilde capilla en Chiquinquirá, una señora devota a la fe cristiana mandó pintar una imagen de la Virgen María. La señora había llegado de España. Pretendía convencer a los indígenas que habitaban esas tierras, del valor de las palabras de Jesucristo. Intentaba impresionarlos con imágenes. Años después, un aguacero averió el techo de la capilla y la humedad dañó el lienzo. La imagen de la Virgen quedó irreconocible. La señora devota rezaba todos los días y le pedía a la Virgen que reparara el cuadro. Pero a la vez que rezaba y se decía devota, la señora se portaba muy mal con las indígenas que habitaban el pueblo de Chiquinquirá. Las consideraba ignorantes por no pensar como ella. La señora rezaba y rezaba mientras trataba mal y maltrataba a las indígenas. Un día, mientras la señora rezaba compungida y sudorosa, una indígena y su hijito se acercaron cariñosamente a traerle un poco de comida. Le trajeron también un cojín para que descansara sus rodillas. Y le secaron el sudor de su frente. En ese instante, milagrosamente, el cuadro de la Virgen recobró su esplendor. Pero, para la sorpresa de la señora española, el rostro de la Virgen era el de la indígena que la había ayudado.

¿Dónde está el décimo hombre?

Veintinueve de julio

Eran diez chicos, diez amigos, todos ellos un poco tontos. Tontos los diez, pero a los diez les encantaba la diversión. Siempre hacían paseos juntos. Esta vez fueron de excursión al campo. Llevaron comida y bebidas, nadaron en un río y atraparon insectos. Cuando ya estaba oscureciendo, decidieron volver a casa. Luis pensó que era bueno que se contaran para que no se fuera a quedar ninguno. Todos estuvieron de acuerdo y se contaron, pero descubrieron que eran solo nueve. Se preocuparon mucho pensando dónde estaría el décimo de ellos.

Augusto se alarmó al pensar que tal vez se había ahogado en el río. Diego buscó entre los árboles. Se reunieron para contarse de nuevo, pero otra vez eran solo nueve. Estaban al borde del llanto cuando apareció un campesino preguntando lo sucedido e inmediatamente entendió lo que estaba pasando. Resulta que ninguno de ellos se contaba a sí mismo. El campesino los contó y les mostró que eran diez. Así, los diez amigos, completos ya, regresaron contentos a casa.

El árbol de la inmortalidad

Treinta de julio

Un rey escuchó alguna vez de un árbol situado en la India: nadie que come de sus frutos envejece o muere. Quiso entonces descubrir ese árbol y envió a un mensajero para que le trajera uno de sus frutos. El mensajero recorrió largos caminos, subió montañas y atravesó ríos. Preguntaba en cada pueblo si alguien sabía de aquel árbol prodigioso y todos le respondían con una burla o como si estuviera loco. Otros lo enviaban a distintos sitios y le daban informaciones diferentes. Pero el mensajero insistía en buscar el árbol y cumplir con la tarea que el rey le había encomendado. Continúo recorriendo largos caminos, subiendo montañas y atravesando ríos. Así pasaron muchos años hasta que un día, desconsolado, decidió regresar.

En el camino se encontró con un sabio y llorando le contó lo sucedido. El sabio lo acogió amablemente y le explicó que ese árbol no existía: «El árbol es una forma de llamar al conocimiento. Saliste en busca de una forma y te perdiste. El conocimiento puede ser llamado agua por su transparencia y vitalidad, puede ser llamado sol porque ilumina y abriga». El mensajero estaba más calmado pero no terminaba de entender, así que el sabio continuó: «Tu padre no solo recibe el nombre de padre que tú le das, también es llamado esposo, amigo, enemigo, según sea su relación con otros. Así, el conocimiento es uno, pero hay muchas formas de llamarlo. Anda y dile esto a tu rey». El mensajero comprendió y regresó muy feliz de haber aprendido una gran lección.

Parábola del brevo

Treinta y uno de julio

El dueño de una finca sembró un brevo. Cada mes le preguntaba a su capataz si el brevo había dado brevas. «No, aún no», respondía el capataz. Así pasaron tres años. Entonces el dueño de la finca le dijo al capataz: «Corta ese brevo inútil. Tres años he malgastado ese terreno sin recibir ni un fruto a cambio». El capataz le contestó: «Dejémoslo un año más, señor». Y entonces el capataz puso abono alrededor del árbol y lo regó con agua de panela y le quitó las hojas secas. Un año pasó y el dueño le preguntó a su capataz si el brevo dio brevas. Entonces le trajo el capataz un costal lleno de dulces y deliciosas brevas.

Agosto

Pablo y el fríjol mágico

Primero de agosto

Pablo y su esposa tenían una vaca. La vaca les daba leche con la que hacían queso y mantequilla. De eso vivían, de la leche y el queso y la mantequilla que les daba la vaca Asunción. La vaca se fue haciendo vieja, hasta que un día ya no dio más leche. La esposa de Pablo no soportaba la idea de tener que matar a Asunción para aprovechar su carne. Pablo decidió entonces vender a Asunción en el mercado del pueblo cercano.

Cuando volvió del pueblo, la esposa de Pablo le preguntó ansiosa cuánto dinero le habían dado por Asunción. Pablo le dijo que había conseguido algo mejor que dinero y le mostró un fríjol.

—Se trata de un fríjol mágico. Un viejo de barba blanca aceptó cambiarlo por Asunción sin tener que darle dinero extra.

La esposa de Pablo lo miró con ternura y se fue a la cama a llorar su desgracia. Pablo se fue al jardín a sembrar el fríjol mágico. Apenas lo regó por primera vez, el fríjol creció en instantes hasta alcanzar el cielo. Pablo subió por el tronco del fríjol y llegó hasta un castillo en las nubes.

Rodeó el castillo y entró a la cocina por la puerta de atrás. Se trataba del castillo de un gigante. Pablo miró la alacena y todo era gigante. Una lonja de jamón era del tamaño de una cobija de Pablo, un garbanzo era del tamaño del balón de fútbol de Pablo, una botella de vino era del tamaño de la esposa de Pablo, el queso era del tamaño del cuarto de Pablo.

Pablo tomó un pedazo de cada cosa y volvió feliz a casa. Preparó una cena deliciosa y llamó a su esposa. Los dos rieron felices y nunca más volvieron a llorar ni a pasar hambre, cuidando siempre de su planta de fríjol mágica, que les daba acceso a una despensa bondadosa. Sabiendo además, que las migajas que tomaban no harían falta nunca al gigante.

Mowgli vence a Shere Khan

Dos de agosto

Mowgli, el cachorro humano criado por los lobos, tenía una deuda pendiente con el tigre cojo, Shere Khan. El tigre había prometido matarlo apenas dejase de ser un cachorro. Pero como recordarán, durante ese tiempo Mowgli creció. Ahora era hombre, lobo, pantera y oso a la vez, astuto y valiente. Todos en la selva le temían. Se dispuso entonces Shere Khan una noche de luna llena a cazar. Pero Mowgli lo estaba esperando. Lo hizo correr hasta una ensenada donde le había preparado una trampa. Sus hermanos lobos habían arrastrado dos manadas de búfalos por lado y lado de la ensenada. En un extremo estaba Mowgli con su cuchillo. Del otro lado estaba Akela, el líder de los lobos. El tigre necesita espacio para combatir. En el momento de pelear, los hermanos de Mowgli asustaron a los búfalos, que se lanzaron en estampida a la ensenada. Mowgli hizo retroceder al tigre con su cuchillo hasta que el torrente de búfalos desbocados lo aplastó. No siempre en la selva se mide la fuerza con el tamaño de los colmillos. La astucia y la hermandad valen más para sobrevivir.

Salomé

Tres de agosto

Recordarán a Juan el Bautista, aquel sabio profeta que bautizó a Jesucristo y que fue bautizado por Jesucristo. Las palabras sabias a veces ofenden a los tontos. Los tontos son a veces muy peligrosos. Juan había criticado en su provincia a una señora gorda que derrochaba dinero en supuestas obras de caridad. Juan le había dicho: «Tú no quieres a nadie. Gastas más dinero en ropa y maquillaje que en los demás. Haces obras de caridad solo para lucirte y que te vean con tus joyas y tu arrogancia». Desde entonces esta señora gorda odió mucho a Juan el Bautista.

La hija de la señora gorda era una hermosa bailarina llamada Salomé. Todos en esa provincia la adoraban. Su forma de bailar era encantadora. Todos se detenían a verla bailar. Nadie se resistía al hechizo de sus movimientos. El emperador de esa provincia llamó una tarde a Salomé y le pidió que bailara para él. Quedó el emperador tan encantado que le dijo a Salomé: «Te daré lo que me pidas, así sea la mitad de mi reino». Salomé buscó a su madre para pedirle consejo. Su madre, la señora gorda y tonta, le dijo: «Pide la cabeza de Juan el Bautista».

Así hizo Salomé. El emperador entristeció, porque sabía que su pueblo quería a Juan. Pero un emperador no puede romper un juramento. Envió a uno de sus soldados, que le trajo la cabeza de Juan el Bautista en una bandeja. Salomé se la entregó a su madre. Los tontos pueden ser a veces muy peligrosos.

Las aventuras de Pulgarcito

Cuatro de agosto

Pulgarcito había nacido gracias a los ruegos y súplicas que sus padres hicieron a los dioses durante años. Pedían un hijo sin importar si era hombre, mujer, grande o pequeño. Finalmente tuvieron a un niño muy pequeño, tan pequeño como un dedo pulgar. Por esto fue llamado Pulgarcito.

Pulgarcito no por pequeño era consentido, al contrario, cuando no estaba ayudando a su padre en el bosque, estaba ayudando a su madre en la cocina. Cuando creció —aunque esto es un decir, pues siguió siendo del tamaño de un pulgar— y cumplió dieciséis años, quiso conocer el mundo. Tomó algunas boronas de pan y una aguja como espada y se despidió de sus padres.

A los pocos días de andar, Pulgarcito llegó a un pueblo y pidió trabajo en un restaurante como mesero. Allí trabajaba limpiando mesas y atendiendo a los clientes. Pero Pulgarcito espiaba a las meseras que también trabajan allí y se dio cuenta de que le robaban al dueño. Pulgarcito lo comentó y se ganó el odio de las meseras. Para vengarse, una de ellas lo atrapó con su delantal y lo metió en la comida de las vacas. Una de las vacas se comió a Pulgarcito

y allí, en el estómago de la vaca, vivió Pulgarcito una semana, hasta que la mataron para hacer un asado. Pulgarcito intentó escaparse, pero no pudo. Terminó entonces dentro de una morcilla. Mientras un cliente le hincaba el tenedor, Pulgarcito de un salto salió de la morcilla. Mientras el hombre protestaba por la higiene del restaurante, Pulgarcito corría bosque adentro en busca de más aventuras.

Pompeya

Cinco de agosto

Durante mucho tiempo se pensó que la ciudad de Pompeya era un mito o una leyenda, como la ciudad de Atlantis. Se sabía, por los escritos de un viejo historiador romano, que una ciudad hermosa y próspera había quedado sepultada bajo la lava del volcán Vesubio. El viejo historiador daba la ubicación de esta ciudad, llamada Pompeya. Pero los arqueólogos la buscaban sin éxito, así como sin éxito se han buscado hasta ahora los restos de Atlantis.

Fue en 1830 cuando un agricultor despistado dio con un techo de una casa de Pompeya. Y entonces uno de los espectáculos más impresionantes de la arqueología salió a la luz. El volcán Vesubio entró en erupción con tanta furia, que la lava cubrió la ciudad de Pompeya en segundos. Sus habitantes no alcanzaron a correr, casi que no alcanzaron ni a moverse. Un alud de lava y cenizas cayó sobre la ciudad en un instante. Encontraron entonces cuerpos calcinados que miraban al cielo con un gesto de terror y trataban de cubrirse el rostro con una mano. Otros estaban dormidos, otros sentados en un sauna.

La ciudad de Pompeya quedó petrificada, detenida en un instante de su historia, como un grabado sobre roca. Como una fotografía de piedra en tres dimensiones. Los alimentos quedaron congelados en piedra sobre los platos, el terror quedó congelado en piedra en los rostros. Quienes dormían quedaron congelados en piedra, en un sueño eterno. Una madre se alcanza a acurrucar sobre su hijo que hala aterrorizado del vestido de la señora. Un hombre se tapa el rostro sobre una columna, como si se hubiese quedado eternamente jugando a las escondidas. Un borrachito duerme una borrachera eterna sobre la mesa de una taberna, agarrando aún su ánfora de vino.

Se quema el monte

Seis de agosto

En una comunidad en los páramos un campesino cantaba: «Si se quema el monte, déjalo quemar, que la misma cepa vuelve a retoñar», y quemaba el monte para volver a sembrar sobre las cenizas. Los otros campesinos le pedían que no quemara el monte, pues las chispas del fuego viajan en el viento y provocan incendios en otros lugares.

Pero este campesino cantaba y quemaba, quemaba y cantaba. Un mal día, el viento le jugó una mala pasada y quedó rodeado de fuego. El fuego creció y creció y se hizo incontrolable. Los demás campesinos le rezaron al dios del viento, pero el viento sopló más y el incendio creció. Le rezaron al dios de la lluvia, pero la lluvia al caer produjo una humareda densa que los obligó a irse lejos. Le rezaron al dios del granizo y finalmente el incendio se apagó. Los campesinos volvieron y encontraron una hermosa laguna en vez de incendio. En recuerdo del campesino cantor, bautizaron la laguna como Laguna.

Siete vacas gordas y siete vacas flacas

Siete de agosto

En tiempos de Moisés, el rey del pueblo tirano tuvo un sueño. Soñó que siete vacas gordas salían a pastar en una hermosa pradera. Siete vacas flacas salían de repente y se comían a las siete vacas gordas y todo el pasto de la pradera. El faraón mandó llamar a todos los sabios y adivinos de su comarca, pero nadie pudo interpretar su sueño. Se ofreció entonces uno de sus esclavos, llamado José, a interpretar el sueño. El faraón lo acogió con escepticismo. José le dijo: «Las siete vacas gordas significan siete años de prosperidad. Las siete vacas flacas significan siete años de sequía. Si no tomas medidas para guardar comida en los tiempos de prosperidad, los tiempos de sequía destruirán todo recuerdo de los buenos tiempos». El rey, aún escéptico, prefirió hacer lo que José decía. Catorce años después, comprobó que había tenido razón.

El secreto de Bagheera

Ocho de agosto

La amiga y protectora de Mowgli, la pantera negra Bagheera, tenía un secreto que solamente Mowgli llegó a conocer. Un día, acariciando Mowgli a Bagheera, le sintió una cicatriz en el cuello. «Hermanita, ¿quién en la selva ha podido atreverse a herirte de esta forma?» «Nadie me había herido nunca, hasta que un mico desquiciado me rompió una costilla con un coco, por culpa tuya». «¿Y esta cicatriz?» «Hermanito, esta historia no la sabe nadie en la selva. Y nadie debe saberla».

Cuando Bagheera ponía ese tono de voz, aún Mowgli, que tanto bromeaba, se tornaba serio y ceremonioso.

«Yo no nací en la selva, hermanito. Nací en cautiverio. Mi madre era la mascota de un emperador poderoso. Apenas nací me pusieron un collar. Por eso sé tanto de ustedes los humanos». Una sombra de melancolía nubló el rostro de la pantera negra. «Un niñito así como tú, escuálida rana lampiña, me alimentaba. Cuando quisieron separarme de mi madre, ella atacó. Entonces el niñito entendió, a su manera, el dolor de vivir en cautiverio y me ayudó a escapar. Se despidió de mí en el límite de la selva. Días después me herí yo misma quitándome el collar».

Así entendió Mowgli el cariño que le tenía Bagheera. Correspondió siempre con respeto este amor y guardó el secreto hasta la tumba.

El soldado y el caballo

Nueve de agosto

Este era un soldado valiente y decidido. Tenía un caballo también fuerte y decidido. Durante una guerra lo acompañó en todas las dificultades y peligros. El soldado lo alimentaba con cebada y esto le hacía mucho bien. Pero cuando acabó la guerra, el caballo fue llevado al campo a transportar bultos y fue alimentado solo con paja. De pronto, un día se anunció una nueva guerra y el soldado fue por su caballo. Pero lo encontró cansado y flaco. Ya no podría acompañarlo a librar las batallas como en otros tiempos. Le dijo entonces el caballo a su amo: «Mientras luchamos era un caballo y me alimentabas como tal, pero ahora me convertiste en un asno. ¿Cómo puedo, de un día para otro, volver a ser un caballo?».

La mamá de Mowgli

Diez de agosto

Curioso como era, Mowgli se las arregló para entrar una noche a la aldea de los humanos. Ya algo de su apariencia de bípedo implume le había hecho pensar que además de su padre lobo, debía tener también una madre humana. El olfato de Mowgli era prodigioso. Había aprendido de los lobos a olfatear todo rastro en el suelo. Había aprendido de la pantera negra a olfatear todo rastro en el aire. Y había aprendido del oso pardo a olfatear todo rastro en el agua y en la lluvia.

Fue así que en la aldea humana Mowgli reconoció un olor en una de las chozas. En la noche negra entró a esa casa y vio una familia: padre, madre y un bebé. Ante su presencia, el padre agarró al bebé y dijo: «Mujer, este debe ser el demonio que robó a nuestro primer hijo en la selva». Y corrió despavorido. La mujer, en cambio, se quedó congelada mirando los ojos de Mowgli. Se acercó a él y tocó su rostro. Dicen que las madres reconocen siempre a sus hijos, sin importar durante cuánto tiempo no los hayan visto. «Messua es mi nombre. ¿Cómo te llamas tú?». «Mowgli... la rana». «¿Rana?». «Así me dice mi familia. Lobos son mis hermanos y mi padre. Pero ya debo irme. Aquel hombre está armando un alboroto».

Sucedió que otra noche en que Mowgli sintió el deseo de visitar nuevamente a su madre humana, la encontró atada de manos y pies a un poste. La habían atado tan fuertemente que Mowgli alcanzó a oler rastros de sangre en las muñecas de Messua. «¿Qué ha pasado, Messua?» «Hijo mío. Creen que tú eres un demonio. Y creen que yo soy una bruja por tener tratos con un demonio». Mowgli la liberó y le pidió a sus hermanos lobos que la llevaran a salvo a otro pueblo lejos de allí, con su hijo y su esposo. Se sentó a pensar en la venganza contra los hombres. Pero esta es otra historia.

Hansel y Gretel

Once de agosto

Hansel y Gretel eran hermanos. Su padre, un leñador muy pobre, les había enseñado a quererse y cuidarse el uno al otro. Un frío día de invierno el padre amaneció enfermo. Pasaba los días y no mejoraba, faltaba ya la comida y no había fuego para calentar la casa. Entonces Hansel le propuso a su hermana ir al bosque por leña. Ella accedió aunque un poco temerosa pues nunca habían ido sin su padre y sabían de los peligros del bosque. Pensaron que si salían temprano podrían volver con la luz del sol sin ninguna dificultad. Pero, una vez en el bosque, y después de recoger mucha leña, se quedaron dormidos pues estaban muy cansados y llevaban dos días sin comer.

Cuando despertaron ya estaba oscuro y no pudieron encontrar el camino de regreso. Caminaron y caminaron hasta que encontraron una extraña casa: el techo estaba hecho de galletas de miel y los muros de pan aliñado cubierto de azúcar. Hansel y Gretel, sin pensarlo un minuto, se abalanzaron sobre la casa: devoraron puertas y ventanas, se comieron un pedazo de chimenea y todas las gomitas de colores que bordeaban los muros. De

repente los sorprendió una bruja: era la dueña de la casa. La había hecho de dulces para atraer a los niños.

Hansel y Gretel intentaron escapar pero la bruja, con un bastón de dulce en la mano, pronunció un conjuro y los encerró en un enorme y bello jardín. Allí había toda clase de dulces y juguetes. Pero lo que más les sorprendió fue ver a tantos niños tristes. Uno de ellos se acercó y les contó que la bruja hacía todo lo posible para que estuvieran bien. Ella quería escuchar los cantos y las risas de los niños, que era lo que más feliz la hacía. Por eso los atrapaba. Pero todos extrañaban a sus familias y no podían ni querían reír.

Entonces a Hansel se le ocurrió un juego para distraer a la bruja: ella debía cantar y silbar, hacer palmas y rascarse la cabeza al mismo tiempo. La bruja, con tal de escuchar sus risas, accedió a intentarlo. Y así fue, los niños reían tanto que la bruja no se dio cuenta cuando Gretel robó su bastón mágico. Con la ayuda del bastón, y la bruja que no paraba de reír, todos los niños pudieron escapar.

El viajero sediento

Doce de agosto

Era una tarde de verano. Hacía mucho calor. Iban unos cuantos viajeros a bordo de un tren. Uno a uno se fueron acomodando para dormir, pues el trayecto era largo y faltaban todavía varias horas para llegar al destino. El silencio fue interrumpido por una voz que gemía: «¡Ay, qué sed tengo, qué sed tengo!».

Los viajeros intentaron evadir aquel lamento, pero era imposible descansar. Así que uno de ellos se levantó y fue a buscar un vaso de agua. Se lo entregó al hombre sediento que lo bebió con gran avidez. Todos volvieron a acomodarse para intentar dormir de nuevo. Pero el descanso fue interrumpido otra vez por la misma voz que gemía: «¡Ay, qué sed tenía, pero qué sed la que tenía!».

Las ovejitas testarudas

Trece de agosto

Un pastorcito llevaba todos los días a sus ovejas a comer pasto. Siempre volvían cuando el sol se ocultaba. Pero ese día las ovejitas se revelaron: no querían volver a casa y el pastorcito no encontraba la manera de que le hicieran caso. Triste y preocupado se sentó a llorar. Pasó un conejo y le preguntó el porqué de su llanto. El pastorcito le dijo que sus ovejas no querían volver a casa y su padre lo regañaría. El conejo lo tranquilizó y le dijo que él lo lograría. Pero todos los esfuerzos del conejo fueron inútiles. Las ovejas seguían comiendo pasto felizmente. El conejo se sentó al lado del pastor y también se puso a llorar.

Pasó entonces un zorro y preguntó por lo ocurrido. El conejo le contó y el zorro, amablemente, dijo que él lo arreglaría, después de todo era un zorro. Pero ni las astucias ni las amenazas del zorro sirvieron. Las ovejas seguían comiendo pasto felizmente. Se sentó a llorar el zorro al lado del conejo y del pastorcito. Pasó entonces una abejita y al escuchar semejante alboroto, dijo que ella los ayudaría. Los tres interrumpieron su llanto con un una gran carcajada: si ninguno de ellos pudo, ¿cómo lo iba a lograr una abejita?

La abejita fue hasta el rebaño, picó en la oreja a la oveja más grande que, ante el dolor, salió corriendo, y detrás de ella las demás. Volvió entonces el pastorcito a casa con sus ovejas testarudas y su padre no lo regañó.

«Ya es momento de irse»

Catorce de agosto

Mahatma Ghandi fue un hombre inmenso. Era flaco como una rama de bambú y pequeño como una rana. Pero sin arma alguna venció al ejército más poderoso de su tiempo. Ghandi proponía acciones de resistencia no violentas. Sin utilizar armas lograba mostrar la imposibilidad de la tiranía. Sus propuestas eran tan poderosas que todo el pueblo de la India, más de 350 millones de personas, se unió para apoyarlo. Los británicos obligaban a los indios a trabajar para ellos. Miles de indios hicieron un paro masivo en una plaza. Durante días se negaron a moverse. Se negaron a trabajar para el tirano. Fue tanta su persistencia que los británicos se desesperaron. En el desespero dispararon sus armas de fuego contra mujeres y niños indefensos. El mundo entero se enteró de su crueldad. Entonces Ghandi, flaco como un bambú y frágil como una rana, descalzo y desarmado, le dijo al jefe de los poderosos ejércitos británicos: «Ya es momento de irse». El británico, armado hasta los dientes, se rió: «¿Y quién eres tú para darme órdenes a mí?». Ghandi no dijo nada. Pero unos meses después, gracias al poder de la resistencia, los británicos tuvieron que irse humillados.

El lobo y el perro

Quince de agosto

En un cruce de caminos se encontraron un perro y un lobo. El perro se veía saludable y bien alimentado. En cambio el lobo estaba flaco y se veía un poco enfermo. El lobo quiso saber cómo hacía el perro, a lo que este le respondió: «Tengo un amo que me cuida bien, me da huesos y una casa donde dormir, a cambio debo cumplir con mis obligaciones. Si quieres puedo compartir mi comida contigo, si compartimos también mis deberes».

El lobo estuvo de acuerdo y se dirigió a la casa del perro y su amo. En el camino el lobo se percató de un grueso collar que tenía el perro en su cuello y le preguntó para qué era. El perro le dijo: «Es el collar de donde me amarra mi amo durante el día y me vuelve a soltar de noche para cuidar la casa».

El lobo le respondió: «Querido amigo, agradezco tu invitación, pero no puedo renunciar a mi libertad a cambio de un poco de comida».

Diciendo esto, cada uno continuó su propio camino.

El loro que pedía libertad

Dieciséis de agosto

Este era un loro que vivía en una pequeña jaula hacía muchos años. Le gustaba comer zanahorias y pastel de chocolate. Lo cuidaba un anciano y se hacían compañía. Un día llegó un amigo del anciano a visitarlo y se sentó cerca de la jaula del loro. Mientras el anciano fue a preparar el té, el amigo se acercó a la jaula y el loro empezó a gritar: «¡Libertad, liberad!» El amigo se preocupó por el pobre loro y no pudo tomarse el té con tranquilidad. Cuando se fue, escuchaba desde la calle el grito del loro: «¡Libertad, liberad!» El amigo pasó unos días terribles pensando en el lorito y no podía sacarse de su cabeza aquellos gritos. Decidió entonces dejar en libertad al loro. Es verdad que el anciano era su amigo, pero debía saber que estaba haciendo algo injusto. Se escondió un día cerca de la casa del anciano, y esperó a que saliera. Cuando vio que ya la casa estaba sola, entró por la ventana y le abrió la puerta de la jaula al loro, quien todavía gritaba: «¡Libertad, liberad!» Cuando el loro vio la puerta abierta se asustó mucho y dio un salto al otro extremo de la puerta, aferrándose a los barrotes. El amigo del anciano se sorprendió, cerró la puerta y se marchó mientras escuchaba los gritos del loro pidiendo libertad.

Quemar las naves

Diecisiete de agosto

Ese poderoso y cruel imperio llamado imperio español, luchaba por la conquista de México. Pocos pueblos en América eran tan valientes como el pueblo Maya de México. Guerreros feroces y justos, los mayas tenían asustado y diezmado al ejército español, que había llegado del otro lado del mar.

En secreto se reunieron los soldados españoles y planearon escapar, irse de vuelta a casa. Pero el general de los españoles se enteró de la conspiración. Mandó entonces a quemar los barcos que los habían llevado a tierras tan lejanas. Reunió a su ejército y les dijo: «He mandado quemar nuestras naves. No hay ya forma de volver a casa. Solo tenéis una opción: luchar para hacer de esta tierra extraña vuestra casa».

No teniendo ya opción, el ejército español luchó más fieramente que nunca. Con el tiempo lograron vencer a los mayas en su propio territorio.

Aún hoy en día utilizamos esa expresión, «quemar las naves», para expresar cuando tomamos una decisión irreversible. Cuando decidimos que no habrá marcha atrás, que nos jugamos el todo por el todo.

Las plagas de Egipto

Dieciocho de agosto

Moisés, aquel niño salvado de las aguas, destinado a salvar a su pueblo, intentaba cumplir con su destino. Su pueblo era esclavo del faraón egipcio, que era potente y terco. Moisés intentaba convencerlo de que los liberara. Le decía que ellos eran hijos de un dios poderoso que velaba por ellos. El faraón no le creía. Moisés le pidió ayuda a su dios padre. Dios le dijo que advirtiera al faraón que si no hacía lo justo, su río y sus aguas se volverían de sangre. Así hizo Moisés, pero el faraón endureció su corazón y no quiso escucharlo.

Entonces, al día siguiente, el pueblo egipcio se reunió lleno de miedo a las puertas del palacio del faraón. El río se había vuelto de sangre. El faraón pidió ayuda a Moisés. Él dijo: «Debes liberarnos, nuestro tiempo de esclavitud ha pasado». El faraón prometió liberarlos. El dios de Moisés deshizo la plaga. Pero, deshecha la plaga, el faraón no cumplió con su promesa. Entonces, al día siguiente, el pueblo egipcio se reunió lleno de miedo a puertas del palacio del faraón. Toda

la noche habían llovido ranas. Había ranas en los tejados, en las fuentes, en las calles, en los sembrados. El faraón pidió ayuda a Moisés. Él dijo: «Debes liberarnos, nuestro tiempo de esclavitud ha pasado». El faraón prometió liberarlos. El dios de Moisés deshizo la plaga. Pero, deshecha la plaga, el faraón no cumplió con su promesa. Entonces, al día siguiente, el pueblo egipcio se reunió lleno de miedo a las puertas del palacio del faraón. Mosquitos gordos y hambrientos zumbaban por todo el reino. El faraón pidió ayuda a Moisés. Él dijo: «Debes liberarnos, nuestro tiempo de esclavitud ha pasado». El faraón prometió liberarlos. El dios de Moisés deshizo la plaga. Pero, deshecha la plaga, el faraón no cumplió con su promesa. Entonces, al día siguiente, el pueblo egipcio se reunió lleno de miedo a las puertas del palacio del faraón. Moscotas gordas, llamadas tábanos, que pican y dejan un enjambre de huevos debajo de la piel, asolaban todo el reino. El faraón pidió ayuda a Moisés. Él dijo: «Debes liberarnos, nuestro tiempo de esclavitud ha pasado».

El faraón prometió liberarlos. El dios de Moisés deshizo la plaga. Pero, deshecha la plaga, el faraón no cumplió con su promesa. Entonces, al día siguiente, el pueblo egipcio se reunió lleno de miedo a las puertas del palacio del faraón. Llovía como nunca antes había llovido. Llovía granizo del tamaño de rocas, piedras heladas rompían techos y marquesinas. Mataban perros y gatos. El faraón prometió liberarlos. El dios de Moisés deshizo la plaga. Pero, deshecha la plaga, el faraón no cumplió con su promesa. Entonces, al día siguiente, el pueblo egipcio se reunió lleno de miedo a las puertas del palacio del faraón. Insectos gigantes, llamados langostas, de zumbido ensordecedor, asolaban todos los sembrados. Las langostas, insaciables, no dejaban nada para comer. El faraón pidió ayuda a Moisés. Él dijo: «Debes liberarnos, nuestro tiempo de esclavitud ha pasado». El faraón prometió liberarlos. El dios de Moisés deshizo la plaga. Pero, deshecha la plaga, el faraón no cumplió con su promesa. Entonces, al día siguiente, el pueblo egipcio se reunió lleno de miedo a las puertas del palacio del faraón. Una niebla espesa cubría todo el reino. No se podía ver a un centímetro de distancia. Solo se oía un clamor general: «¡Por favor faraón, libera a Moisés y a su pueblo. Su tiempo de esclavitud ha pasado!».

Y, finalmente, a pesar del faraón y su terquedad, fueron los mismos soldados y el propio pueblo egipcio quienes dejaron el paso libre a Moisés y su pueblo. Y les dieron riquezas y viandas para que enfrentaran su largo viaje.

Blas de Lezo

Diecinueve de agosto

Érase una vez un niño llamado Blas de Lezo que estaba enamorado del mar. Soñaba con ser capitán de un barco de guerra. Cuando tuvo doce años se enroló en la tripulación de un barco que iba a pelear en la guerra. En su primera batalla, a pesar de su corta edad, Blas peleó con mucho valor. Luchó al lado de los más valientes guerreros hasta que la bala de un cañón destrozó su pierna izquierda.

A oídos del rey de su país llegaron las noticias de la valentía del joven guerrero. Admirado por su valor, y compadecido por su pierna destrozada, el rey nombró a Blas de Lezo capitán de su propio barco.

En su segunda batalla naval, Blas ordenó lanzar al mar grandes manojos de paja seca encendidos en fuego. Al humedecerse la paja produjo mucho humo alrededor de su barco. Se hizo así casi invisible para los barcos enemigos y pudo atacar por sorpresa. En esa misma batalla una esquirla saltó a su ojo izquierdo, dejándolo tuerto.

Supo el rey de su ingenio y lo hizo entonces comandante de una flota entera de barcos de guerra.

En su tercera batalla, Blas saltó como una pantera desde su barco hacia el barco enemigo y destrozó su mano izquierda contra un cañón, que a su vez quedó hecho añicos. Lo hizo con tal fiereza que sus enemigos se rindieron muertos de miedo. A oídos del rey llegó la fama del valor, el ingenio y la fiereza de Blas de Lezo, cojo, tuerto y manco. Lo nombró entonces el rey, virrey de una hermosa ciudad amurallada, que quedaba frente al mar más hermoso del mundo.

Y allí murió el niño Blas de Lezo, muchos años después, cuando ya hacía mucho que no era un niño, víctima de una terrible gripa.

Jonás y la ballena

Veinte de agosto

Jonás era un profeta muy querido por su dios. Los profetas son personas sabias que trabajan contando la palabra de dios. Jonás vivía en una ciudad al oriente de su país. Dios habló con él y le pidió que viajara al occidente de su país, a una ciudad llamada Armenia, donde sus habitantes se estaban portando muy mal. Pero Jonás no quería ir a esa ciudad. Ya le había pasado antes, él iba y decía que había que temer a dios, que debían portarse bien, que dios destruiría esa ciudad si no lo hacían. Y como era buen profeta, la gente le creía y se empezaba a portar bien. Entonces dios no destruía la ciudad y la gente pensaba que Jonás era un mentiroso, o al menos, un alarmista.

Se fue Jonás para el norte intentando huir de su dios. Se embarcó a la mar pensando que dios no lo encontraría. Pero ese dios de Jonás lo sabía todo. Mandó una tormenta inclemente contra ese barco. Todos quienes viajaban en el barco se pusieron a rezar a sus dioses. Pero la tormenta no amainaba. Buscaron entonces en el barco para ver quién no estaba rezando y encontraron a Jonás durmiendo en su camarote.

—¿Qué te pasa, hermano? ¡Una tormenta inclemente hace hundir este barco y tú no rezas sino que duermes!

—Yo soy el culpable de la tormenta. Le estoy fallando a mi dios. Si me tiran al mar, la tormenta amainará.

Así hicieron entonces, no sin antes abrazar a Jonás. Estando en el mar, una ballena se lo comió. En el estomago de la ballena Jonás le rezó a su dios: «Está bien, mi señor, ya entendí. Iré a Armenia a hablar con sus habitantes».

Lo dejó la ballena en una playa, cerca a Armenia, y Jonás se fue a transmitir el mensaje de su dios. El rey de Armenia lo escuchó y mandó a todos sus súbditos que ayunaran y rezaran todo el día para calmar a dios. Sucedió entonces lo que Jonás temía. Dios se apiadó de su gente y los perdonó.

Se fue entonces Jonás furibundo a descansar debajo de un manzano. Y dios le habló:

—Cálmate mijo... ya sabes cómo son estas cosas.

—Sí, dios mío, tú quedas como el justo y piadoso y yo como el mentiroso. Qué oficio desagradecido el mío.

—Mira, perdóname, así son las cosas. Te regalo este manzano y todas las manzanas del mundo. Cada que camines encontrarás un manzano que te proteja y te dé de comer. ¿Qué tal, ah? Tremendo regalo por decir uno o dos discursitos y hacerme quedar bien. Además, lo bueno es que todos se portan mejor después de escucharte.

Y así, una vez más, hicieron dios y Jonás las paces.

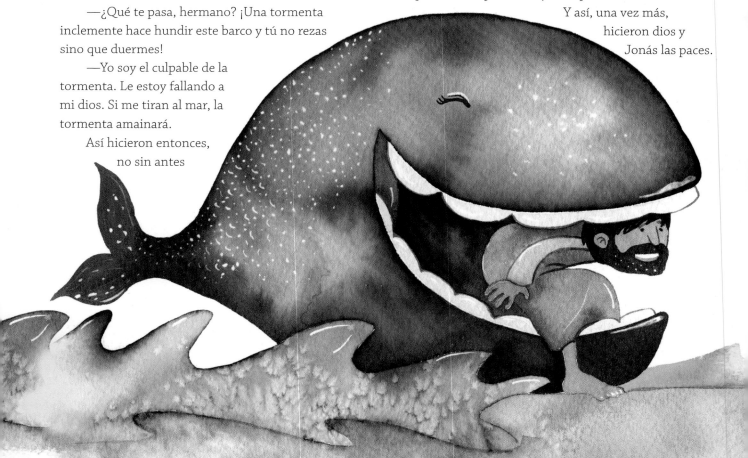

El sueño de Nabucodonosor

Veintiuno de agosto

El rey Nabucodonosor tuvo un sueño. En el sueño vio una estatua erigida a su imagen y semejanza. La cabeza era de oro, el pecho de plata, los brazos de hierro, la cintura de cobre y las piernas de barro. Ningún sabio pudo descifrar el significado del sueño, hasta que uno de sus esclavos, Daniel, pidió ser escuchado. Así le habló Daniel: «La estatua simboliza tu reino. Cerca a donde tú estás, la cabeza, todo es de oro. Firme y eterno. El pecho es de plata. Cerca a tu palacio el reino es fuerte. Los brazos son de hierro. Tu ejército es potente. Mientras más lejos de tu presencia vamos, tu reino es inmenso, más débil se hace. Por eso la cintura es de cobre. Y los extremos de tu reino son de barro, débiles. Lo que significa que debes prestar atención a las zonas más alejadas de tu reino, porque es en su inmensidad donde se sostiene tu cabeza de oro. Si descuidas las zonas más remotas de tu inmenso reino, no tendrás en qué sostenerte». Nabucodonosor nombró entonces ministro al esclavo Daniel, gracias a su sabiduría.

Ghandi y los carnés de identidad

Veintidós de agosto

Mahatma Ghandi fue un hombre inmenso. Era flaco como una rama de bambú y pequeño como una rana. Pero sin arma alguna venció al ejército más poderoso de su tiempo. Liberó a su pueblo de la tiranía. El imperio británico había sometido a la India. Los británicos actuaban como si les estuviesen haciendo un favor a los indios. Pero los indios sabían que el imperio británico era cruel y actuaba hipócritamente. Ghandi lo demostró. Una de sus imposiciones era que los indios debían llevar siempre un carné de identidad en su propia tierra. En cambio los británicos no. Ghandi reunió un pequeño grupo de indios valientes y en una plaza pública quemaron sus carnés de identidad. Habían acordado no ofrecer ninguna resistencia a la policía en el momento de ser arrestados. La policía golpeó brutalmente a los manifestantes indefensos. Así el mundo y el resto de la India empezaron a ver la verdadera cara de los británicos, su injusticia y su crueldad.

El santo Job

Veintitrés de agosto

Job tenía una buena vida, próspera y feliz. Un mal día empezó a quedarse calvo. Pero él no renegó para nada, seguía siendo feliz. Al día siguiente, se le cayeron todos los dientes. Pero Job se las arregló para seguir sonriendo. Pasó una semana y su esposa lo abandonó. Job no dijo nada. Al mes su hijo se fue a la guerra. Job entendió. Después su hija se escapó con un soldado. Job no se quejó. Transcurrió un año y se quedó pobre, arruinado. Job no pronunció ni un reclamo. Se le quemó la casa. Se quedó manco. Le dio lepra. Perdió una pierna. Se quedó sordo. Tuerto. Después ciego. Y estando tirado en una calle, totalmente abandonado, le robaron sus últimos harapos. Se quedó desnudo. Nunca se quejó. Nunca prefirió la muerte. Por eso es recordado como un santo, el santo Job.

Ulises en la isla de Eolo

Veinticuatro de agosto

Ulises y sus hombres no soportaban una aventura más. Un cíclope se había comido a dos de sus hombres, muchos habían muerto en la guerra de Troya, otros lloraban con nostalgia ante el recuerdo de sus esposas y algunos cantaban canciones para olvidar sus heridas y tristezas. Pronto vieron una isla. Desembarcaron y se encontraron con Eolo, el rey de los vientos, que gobernaba allí. El rey Eolo había escuchado hablar del valiente Ulises y lo invitó junto con su tripulación a descansar y comer todo aquello que solo en sueños se habían imaginado tras largos meses en la mar.

El rey les propuso quedarse a vivir en aquella isla, había espacio y comida para todos. Ulises agradeció el ofrecimiento pero le contó que lo único que lo animaba a seguir con vida era volver al lado de su esposa Penélope y su hijo Telémaco. Entonces Eolo lo ayudó de otra manera: tomó un gran trozo de cuero de buey y allí metió todos los vientos, menos el del oeste, que los llevaría de vuelta a Ítaca. El rey amarró el trozo de cuero con lazos de oro y plata y lo entregó a Ulises.

Cuando ya estaban en el barco dispuestos a partir, Eolo le ordenó al viento del oeste que los llevara de vuelta a casa sin más contratiempos. Así fue. Después de nueve días y nueve noches, un buen viento los llevó en esa dirección. La felicidad fue enorme cuando ya vieron los árboles de su ansiada y amada Ítaca. Por fin Ulises logró dormir. Faltaba solo un día para volver con su familia.

Mientras Ulises dormía plácidamente, unos de sus hombres miraron la bolsa de cuero y pensaron que no era justo que Ulises recibiera todos los regalos cuando ellos también habían luchado a la par. Varios pensaron lo mismo y no vieron problema en tomar algunos de los regalos que suponían estaban envueltos en aquella bolsa de cuero de buey. Entonces la abrieron y salieron todos los vientos, provocando un tremendo huracán que los lanzó al otro extremo del mar. Ítaca ya no era sino un pequeño punto en el horizonte.

Ulises no quería otra cosa que lanzarse al mar y esperar a que alguna ballena se lo comiera. Pero su perseverancia era mayor y el amor por Penélope y Telémaco le dieron fuerzas para continuar y empezar de nuevo.

La foca blanca

Veinticinco de agosto

Sin explicación alguna, una foca nació blanca. Su padre y su madre y hermanos y primos eran grises, como todas las demás focas. Pero Kotick nació blanca como la luna. Cada verano las focas se peleaban hasta hacerse sangrar, para conseguir un espacio en la playa de Novastoshnah, que era considerada la mejor playa para el amor. Pero a esa misma playa llegaban los hombres y mataban cientos de focas a garrotazos para llevarse sus pieles. Los hombres pensaron que la foca blanca era un espíritu reencarnado y le temían. Kotick dedicó entonces toda su juventud a buscar una playa oculta para los hombres.

Cinco años dura la juventud de una foca. Cuando volvió a la playa de Novastoshnah a decirles a todas las focas grises que podían irse al llamado Túnel de la Vaca Marina, que allí estarían a salvo, todas se burlaron. Entonces tuvo que luchar Kotick por primera vez en su vida. Luchó hasta que ya no fue más una foca blanca sino una foca roja por la sangre. Y venció. Entonces todas siguieron sus indicaciones y pudieron vivir por muchas generaciones el amor, lejos de la crueldad de la caza del hombre.

Atlantis

Veintiséis de agosto

Cuando el mundo era gobernado por dioses justos y poderosos, existía una isla enorme rodeada de montañas. El amo y señor de esta isla era el gran dios Poseidón, que se enamoró de una mujer que vivía en una montaña de la isla y, para protegerla, creó tres anillos de agua en torno de la montaña. Tuvieron diez hijos y Poseidón dividió la isla en diez reinos: uno para cada uno. Al hijo mayor lo llamaron Atlas y en su honor, la isla entera fue llamada Atlántida y el mar que la rodeaba, Atlántico.

La isla Atlántida era rica en un mineral parecido al cobre y más valioso que el oro, llamado oricalco. De los grandes bosques salía mucha madera para construir puentes, casas y caminos. Había también todo tipo de animales, domésticos y salvajes, pero sobre todo había elefantes.

Los atlantes construyeron sobre la montaña rodeada de círculos de agua, una espléndida ciudad con muchos edificios. El Palacio Real y el templo de Poseidón eran los más grandes y majestuosos. También construyeron un gran canal para comunicar la costa con el anillo de agua que rodeaba la ciudad. Cada viaje hacia la ciudad era vigilado

desde puertas y torres, y cada anillo estaba rodeado por un muro. En el Palacio Real estaban escritas las leyes de Atlántida y la principal de todas era aquella que decía que los reyes debían ayudarse mutuamente y no atacarse los unos a los otros. Todas las decisiones de la isla se tomaban de manera colectiva y bajo la dirección de Atlas. La justicia e inteligencia con que gobernaban la isla hizo que La Atlántida se convirtiera en una gran civilización. Pero pasó el tiempo y llegó el día en que los atlantes quisieron ser más grandes y gobernar otros lugares del mundo. Pretendieron tener más poder que los dioses. Llegaron al punto en que los dioses decidieron castigar a los atlantes por su soberbia y provocaron un gran terremoto seguido de una inundación que hizo desaparecer en el mar la isla donde se encontraba el reino.

Todos hablan de esta gran ciudad pero nadie ha podido encontrarla. Valientes exploradores y enormes excursiones han viajado muy al fondo del mar y solo se ha encontrado un trozo de metal de oricalco donde se lee: «Justicia y respeto».

La destrucción de los campos de Bhurtpore

Veintisiete de agosto

En la selva de Mowgli, el rey era el elefante. Una vez, pero solo una vez, el humano se atrevió a cazar un elefante. Hombres torpes dispusieron una trampa para Hathi, el elefante.

Era una estaca larga y afilada, armada con un sistema de resorte. Cuando Hathi pisó la trampa, la estaca hirió su pata. En ese momento varios hombres intentaron amarrarlo con lazos mientras el gran elefante bramaba de dolor. Cuando pudo controlar el dolor de la herida y la locura que le produjo el olor de su propia sangre, se liberó de los lazos y ahuyentó a los hombres.

Fue a buscar a sus hermanos elefantes y planearon su venganza. Una noche de luna llena arremetieron contra esa aldea de hombres y todos sus sembrados. Todo el entorno del hombre fue destruido. Este evento fue recordado en la selva como *La destrucción de los campos de Bhurtpore*.

Mowgli, curioso como era, había sabido de esta historia. Así pensó entonces su venganza, después de haber encontrado a Messua, su madre humana, atada a un poste con las muñecas sangrando por las ataduras. Fue a buscar a Hathi y le dijo: «¡Buena suerte, hermano! Quería hablar contigo sobre aquella vieja historia... La destrucción de los campos de Burthpore».

El elefante, a quien poco le gustaba hablar de estos capítulos, y que en general muy poco gustaba de hablar, le respondió: «No sé de que me hablas, hermano». «Hermano Hathi. No solo eres famoso en estas tierras por tu memoria y tu fuerza. Sino también por esa larga cicatriz blanca en tu pata». Hathi se incorporó con violencia y, pegando su trompa contra el rostro de Mowgli, resopló: «¿De qué crees que hablas? Rana dicen que es tu nombre, ¿no? Una rana no debe hablar así a un elefante. A menos que quieras terminar tus días debajo de mis patas».

Mowgli lo miró con tranquilidad, sin inmutarse, y dijo: «Hermano, no quiero ofenderte. Esta es tu selva. Vengo a ti porque el hombre ha irrespetado de nuevo nuestras leyes. Han hecho sangrar a mi madre. He olido su sangre».

La ley de la selva era obra del primer elefante, Tha, creador de todo lo que existía en aquellas tierras. Para Hathi la ley de la selva era el asunto más serio. Siguió diciendo Mowgli: «Es necesario que los hombres se vayan de esta región. Es necesario que se vayan como tuvieron que irse, para nunca más volver, de los campos de Bhurtpore».

Hathi miró a sus hermanos que observaban con curiosidad lo que sucedía, y dijo: «Así se hará, hermanito rana. Así debe ser». Y fue esa misma noche que la aldea de los humanos fue destruida, junto con todos sus campos, siembras y fuentes de agua. El hombre tuvo que huir de la tierra de Mowgli para nunca más volver».

Parábola de la oveja descarriada

Veintiocho de agosto

Pedro cuidaba de sus ovejas. Una de las ovejitas se perdía cada tanto. Pedro iba siempre a buscarla. Y cada vez que la encontraba, invitaba a los pastores a celebrar que la había encontrado. Un día, un pastor le preguntó: «¿Cómo es que te esmeras tanto en buscar siempre a esa oveja descarriada? Tienes cien ovejas. 99 ovejas juiciosas te dan menos trabajo que 99 más una descarriada». Y Pedro le contestó: «Yo cuido de todas mis ovejas. Le dedico más tiempo a la que más lo necesita. Las demás ovejas me quieren y respetan más al saber que no abandono a ninguna. Es gracias a la descarriada que las otras 99 se portan juiciosas».

Sinforiano y Longinos

Veintinueve de agosto

Sinforiano se encontró con su viejo amigo Longinos. Hacía años que no se veían. Sinforiano estaba muy alegre. Longinos le preguntó: «¿Por qué andas tan feliz?». Sinforiano le respondió: «Es que me he casado». «¡Felicidades! Qué buena suerte», le dijo Longinos. «Bueno, no tanta suerte. Me casé con una vieja bruja», respondió Sinforiano. «Ah, qué lástima», dijo Longinos. «Bueno, no tanta lástima. La vieja tenía una hermosa mansión», respondió Sinforiano. «¡Qué bueno!», dijo Longinos. «No tan bueno. La mansión se quemó», respondió Sinforiano. «Oh, qué mala suerte», dijo Longinos. «No tan mala», respondió Sinforiano, «la vieja bruja estaba adentro».

La raspa mágica

Treinta de agosto

Un buen hombre había quedado viudo después de una larga enfermedad de su esposa. Quedó triste y con doce hijos. El hombre trabajaba la tierra y vendía su cosecha en el pueblo. Sus hijos ayudaban, pero no era suficiente. La hija menor ya estaba bastante delgada y el hambre no la dejaba conciliar el sueño. Así estaba esa noche cuando apareció al lado de su cama el Hada Colorada. Le dio de comer un suculento pescado asado y le dijo que guardara la espina pues al frotarla le concedería un deseo, solo uno. El hada colorada le recomendó pensar muy bien en el momento de usarla. Así hizo la joven y guardó la espina del pescado.

Poco tiempo después, uno de sus hermanos enfermó. La joven quiso usar la espina mágica, pero recordó lo que le dijo el hada y cuidó a su hermano hasta que mejoró. Unos meses más tarde una de sus hermanitas se perdió. La joven quiso usar la espina mágica, pero recordó lo que le dijo el hada y se esforzaron todos durante tres días hasta que la encontraron. Al finalizar el año, el invierno fue más crudo que nunca y no había leña suficiente. La joven quiso usar la espina mágica, pero recordó lo que le dijo el hada. Entonces, junto con sus hermanos, tejió sombreros y guantes para sobrellevar el frío.

Pasaron los años y el padre de la joven ya estaba viejo, cansado y enfermo. La tierra ya no daba frutos como antes y los hermanos no conseguían trabajo. La joven le preguntó a su padre si realmente no había alguna solución. Pero esta vez ya no había nada más que hacer. En ese momento la joven sacó la espina, la frotó y apareció el Hada Colorada, quien sanó al padre y le dio vida a la tierra seca para que pudieran vivir de ella.

La anciana del corazón quemado

Treinta y uno de agosto

El mercado de la ciudad ardía, la gente corría sin saber muy bien hacia dónde, solo intentaban alejarse de las llamas. Entre la muchedumbre alborotada se vio venir una anciana que caminaba a paso lento y sin preocupación alguna. Un hombre quiso advertirle del peligro: «¡Señora, no siga! Todas las casas de la ciudad se están quemando. No puede pasar». La anciana lo miró a los ojos y le dijo: «Mi casa no se quemará. Bien lo sé yo».

Después de que las llamas se apagaron, todos volvieron y encontraron sus casas hechas cenizas, menos una: la de la anciana. Quisieron entonces saber por qué ella estaba tan segura de que eso iba a ocurrir. Ella respondió humildemente: «Yo sabía que el fuego quemaría o mi casa o mi corazón. Ya mi corazón estaba quemado. Sabía yo que Dios no permitiría que mi casa también ardiera».

Septiembre

Orfeo y Eurídice

Primero de septiembre

Orfeo vivía en el Olimpo. Era poeta y músico. Componía los más bellos versos y tocaba la lira como lo que era: un dios. Estaba muy enamorado de su esposa Eurídice.

Un día, Eurídice estaba caminando por el bosque y sin darse cuenta pisó a una serpiente que le mordió un tobillo. Eurídice murió. Orfeo ya no era feliz. No volvió a tocar la lira ni a componer versos. Un día no pudo más y tomó una decisión: iría al Hades, el mundo de los muertos, a traer a su esposa de vuelta.

Para llegar al mundo de los muertos debía cruzar un río, justamente el río que separa el mundo de los vivos del mundo de los muertos. El encargado de cruzar ese río es un barquero llamado Caronte. No es nada fácil convencer a Caronte de llevar a las personas en su barca, pero Orfeo con sus cantos y su lira lo pudo convencer. Lo mismo hizo para convencer a los dioses de la muerte para que liberaran a su amada esposa. Ellos aceptaron pero solo con una condición: Eurídice iría detrás de él y no debía mirarla ni una sola vez, hasta que llegaran al mundo de los vivos. Orfeo aceptó muy feliz, pero por desgracia, ya cuando estaba muy cerca tuvo la duda de si Eurídice venía detrás de él o era solo un engaño de los dioses de la muerte. Entonces se volvió para asegurarse. Allí estaba su esposa pero inmediatamente sintió una fuerza que la arrastraba de nuevo hacia el Hades. Ya no hubo forma nunca de convencer ni a Caronte ni a los dioses del Hades para regresar a Eurídice. Ni la música, ni los versos, ni los lamentos sirvieron a Orfeo, quien murió siendo siempre fiel a su esposa.

Majnun y Leyla

Dos de septiembre

Majnun caminaba distraído por el parque. Un amigo lo encontró y le preguntó: «¿Es verdad que estás muy enamorado de Leyla?» Majnun le respondió: «No, no amo a Leyla». El amigo estaba muy sorprendido y replicó: «¿Pero cómo?, si no haces otra cosa que pensar en ella, le escribes poemas y cartas de amor todas las noches, ya casi ni comes ni duermes. ¿No es eso acaso amor?». «No», respondió Majnun. Yo ya no soy yo. Leyla ya no es Leyla. No somos dos, somos uno, nos hemos fundido el uno en el otro y ya no podemos ser lo que éramos antes». Majnun bajó la mirada y continuó caminando con aire triste.

Gallinas gordas y flacas

Tres de septiembre

Vivían en un corral varias gallinas. Las había de todos los tamaños y condiciones: unas eran gordas y fuertes, otras eran flacas y desgonzadas. Como suele ocurrir, las que estaban mejor alimentadas se burlaban de las otras y se pasaban el día insultándolas: «¡Flacuchas! ¡huesudas! ¡muertas de hambre!».

Las gallinas flacas debían soportarlo día tras día. Pero esto no iba a ser para siempre. Llegó la época de Navidad y el cocinero debía preparar la cena. Bajó al corral y allí escogió, por supuesto, a las más gordas. En ese momento, sabiendo su fatal destino, envidiaron la suerte de las gallinas flacas.

El león y el ratón agradecido

Cuatro de septiembre

Un grupo de ratones se divertía jugando en la selva. Se reían y gritaban cada vez que alguno debía cumplir una penitencia. Muy cerca de allí dormía un enorme león que había tenido un día difícil después de perseguir durante horas a un ciervo que se le había escapado. Estaba, pues, hambriento y cansado. De repente lo despertó un grito: era uno de los ratones cuya penitencia era darle la vuelta a la selva saltando en una pata. «¡Eso sí que no!», gritaba entre risas el ratón. De pronto, se encontró atrapado entre las garras del león que lo miraba con sus ojos rojos a punto de explotar de la ira.

—Por favor no me comas, te lo ruego —dijo el ratón

—Por qué no he de comerte —rugió el león.

—Si me dejas ir te prometo que algún día, cuando estés en problemas, yo iré a ayudarte.

El león no podía de la risa.

—¡Tú, un pequeño ratoncito, ayudando al rey de la selva! No me hagas reír, me duele la panza. Solo porque me has hecho reír tanto, te dejaré libre.

Un mes después, mientras el ratoncito recogía semillas, escuchó un rugido tan fuerte que hizo temblar la tierra. El ratoncito corrió buscando de dónde provenía tal rugido que hizo temblar la tierra. Y encontró al león atrapado en la red de un cazador. Rápidamente el ratón mordió la red con sus afilados dientes y liberó al gran león. Nuevamente el león lo tomó en sus garras pero esta vez le dio un beso y le agradeció el favor.

El lobo y la cigüeña

Cinco de septiembre

Un lobo glotón comió más de la cuenta y un hueso le había quedado atrapado en medio de su garganta. Pasó por allí una amable cigüeña y el lobo le dijo:

—Ya que tienes un pico largo y delgado, ¿podrías ayudarme a sacar este hueso de mi garganta? Si lo haces te prometo que serás muy bien recompensada.

La cigüeña sacó cuidadosamente el hueso y después preguntó al lobo por su recompensa. A lo que este respondió:

—Mal agradecida. ¿Te parece poca recompensa? Tuve tu cabeza entre mi boca y pude comerte. Suerte tienes de estar viva para contar esta historia.

La cigüeña, bastante desconcertada, se fue sin decir palabra.

Lancero muisca

Seis de septiembre

En los tiempos de la conquista española, pocos ejércitos ofrecieron una resistencia tan valiente como el ejército del cacique Tundama. Uno de sus hombres, llamado Chaquén, era experto en tirar su lanza a distancias insospechables para su enemigo. En una ocasión, los españoles lograron rodear al cacique Tundama y su ejército. La única opción que tenían era cruzar un río caudaloso, pero no todos los hombres sabían nadar. Chaquén fue entonces amarrando una lanza a cada uno de los hombres que no sabían nadar. Después lanzó a cada uno hasta el otro lado del río con su fuerza tremenda. Al terminar su proeza, todos miraron con desconcierto a Chaquén, que se despedía desde el otro lado del río. Él tampoco sabía nadar. Luchó Chaquén con inigualable fiereza, él solo contra el ejército español, hasta su muerte. En todo el territorio de Duitama, antiguas tierras de Tundama, se recuerda su bondad y valentía.

El feo y los niños

Siete de septiembre

Un bebe nació cabezón y peludo. Tenía uñas fuertes, como de tigre y dientes poderosos, como de oso. Sus brazos eran robustos y sus piernas musculosas. Tenía cuello de toro, ojos de alce, orejas de lobo. Toda su infancia luchó y cazó como si de una fiera se tratase. Sus padres lo adoraban porque cuidaba de ellos y de toda la familia. Un mal día sus padres murieron y sus hermanos se fueron a vivir a la ciudad. Se quedó solo. Fue al pueblo más cercano para huir de su soledad, pero todos se apartaban de él llenos de miedo. Veían a una fiera peluda con ropa de hombre. Se volvió entonces huraño y agresivo. No dejaba que nadie se acercara a su casa. Hasta que un buen día un grupo de niños fue a buscarlo. Le llevaron frutas y chocolates, y le dijeron que querían ser sus amigos. Volvió entonces a sentirse útil. Protegía a sus amiguitos y cazaba para ellos. Y así fue hasta el triste día de su muerte, cuando todos en el pueblo lo lloraron.

La abeja y la paloma

Ocho de septiembre

Una paloma daba un paseo entre árboles y arroyos. De pronto vio que una abeja era arrastrada por la corriente del arroyo y voló rápidamente para rescatarla. La abejita agradeció mucho este favor y continuó el camino.

Un poco más tarde la abeja vio que un cazador apuntaba a la paloma. La abeja voló rápidamente y picó al hombre en la mano, haciendo que errara su tiro.

La paloma agradeció a su pequeña amiga y ambas supieron lo importante que es hacer por los otros lo mismo que uno quiere para sí.

Aracne

Nueve de septiembre

Aracne era una gran tejedora. Hacía los más bellos tejidos y bordados. Era famosa en su país y su fama también había llegado a los más lejanos lugares del mundo, de donde iba la gente a ver sus tapices. Se dice que aprendió a tejer con Atenea, la diosa de la sabiduría. Pero esto no era verdad. Su talento, como su belleza, era natural, nació con mucha fortuna. Esto, sin embargo, fue haciendo de Aracne una mujer vanidosa y soberbia, tanto que llegó a decir que tejía mejor que Atenea. Atenea se enteró y, como es natural, ningún dios permite que los humanos piensen que pueden ser mejores que ellos. Entonces entendió las palabras de Aracne como un desafío. Le propuso un día en que las dos tejerían y se decidiría cuál era el mejor bordado.

Llegó el día y se propuso como tema del tejido el de los dioses. Atenea bordó a los doce dioses principales del Olimpo y aprovechó también para bordar algunas escenas de lo que le ha sucedido a los hombres cuando desafían a los dioses.

Aracne, en cambio, bordó magistralmente a los dioses borrachos y sin ningún respeto hacia ellos. Atenea se llenó de furia y con su lanza destrozó el tapiz de Aracne.

Al ver esto, Aracne comprendió su error y quiso ahorcarse con una cuerda gruesa de su telar. Atenea no se lo permitió pero la convirtió en araña, destinada a tejer toda su vida.

Poros y Penia

Diez de septiembre

El día en que nació Venus Afrodita, los dioses hicieron una gran fiesta para celebrarlo. Invitaron a Poros, un joven guapo, valeroso, alegre y con muchas riquezas. Poros estaba tan feliz de que los dioses lo hubieran invitado a su fiesta, que bebió más de la cuenta y se embriagó hasta tal punto que cuando se terminó la fiesta, quedó tirado y dormido en la calle. Allí, en la calle, vivía Penia, una mendiga que atraída por el olor de los manjares, pedía limosna en la puerta de la fiesta. Penia vio a Poros y se acostó a su lado. De aquella unión nació su hijo: el Amor. Amor, entonces, fue concebido en el jardín de los dioses y puesto bajo el signo de Afrodita, pero engendrado por dos que no eran inmortales, no eran dioses. Amor creció y se hizo como su padre: inventivo, calculador, alegre y festivo. Pero también creció como su madre: con carencias, dificultades, sufriente y adolorido.

Así es entonces el amor: un chico flaco que deambula descalzo y sin hogar, duerme siempre en el suelo y sin mantas. Se le encuentra acostado en puertas y caminos. Pero está siempre buscando a los más bellos y a los más buenos. Es valeroso, intrépido e impetuoso. Es excelente cazador, hechicero y encantador. Así es el Amor, el hijo de la riqueza, Poros, y de la pobreza, Penia.

Shibilí y el panadero

Once de septiembre

Un panadero había escuchado hablar de un gran sabio llamado Shibilí y deseaba profundamente conocerlo. Un día Shibilí llegó a su panadería y tomó un pan. El panadero, sin saber que se trataba de él, le gritó: «Fuera de aquí mendigo. Dame ese pan que no es tuyo». Un hombre que presenció lo ocurrido, le dijo: «¿Qué has hecho? ¿No ves que acabas de echar al sabio Shibilí?».

El panadero salió corriendo y cuando logró alcanzar al sabio, se arrodilló ante él y le suplicó mil perdones. Le pidió que asistiera a una gran cena que haría al día siguiente como un homenaje a él. Cuando se encontraban cenando, alguien le preguntó al sabio cómo saber quién es bueno y quién malo, a lo que este respondió: «Mira a nuestro anfitrión el panadero: él es un hombre malo. Niega un pan a un pobre y gasta mucha plata en una cena en honor de una persona. Aquí parece un hombre generoso, pero lo que es verdaderamente importante es serlo con los que en realidad lo necesitan».

El panadero agachó su cabeza y comprendió la lección del sabio Shibilí.

Ulises y las sirenas

Doce de septiembre

Para llegar a Ítaca era necesario pasar frente a la famosa y peligrosa isla de las sirenas. Ulises había sido advertido por una hechicera y sabía que debía tomar todas las precauciones. Cuando ya estaban cerca, el viento dejó de soplar y se empezaron a escuchar melodiosos cantos. Eran las sirenas: bellas y malvadas mujeres con cola de pescado que pasaban noche y día en la playa descansando y cantando para atraer a los marineros, soldados y pescadores. Bellas como eran, atraían a los hombres, y malvadas como eran, los devoraban y guardaban sus huesos como trofeos. Algunas incluso usaban los huesecillos más pequeños a modo de hebillas y collares.

Ulises les advirtió a sus amigos del peligro y todos se pusieron cera en los oídos. Les pidió, además, que lo amarrasen fuertemente al mástil del barco. Así hicieron sus fieles amigos y remaron fuertemente hacia la dirección contraria a la isla. Pero el canto de las mujeres era bello y poderoso. El barco no lograba avanzar y Ulises podía oír levemente los cantos, que ya empezaban a perturbarlo. Rogó, suplicó, pataleó y lloró para que lo desamarraran. Pero sus amigos no solo no le hicieron caso, sino que lo amarraron más fuertemente y le pusieron otra capa de cera en los oídos. Lentamente se alejaron de la isla. Cuando vieron que el peligro había pasado, soltaron al pobre Ulises, exhausto pero agradecido.

Cyrano de Bergerac

Trece de septiembre

Había un hombre con una nariz tan grande, que se decía de él: «érase un hombre a una nariz pegado». Cyrano de Bergerac era su nombre. A pesar de su nariz, o quizás justamente gracias a su nariz, tenía la voz más hermosa que se pueda imaginar. Y no solo la voz, sino también el don de la palabra. Cyrano componía los más hermosos versos.

Amaba en silencio a una mujer hermosa, tan hermosa que pensaba Cyrano que nunca podría fijarse en un hombre atado a semejante nariz. Un día lo buscó un noble muy guapo. El guapo noble estaba enamorado de la misma mujer que Cyrano amaba en silencio. El noble le pidió ayuda. Era muy guapo pero tenía una voz de pavo real que ahuyentaba hasta los gatos. Además, no lograba expresar sin torpeza ni siquiera la idea más sencilla. Se le enredaba la lengua, o quizás el cerebro, pidiendo una cerveza en una taberna de mala muerte.

El trato era este: el noble le pagaría bien, si en una noche de luna menguante, bajo el balcón de la amada, el noble disponía su atractiva presencia, mientras Cyrano, escondido, prestaba su voz y sus palabras. Así hicieron. Como Cyrano también la amaba, salieron de su corazón los más conmovedores versos.

La mujer bajó de su habitación y corrió a los brazos del guapo noble. Pero al primer desayuno, cuando al noble le fue imposible mantener su enigmático silencio, la hermosa mujer huyó despavorida.

Un día, caminaba ella al atardecer, cuando escuchó la voz de sus sueños de luna menguante. Cyrano recitaba versos desconsolados al sol y a la tarde. La hermosa mujer lo escuchó y quedó congelada de pasión. No vio un hombre pegado a una gran nariz. Vio un corazón inmenso que derramaba la más hermosa poesía. Corrió a sus brazos y lo amó eternamente, más de lo que nunca había soñado que se pudiese amar.

El animal circular

Catorce de septiembre

Hace mucho tiempo existía un animal extraordinario: era un animal en forma de círculo, tenía cuatro brazos, cuatro piernas y dos rostros sobre un cuello circular. Los dos rostros compartían una cabeza, una sola. Sobre estos dos rostros, ubicados uno mirando hacia adelante y otro hacia atrás, había también cuatro orejas. El animal no era hombre ni mujer, era hombre y mujer.

Este animal podía caminar en dos patas o usando todas sus extremidades y en las direcciones que quisiera: adelante o atrás. También podía hacer todo tipo de piruetas: giraba en el aire y cuando usaba toda su fuerza, podía correr también en el aire.

Pero estos seres eran tan fuertes y al mismo tiempo tan arrogantes que se atrevieron a atentar contra los dioses, hasta el punto de intentar ascender al cielo para atacarlos. Entonces Zeus, para acabar con su insolencia, decidió cortarlos en dos. Así hizo y este fue el resultado: separados hombre y mujer, con dos piernas cada uno, con dos brazos y un solo rostro.

Desde entonces, cada mitad de ese animal extraordinario busca a su otra mitad de la que quedó separada. El castigo que impuso Zeus fue la búsqueda permanente del amor, la búsqueda de lo que no nos permite sentirnos completos. A veces creemos que encontramos esa mitad, pero son trampas de Zeus. Debemos seguir buscando hasta encontrar a aquel que nos hace sentir como en los buenos tiempos: como una unidad.

El labrador y sus hijos

Quince de septiembre

Un labrador tenía tres hijos que no hacían otra cosa que pelear. El hombre, cansado ya de esto, los llamó a los tres y les dijo: «Deben ir a recoger veinte palos y atarlos. El que rompa el manojo tendrá toda mi herencia». Así hicieron los muchachos.

Intentaron una y otra vez romper el atado de palos sin ningún resultado. Entonces el padre sacó los palos y empezó a romperlos uno a uno. El hijo menor le dijo: «Padre, así también hubiéramos podido hacerlo nosotros». A lo que este le respondió: «Esta es la herencia que les dejo: tomados uno a uno, ustedes son frágiles. Pero si se mantienen unidos, nadie podrá hacerles daño».

San Valentín

Dieciséis de septiembre

Hubo tiempos aciagos para el pueblo cristiano. A veces era su propio dios y sus tremendos berrinches: ciudades arrasadas, diluvios universales, hombres fulminados, mujeres convertidas en estatuas de sal. A veces fueron los egipcios que los esclavizaron, a veces los judíos, a veces los romanos. Pero dios nunca los abandonó, eso sí ha de quedar claro, dios malhumorado pero siempre piadoso. Padre al fin y al cabo.

Los romanos no creyeron en Jesucristo, ni que fuera hijo de dios, ni que fuera rey, ni sabio. Y durante más de tres siglos persiguieron a quienes sostenían que Jesús sí era el hijo de dios y sí era rey y sí era sabio. En esos tiempos aciagos vivió san Valentín. En los tiempos de Claudio, cruel emperador romano, guerrero sin piedad. Claudio prohibió en aquel entonces el matrimonio en los hombres jóvenes. Pensaba él que los solteros eran mejores hombres para la guerra.

San Valentín, hombre bello, enamoradizo y muy piadoso, casaba en secreto a jóvenes enamorados. Cuando Claudio se enteró de esto lo llamó y le dijo: «¿Eres tú uno de aquellos que dice que ese hombre mechudo y de barbas, a quien llamaron Jesús, era en verdad hijo de dios?». Y san Valentín dijo: «Jesús nos enseñó la senda del bien. Nos enseñó a amarnos.

Creo en él, en su palabra y creo en el amor». Claudio intentó convencerlo de renegar de su dios y de Jesús, y convertirse a la religión romana. Pero san Valentín era mejor con las palabras, y era, además, muy amoroso.

Cuando Claudio sintió que san Valentín lo iba a convencer de creer en Jesús, decidió mandarlo quemar en la Vía Flaminia de Roma. Desde entonces, todos los cristianos, y desde hace mucho todos los humanos, recordamos el día de la muerte de san Valentín enviándonos mensajes de amor y queriéndonos mucho.

El león y los cuatro bueyes

Diecisiete de septiembre

Eran cuatro bueyes, los cuatro muy buenos amigos. Habían crecido juntos y en todo se apoyaban. Un león los veía hacía mucho tiempo y hacía mucho tiempo quería cazarlos, pero los cuatro se defendían entre sí y el león salía siempre sin nada.

El león planeó entonces la forma de separarlos. Uno a uno les fue diciendo:

—He escuchado a tus compañeros diciendo que eres gordo y malgeniado.

A otro le decía:

—He escuchado a tus amigos diciendo que caminas como una oveja y que tienes ojos de sapo.

Así los bueyes se fueron resintiendo entre sí y el león los cazó con mucha facilidad, pues ninguno defendió a los otros. El último de los bueyes dijo:

—La culpa de esta desgracia es solo nuestra. Mal hicimos en creer como ciertas las palabras de nuestro enemigo y no confiar en la amistad de nuestros más queridos amigos.

El príncipe sapo

Dieciocho de septiembre

Amanda era la hija más bella y consentida de las siete que tenían el rey y la reina. Amanda tenía cientos de juguetes de todo tipo: rompecabezas, muñecas, peluches, trompos y pelotas de todos los tamaños y colores. Pero la princesa Amanda solo jugaba con uno de tantos juguetes: una pelota de oro.

Una tarde, Amanda estaba jugando con su pelota favorita cuando un salto desafortunado hizo que la pelota cayera en un pozo. La princesa lloraba mirando al fondo del pozo, pero no veía nada. Su llanto atrajo a un sapo quien le preguntó los motivos de su tristeza. Ella le contó lo sucedido y el sapo la tranquilizó diciéndole que él podría ir al fondo del pozo y traerle su pelota. Solo quería una cosa a cambio.

El sapo vivía solo en ese pozo y no tenía amigos. Le pidió a la princesa que fueran amigos, lo invitara al palacio y le diera un beso. La princesa aceptó. El sapo nadó feliz y recuperó la pelota. Cuando la princesa la tuvo en sus manos, salió corriendo y se encerró en el castillo.

El sapo estaba desconcertado, no entendía por qué la princesa lo había engañado. De varios saltos llegó a la puerta del castillo y timbró. La princesa

suplicó a sus padres que no abrieran. Cuando les contó lo sucedido, el rey se enojó con ella y le explicó que debía cumplir las promesas, sin importar si se trataba de un sapo, un caballo, una abeja, su hermana o su madre.

La princesa, a regañadientes, abrió la puerta e invitó al sapo a cenar en el castillo. Definitivamente no era agradable tomarse la sopa con el sapo en frente, pero era lo que debía hacer. Cuando se fue a dormir, el sapo le recordó su promesa de darle un beso, y este era el momento: el beso de las buenas noches. La princesa se tapó la nariz, cerró los ojos y estampó un beso en la cara fría y pegajosa del sapo. De pronto, el sapo ya no era un sapo feo lleno de verrugas, sino un príncipe guapo de ojos brillantes y hermosa sonrisa. Desde ese momento el niño príncipe y la princesa fueron amigos y cuentan que cuando se hicieron grandes, se casaron y tuvieron muchos hijos.

Tundama y la cantadora

Diecinueve de septiembre

Un mal día, el cacique Tundama fue apresado por los españoles. Lo que los españoles querían era saber el lugar donde los muiscas escondían el oro. Tundama les dijo: «En nuestra ley yo mismo desconozco el lugar donde se guarda el oro. Solo nuestros chamanes lo saben. Y solo Siatoba, nuestra cantadora, lo cuenta». Mandaron los españoles por Siatoba, a cambio de la vida de Tundama. Siatoba era una mujer hermosa, encantaba con su baile, hechizaba con su sonrisa, enamoraba con su canto. Les cantó a los españoles dónde estaba el oro, que era en verdad en el fondo de una laguna sagrada. Hasta la laguna llevó Siatoba a los españoles con su baile. Allí se lanzaron todos, atontados con los encantos de Siatoba, embrutecidos por su ambición. Tundama quedó libre para continuar la resistencia, y un ejército entero de españoles se ahogó.

El cangrejo samurái

Veinte de septiembre

Unos niños se divertían con un viejo cangrejo. Un pescador pasó por casualidad a su lado y rescató al cangrejo de la cruel diversión. Cuando iba a devolverlo al mar, el cangrejo le habló: «Muchas gracias, pescador. Creo saber una forma de hacerte rico. Mira mi caparazón». El pescador vio con asombro que en el caparazón del cangrejo estaba tallado el rostro de un antiguo guerrero samurái. «Así somos todos los de mi familia. Así nacemos. Yo te mostraré dónde está nuestro cementerio. Podrás vender las caparazones de mis ancestros. Dirás que tú mismo has tallado el rostro del antiguo héroe samurái», le explicó el cangrejo. «Pero yo no quiero ser rico, amable cangrejo. Y tampoco quiero mentir», respondió el pescador. «Entonces, llévame a tu casa y déjame morir contigo. Mi caparazón te traerá suerte». Así hizo el pescador. Durante todos los largos años que vivió, al despertar, miraba el caparazón del cangrejo y sabía cuán bondadoso podía ser. Teniendo esto en mente, todos los días tuvo la suerte de ser un hombre muy feliz.

Salomón y la hormiga

Veintiuno de septiembre

Trabajaban algunas hormigas, otras comían y unas pocas conversaban. Apareció entonces el rey Salomón y todas dejaron de hacer lo que estaban haciendo para saludar a su rey, todas menos una. Era una hormiga macho que trabajaba en una montaña de arena quitando grano por grano. Salomón se acercó y le preguntó: «Querido amigo, ¿qué haces? Ni con toda la paciencia del mundo, ni en cientos de años lograrás quitar todos esos granos de arena». La hormiga le respondió: «Respetado rey: una hormiga de la que me he enamorado me dijo que si quitaba este obstáculo del camino, ya no habría obstáculos para nuestro amor y estaría dispuesta a casarse conmigo. Acepté su petición y a esta tarea me dedico cada día sin pensar en cuánto me tarde. No importa si muero en esta tarea».

Salomón se despidió satisfecho de haber visto la fuerza del amor y triste de ver el infortunio de esta hormiga enamorada.

Ricitos de Oro

Veintidós de septiembre

Milena era una niña blanca como la luna y tenía su pelo rizado y amarillo como el oro. Por eso todos la llamaban Ricitos de Oro. Milena salía todas las mañanas al bosque o al pueblo para hacer nuevos amigos o para tener las últimas noticias. Ricitos de Oro era muy curiosa y, hay que decirlo, también muy chismosa.

Ricitos de Oro caminaba por el bosque una mañana y se encontró con una bonita cabaña. No pudo ni quiso controlar su curiosidad y se metió a la casa. No había nadie, así que Ricitos de Oro se sintió como en su casa. Tenía hambre y se alegró de ver que en la mesa había tres platos de avena: uno grande, otro mediano y uno más pequeño. Ricitos de Oro probó el más grande, pero estaba muy caliente; probó el mediano, pero también estaba caliente; probó el pequeño y estaba perfecto. Se tomó todo el plato de avena. Después abrió unos cajones y encontró un libro de historietas. Buscó dónde sentarse para leerlo y encontró tres sillas: una grande, otra mediana y una más pequeña. Se sentó en la grande, pero sus pies quedaron colgando; pasó a la mediana y la encontró muy ancha. Ya estaba disgustada Ricitos de Oro y se sentó bruscamente en la más pequeña, tan bruscamente que la rompió.

Al no conseguir lo que quería, decidió hacer una siesta. En la cabaña había tres camas: una grande, otra mediana y una más pequeña. Se acostó en la grande y le pareció muy fría, se acostó en la mediana y la encontró muy dura, se acostó en la pequeña y le pareció perfecta. Allí se echó a dormir.

Mientras tanto, se acercaban los habitantes de la cabaña: papá oso, mamá osa y bebé osito. Habían salido a pasear mientras se enfriaba la avena. Cuando llegaron hambrientos encontraron que alguien había probado su avena. El papá oso se enfureció. El bebé osito lloró. La mamá quiso consolarlo contándole un cuento, pero su sillita estaba rota. El bebé osito lloró más fuerte. El papá oso gruñó y llevó a su hijito a dormir mientras lo consolaba. Pero su camita estaba ocupada. El papá oso rugió tan duro que Ricitos de Oro despertó asustada y salió corriendo tan rápido como sus piernas se lo permitieron. Pero Ricitos de Oro no aprendió la lección, todavía se la ve caminando por el bosque, husmeando en las madrigueras y casas de otros animalitos.

El príncipe feliz

Veintitrés de septiembre

El príncipe feliz en verdad fue feliz. Hace mucho tiempo vivía en un palacio donde nunca faltaba la comida. Su palacio era tibio en invierno y fresco en verano. Cuando murió, todos quienes lo querían le hicieron una estatua para recordarlo. Pero no era cualquier estatua. Era enorme, alta y majestuosa. Sus ojos eran dos zafiros azules y en el puño de su espada destacaba un rubí muy grande. Pero eso no era todo, aunque la estatua era de plomo, toda estaba recubierta de láminas de oro. La enorme estatua estaba en una plaza en medio de la ciudad.

Empezaba el invierno y una golondrina se dirigía hacia Egipto. Se había retrasado y debía alcanzar a sus amigas. Venía volando a toda prisa y decidió descansar a los pies de la estatua. Allí estaba, agitada y con las plumas alborotadas, cuando sintió una gota tibia sobre su cabeza. Le sorprendió que el clima hubiera cambiado tan de repente y miró hacia el cielo. No había lluvia. Miró mejor y notó que las gotas venían de los ojos de la estatua.

—He conocido cientos de cosas raras en mis viajes por el mundo, pero una estatua que llora, nunca.

Viendo que ya era raro que llorara la estatua, no le pareció raro que pudiera hablar. Entonces le preguntó:

—¿Eres tú quien llora? Aquí abajo, una placa dice que eres el Príncipe Feliz.

—Pequeña golondrina, tu habrás visto cosas raras en tu vida, pero yo desde aquí arriba veo solo desgracias y tristezas. Cuando vivía, allá en mi palacio, nunca supe lo que era el hambre o el sufrimiento. ¿Me harías un favor?

La golondrina se conmovió y no lo dudó. Preguntó lo que debía hacer. El Príncipe Feliz le dijo:

—En esa pequeña casa que ves al fondo vive una costurera muy pobre. Su hijo está enfermo y necesita dinero para comprar un remedio. Por favor, llévale el rubí que está incrustado en el puño de mi espada.

La golondrina miró el reloj que llevaba en su ala derecha y le dijo al príncipe que ya estaba atrasada, que sus amigas la esperaban en Egipto. Sacar el rubí le tomaría tiempo. Pero el príncipe logró convencerla.

Con el rubí en el pico, voló la golondrina hasta la ventana de la costurera que dormía a los pies de la cama de su hijo y lo dejó allí en la mesa, al lado de los hilos. La golondrina volvió al lado del príncipe y durmió a su lado para emprender el viaje al día siguiente. Esa mañana vieron a la costurera muy feliz y a su hijo con mejor semblante. La costurera había comprado el remedio y muchas frutas con el dinero que le dieron por el rubí.

—Me marcho, Príncipe Feliz. Fue un gusto conocerte —dijo la golondrina mirando nuevamente su reloj.

—Querida amiga, solo te pido otro favor antes de que te vayas. Desde aquí veo a un joven escritor que no puede terminar su libro porque tiene frío y hambre. No tiene dinero para comprar leña ni comida. ¿Podrías llevarle uno de mis zafiros, es decir, uno de mis ojos?

La golondrina no pudo negarse a pesar de que el invierno estaba por llegar. Voló con el zafiro en su pico y sigilosamente lo dejó en la ventana del joven. Tan pronto levantó la cabeza, el joven vio el brillante zafiro y compró leña y comida.

Volvió al lado del príncipe pero ya sus alas estaban frías. Durmió esa noche esperando que a la mañana siguiente calentara un poco el sol. Pero a la mañana siguiente el príncipe le dijo:

—Golondrina, has sido tan buena conmigo. No quisiera molestarte más. Pero es que desde aquí veo a una pequeña niña que vende fósforos y todos se le acaban de caer al río. Su padre la va a regañar si llega sin fósforos y sin dinero. ¿Le llevarías mi otro ojo, por favor?

Nuevamente, la golondrina no se pudo negar y llevó el otro ojo a la niña. Ella pensó que era una hermosa piedra y se la llevó a su padre.

La golondrina al ver que su amigo había quedado ciego, decidió que lo acompañaría para siempre, que sería sus ojos y su compañía.

Rapunzel

Veinticuatro de septiembre

Esta era una mujer que vivía con su esposo justo al lado del castillo de una bruja malvada. Desde su ventana se podía ver el jardín de la bruja. Crecían rosas, manzanas y hermosos rábanos. La mujer estaba embarazada y, como a la mayoría de mujeres embarazadas, le dieron antojos. Pero a esta no le dieron antojos de chocolates o langostinos, ella solo quería comer de los rábanos que veía desde su ventana, solo quería los rábanos que crecían en el jardín de la bruja. Su esposo la amaba tanto que saltó el muro y robó un racimo de rábanos.

Pero la bruja lo vio y lo obligó a darle a su hijo cuando tuviera doce años, si no lo hacía lo embrujaría a él y a su mujer por semejante atrevimiento. El pobre hombre estaba tan asustado que aceptó.

Tuvieron una hija a la que llamaron Rapunzel. Eran felices hasta que la niña cumplió doce años y la bruja se la llevó. La encerró en lo más alto de la torre de su horrible castillo. Pero esta torre no tenía puertas ni escaleras, solo una pequeña ventana. Cada vez que la bruja subía a llevarle algo de comer a Rapunzel, le pedía que soltara su larga, fuerte y hermosa trenza por la ventanilla. Así, la bruja subía cada día trepando por la trenza de Rapunzel.

Una tarde, un príncipe pasó cerca del castillo de la bruja y vio asomada por la ventanilla a la hermosa Rapunzel soltando su trenza para que la bruja subiera. El príncipe se enamoró y la visitaba todas las noches, subiendo como subía la bruja. Pero la muy malvada se enteró y le cortó la trenza a Rapunzel y, como si fuera poco, la abandonó en un lejano lugar del bosque. Cuando el príncipe se enteró, se enfrentó con la bruja, pero esta lo empujó y fue a dar encima de los rosales. Las espinas hirieron sus ojos y lo dejaron ciego.

El príncipe, desconsolado, no quiso volver a su castillo y deambuló durante muchos días por el bosque. Pero su tristeza se disipó cuando escuchó los cantos de su amada. Siguió el sonido de su voz y la encontró. Rapunzel lo abrazó y fue feliz. Sus lágrimas de amor y alegría cayeron en los ojos del príncipe, devolviéndole la vista. Desde entonces viven felices en su castillo y cultivan las más hermosas flores y los más suculentos rábanos.

El rey barba de tordo

El rey de este cuento tenía una hija excepcionalmente hermosa, tan hermosa como arrogante y vanidosa. Pensaba que ningún hombre del reino era suficientemente bueno y guapo para casarse con ella. Un día, su padre hizo una reunión para que todos los pretendientes de su hija se presentaran y ella pudiera elegir. Todos se formaron en fila. Ella pasó mirando uno a uno. Este le pareció demasiado alto, aquel demasiado gordo, el de más acá muy viejo, el de más allá calvo. Pero no le bastaba con rechazarlos, además les ponía apodos y se burlaba de ellos. Eso ocurrió especialmente con el último pretendiente: un rey de barbilla puntiaguda. La princesa lo señaló y le dijo:

—Parece que tuvieras en la barbilla un pico de pájaro. ¡Tienes en la barbilla un pico de tordo!

Desde ese día, todos lo llamaron «el rey barba de tordo».

El padre de la hermosa y arrogante princesa no podía aguantar más y quiso darle una lección: le dijo que se casaría con el primer mendigo que pasara por el castillo al día siguiente. La princesa no le creyó, pero así ocurrió. Pasó un músico pidiendo limosna y el rey le entregó a su hija.

El mendigo era un buen hombre pero muy pobre. Trabajaba mucho para poder comer y la princesa no era una ayuda, pues no sabía tejer, ni cocinar, ni encender el fuego. De cualquier manera tuvo que aprender y con el tiempo terminó trabajando en la cocina del rey: su antigua casa. Allí guardaba las sobras en sus bolsillos y con eso se alimentaba.

Un día hubo una fiesta y ella miraba desde una esquina de la cocina recordando los buenos tiempos y arrepentida de su arrogancia. De pronto un invitado la vio y la invitó a bailar. Ella intentó correr para esconderse, pero en ese momento las sobras de comida salieron de sus bolsillos. Todos en la fiesta se burlaron y la señalaron. No podía estar más avergonzada la princesa. Mientras recogía las sobras, el mismo hombre que la invitó a bailar se agachó y le dijo:

—Soy tu esposo, el mendigo. En realidad, soy el rey barba de tordo. Tu padre y yo quisimos darte una lección. Creo que ya entendiste el daño que haces a otros cuando te burlas de ellos.

La princesa se convirtió en una mujer generosa y amó el resto de su vida a su querido esposo, el rey barba de tordo.

El cojo y el ciego

Veintiséis de septiembre

Eran dos hombres que debían llegar a un compromiso importante en una ciudad vecina. Uno de ellos era ciego y el otro cojo. Ambos caminaron sin mayor dificultad buena parte del camino, hasta que se encontraron con un río. El cojo le dijo al ciego:

—Amigo, hay una parte del río que no es honda, pero mis piernas no me permiten atravesarla.

El ciego le respondió:

—Mis piernas podrían hacerlo, pero temo resbalar ya que no puedo ver donde piso.

Ambos pensaron entonces en la mejor y más segura forma de cruzar el río y el cojo le dijo al ciego:

—Se me ocurre una idea: tú serás mis piernas y yo tu vista.

Ayudándonos mutuamente podremos cruzar el río. Así fue que el cojo se acomodó sobre los hombros del ciego y guió el camino. Resolvieron la dificultad y llegaron a tiempo al compromiso en la otra ciudad.

Los dos amigos y el oso

Veintisiete de septiembre

Camilo y Héctor eran amigos. Jugaban fútbol y hacían tareas juntos. Un día, decidieron ir a acampar. Ya en el bosque, mientras estaban instalando la carpa, se acercó un oso. Héctor corrió hacia un árbol y como pudo trepó hasta una de las ramas más altas. Camilo, en cambio, estaba un poco desconcertado pero recordó que los osos solo atacan a las presas vivas, por lo tanto se tiró al piso, contuvo la respiración e intentó no mover un solo músculo. El oso se acercó mucho, incluso olfateó a Camilo. Camilo pensó que era su final, pero estuvo tan quieto que el oso supuso que estaba muerto y se fue. Cuando Héctor vio que ya no había peligro, bajó del árbol y quiso bromear sobre lo ocurrido, diciéndole a su amigo:

—Vi que el oso se te acercó al oído, ¿te dijo algún secreto? Camilo no estaba para bromas y le respondió:

—Sí, me dijo que la próxima vez eligiera mejor a mis amigos. Me dijo también que un buen amigo no es aquel que sale corriendo, dejando a su compañero solo a la hora de enfrentar el peligro.

El sabueso y el caballo

Veintiocho de septiembre

Un sabueso y un caballo trabajaban para un cazador. El cazador quería cazar liebres. El sabueso guiaba siempre al cazador a guaridas de osos furiosos, leones, tigres, pumas, alces energúmenos, nunca liebres. El caballo lo ayudaba a escapar veloz, pero si por casualidad se cruzaban con una liebre, corría igual de despavorido. El cazador decidió echarlos. «¿Y ahora qué vamos a hacer?», le preguntó el caballo al sabueso. «Tú hazte el muerto», respondió, y se fue a buscar a un puma hambriento. Cuando lo encontró, le dijo: «Acá cerca acaba de morirse un caballo. Quizás te aproveche su carne». «Gracias, ¿pero cómo lo traeré hasta acá? Es muy pesado», le dijo el puma. «Yo te lo amarro a la cola, así lo traes arrastrado», respondió el sabueso. Cuando ya estaban puma y caballo amarrados de la cola, el sabueso le gritó al caballo: «¡Corre por tu vida!» El caballo salió corriendo tan rápido como pudo hasta la casa del cazador. Cuando el cazador vio que le traían un puma, entendió lo que querían decirle su sabueso y su caballo. «Si quiero ser un valiente cazador, debo cazar animales más fuertes que yo», pensó.

La bella durmiente

Veintinueve de septiembre

Bella se llamaba la hermosa hija del rey y la reina de un país magnífico. Cuando nació, sus padres ofrecieron una fiesta enorme e invitaron a las seis hadas que cuidaban el reino. Cada hada le dio un regalo a Bella. Con un golpe de la varita en la frente, las hadas anunciaron su regalo: «Serás la más bella», «Serás la más noble», «Serás la más dulce», «Cantarás como un ruiseñor», «Caminarás como una gacela», «Tocarás el arpa como los dioses».

Brindaban y bailaban todos, cuando apareció la bruja del reino y anunció su regalo: «Te pincharás con una aguja y no despertarás hasta dentro de cien años, cuando un príncipe te dé un beso».

El rey mandó a botar y desaparecer hasta la más pequeña aguja del reino. Pero cuando Bella creció, entró a uno de los cuartos del castillo y allí vio a una anciana cociendo. Bella nunca había visto cómo se cocía y se acercó a la anciana sin sospechar siquiera que se trataba de la malvada bruja. Bella se pinchó

y cayó en un sueño profundo, tal y como había sido anunciado cuando nació. Todos en el reino lloraron ante esta desgracia y una de las hadas hizo que todos los habitantes del reino durmieran los mismos cien años para no vivir con este dolor.

Pasaron los años y el bosque invadió el reino. Muchos príncipes estuvieron cerca, pero ninguno se percató del reino que se escondía debajo las ramas, raíces y arbustos espesos.

Ocurrió un día que un príncipe iba en su caballo y este perdió el rumbo. De un momento a otro estaban perdidos en el bosque y decidieron acampar hasta el día siguiente. Cuando el príncipe recogía leña para hacer fuego encontró a Bella, tan bella como hace cien años. El príncipe no pudo resistirse ante tanta belleza y, tímidamente, le dio un beso en la mejilla. Bella abrió sus hermosos ojos verdes y se enamoró del príncipe. Poco a poco todo el reino despertó del sueño y comenzaron a vivir nuevamente, como si solo hubiera transcurrido una noche.

Blancanieves y los siete enanos

Treinta de septiembre

Lisa tenía siete años. Su piel era blanca como la nieve y su pelo negro como la noche. Todos los días peinaba su abundante cabellera con un cepillo que le regalaron al nacer. Un día apareció un bonito peine en su tocador y quiso probarlo. Era un peine mágico. Estaba envenenado. Lisa cayó en un sueño profundo y todos pensaron que había muerto. Sus padres la lloraron días y noches, y la pusieron en un ataúd de cristal. Pasaron los años y todos en la ciudad la veían crecer en medio del sueño, hasta convertirse en una bella adolescente.

Lisa tenía una prima lejana de muy malos sentimientos, tanto que sentía envidia de la belleza dormida e inofensiva de Lisa en su ataúd de cristal. Un buen día la prima rompió el cristal y le haló el pelo; sin darse cuenta le arrancó el peine. Inmediatamente se rompió el hechizo y Lisa despertó. Todos estaban felices y colmaron de regalos y abrazos a la prima envidiosa. Pensaron que había sido su amor el que hizo romper el hechizo. Pero nadie imaginaba hasta dónde llegaría la envidia de la prima. Ahora que la belleza de Lisa opacaba la de cualquiera, se encargó de hacerle la vida imposible e inventó horrorosas mentiras sobre ella. Lisa no soportó más y se fue a llorar al bosque. Allí la encontraron unos enanos muy alegres y simpáticos que trabajaban en una mina cerca del bosque. Lisa les contó su desventura y los duendes la invitaron a vivir con ellos y empezar una nueva vida. La llamaron Blancanieves. Los días pasaban felices para todos: Blancanieves cuidaba de sus nuevos amigos y ellos trabajaban con más entusiasmo.

Un día, mientras Blancanieves recogía fresas en el bosque para hacer una torta, se encontró con un príncipe que ayudaba a las doncellas en problemas. Esta vez Blancanieves era una doncella sin apuro alguno. Eso, junto con su belleza y alegría, hizo que el príncipe se enamorara de ella. Pasado algún tiempo se casaron, pero Blancanieves seguía visitando a sus amigos enanitos en agradecimiento porque tiempo atrás la habían sacado de su tristeza.

Octubre

La cobra blanca y el ankus del rey

Primero de octubre

Mowgli convenció a Kaa, la serpiente pitón, de que lo acompañase de nuevo a la ciudad perdida de los humanos. Después de la experiencia con los micos locos, nadie quería saber nada de esos territorios. Solo Mowgli, por su insaciable curiosidad, quiso volver a ver el escondrijo brillante. En aquella ocasión había visto de reojo un brillo que ahora se le aparecía de nuevo en sueños. Kaa aceptó acompañarlo a cambio de largos masajes en su larguísima espalda. Parece que los pies de Mowgli eran magníficos en esa labor.

Cuando quisieron entrar al escondrijo que recordaba Mowgli, oscuro como noche nublada sin luna, escucharon una voz susurrante que les heló la sangre: «¿Quién osa entrar a la cámara del tesoro del rey?». «Buena suerte y buena caza, hermana», dijo Kaa, que había reconocido el dialecto selvático de las cobras blancas.

«Buena suerte, hermana... aunque no pueda desearte buena caza. La vida de todo ser vivo que ose entrar a la cámara del tesoro del rey, termina acá mismo. Nadie ha salido con vida a contar lo que acá ha visto».

Los ojos de Mowgli empezaban a acostumbrarse a la oscuridad. En el piso vio huesos de humanos y de animales sobre riquezas sin nombre: piedras preciosas, objetos de oro, monedas, joyas.

En el centro de la habitación alcanzó a distinguir la silueta erguida de una serpiente cobra gigante. Tenía un color blanco, casi fluorescente, enfermizo, desolado. Dijo Kaa: «Hermana, en la superficie no existe ya nada ni nadie. Solo ruinas y recuerdos antiguos. Tu rey ha muerto hace

siglos». «Mis promesas no mueren con los hombres. Mientras respire nadie saldrá vivo de esta cámara, que es también mi tumba. Yo misma no saldré viva de acá».

Mowgli agarró un objeto punzante. La cobra se irguió aún más, haciéndose de casi dos metros de alta, con su cuello erizado atemorizante. «Una serpiente pitón pareja de un humano. Psssss —se rió la cobra—. Creí que ya mis viejos ojos no verían nada nuevo en la oscuridad de mi tumba». «No es un humano cualquiera.

Es Mowgli, la rana, hijo de lobos», dijo Kaa. «¿Qué es este palito brillante?», preguntó Mowgli. «El rastro de la muerte acompaña a ese ankus. Con él, de oro macizo y rubíes, el rey sometía a su elefante». En ese instante la cobra atacó, directo al cuello de Mowgli. No contaba con que los reflejos de Mowgli no eran de humano sino de lobo. Se cubrió la rana, rápida como un rayo, con el ankus. Tiró entonces la cobra su mordida fatal justo sobre el inmenso rubí que coronaba el afilado objeto. Se oyeron sus dientes quebrarse en el extraño eco de la oscura tumba. En el mismo instante, Kaa se lanzó sobre la serpiente. Quedó entonces la cobra sin dientes y aplastada por la pitón de más de diez metros de largo.

Al salir a la luz del sol, Mowgli llevaba el ankus de recuerdo. Kaa le dijo: «No te alcanzará la vida para pagarme todos los masajes que me debes. En nuestro acuerdo no estaba luchar contra una hermana cobra». «Yo no diría que fue una lucha... te bastó con acostarte encima de ella. Además, este brillante palito bien lo valía». «Al fin y al cabo, hombre eres. Solo el humano encuentra interés por algo que no se come. Yo de ti lo dejaría donde lo encontraste. El rastro de la muerte va tras él», dijo la cobra. Terco, así como curioso, Mowgli se llevó el ankus, para darse cuenta más tarde que, en efecto, el rastro de la muerte lo perseguía. Pero esto es parte de otra historia.

El diablo y sus añicos

Dos de octubre

Este era un diablo terrible, bromista y realmente malvado. Un día se le ocurrió hacer un espejo con unas extrañas cualidades: todo lo bello que se reflejaba en él se veía horrible y desfigurado. Así, un hermoso paisaje reflejado en el espejo no era más que un montón de espinacas y brócolis marchitos y putrefactos. Un hermoso rostro con una pequeñísima mancha en la mejilla hacía que en el espejo se viera la mancha en toda la cara, desfigurándola por completo. Se divertía el diablillo con todos sus amigos llevando el espejo de pueblo en pueblo. Pero quisieron probar los poderes del espejo en el cielo para ver cómo se reflejaban los dioses. Subieron con el espejo, pero a medida que iban más alto el espejo se agrietaba, tanto así que en un momento se rompió en millones de pedacitos que cayeron en la Tierra. Los pedacitos eran tan pequeños como granos de sal. Algunos, muchos de ellos, fueron a parar en los ojos de las personas. Esto hizo que esas personas vieran agigantados los pequeños defectos de los demás. Y, lo peor de todo, fue que algunos diminutos trozos cayeron en los corazones. Allí se convirtieron en hielo y es por esto que algunos no pueden amar y otros solo ven defectos en los demás.

El Millalobo

Tres de octubre

En los mares del sur, donde sobrevuelan gaviotines de cabeza negra y cuerpo blanco, existe una isla llamada Chiloé. En esa isla hablan de un animal muy extraño que nació de los amores entre una hermosa mujer y un león marino. A este animal lo llaman el Millalobo. Su cabeza es una mezcla de pez y hombre, la mitad de su cuerpo es también de hombre y la otra mitad es de lobo marino. Está todo cubierto por un pelo corto amarillo y brillante, por eso algunos también lo llaman el lobo de oro. El Millalobo es el dios de los mares, amo y jefe de todos los seres que allí habitan. Siembra algas, peces y moluscos, manda sobre las aguas, ya para calmar las olas, ya para crear maremotos y tormentas.

Muchos dicen que es un ser bueno y que solo sale en ocasiones a disfrutar de los rayos del sol. Pero hay otros que afirman haberlo visto en las playas donde se lleva a las niñas desprevenidas que por allí caminan.

San Bernardo

Cuatro de octubre

El joven y muy guapo Bernardo viajaba camino al monasterio a dedicar su vida a dios. Se hospedó una noche en una hostería del camino. La hija del dueño de la hostería era una joven hermosa. En la noche se escabulló al cuarto de Bernardo con ganas de robarle un beso. Bernardo gritó como loco: «¡Ladrones, ladrones!». Todos en la hostería se levantaron con garrotes y corrieron a buscar a los ladrones. Como nada encontraron, se volvieron a acostar. Pero la chica lo intentó una y otra vez más. Siempre lo mismo, Bernardo gritaba como loco:

«¡Ladrones, ladrones!». Todos se levantaban con garrotes, corrían y nada encontraban. Al día siguiente al desayuno, le preguntaron a Bernardo: «¿Qué te habrá producido pesadillas tan horribles?». «No, si no eran pesadillas, era esta chica atrevida que quería robarme un beso siendo que yo he consagrado mi vida a dios», contestó Bernardo. Ganas tuvieron los mal dormidos comensales de darle su buen garrotazo. Pero alguien se adelantó al tiempo en que Bernardo hizo uno o dos milagros, y dijo: «Déjenlo en paz... quizás sea un santo».

Los gnomos

Cinco de octubre

Desde tiempos inmemoriales, los seres humanos respetaron a los gnomos y los gnomos respetaron a los seres humanos. Ellos vivían en las tierras altas del norte y en los páramos. Hace algunas décadas, un antropólogo y un dibujante convencieron a un gnomo para que se dejara estudiar y retratar. Solo una condición puso el gnomo: «No deben indicar las coordenadas geográficas de los lugares que habitamos». Así hablan los gnomos, así habló este gnomo. El antropólogo y el dibujante publicaron en su libro un mapa, con colores y sin coordenadas. No habían entendido que justo a eso se refería el gnomo en su particular manera de hablar.

Nada de mapas quería él. Ya los últimos abuelos que contaban sobre los gnomos han muerto. En las tierras altas del norte y en los páramos donde antes vivían ya no queda rastro de ellos. Muchos hombres viajaron a los lugares que indicaban los colores del mapa con ganas de fotografiarlos, pero nada encontraron. Hoy día se piensa que el libro del antropólogo y el dibujante es una fantasía. La única señal cierta que tenemos de su existencia, es que se mantienen escondidos.

La Candileja

Seis de octubre

Era una abuelita muy buena pero demasiado alcahueta y consentidora de sus nietos. Los nietos abusaban de la bondad de la abuelita, hasta el punto de que un día quisieron jugar al caballo y no se les ocurrió otra cosa que pedirle que se agachara y fuera para ellos el caballo. Los niños la ensillaron y anduvieron por toda la casa en su espalda.

Cuando la abuelita murió, san Pedro la regañó por haber sido tan alcahueta y no haberles puesto límites a los niños. La convirtió entonces en una bola de candela con brazos de fuego. Por las noches la Candileja, conocida así por todos, persigue a los borrachos, a los ladrones y sobre todo a los adultos que no saben ponerle límites a los niños.

Medusa

Siete de octubre

Medusa era una hermosa mujer, de ojos negros y vivaces y abundante y luminosa cabellera. Tan hermosa era que el dios Poseidón se enamoró de ella y la besó apasionadamente en el templo de Atenea. Los templos de los dioses son sagrados y no deben ser usados más que para adorarlos. Atenea se enfureció de tal manera que convirtió a Medusa en un ser horrendo: con colmillos de jabalí, manos como garras de bronce y una luz en sus ojos tan espeluznante que quien la mirara directamente quedaba convertido en piedra. Y así como los dioses se enfurecen, lo hemos visto, también sienten celos, envidia y rencor. Afrodita, la hermosa Afrodita, siempre había sentido envidia por la hermosa cabellera de Medusa y aprovechó el castigo de Atenea para ella también castigarla, convirtiendo su pelo en un enjambre de culebras. El castigo no

podía ser peor. Medusa se convirtió en un ser feo, desalmado y peligroso. Medusa se fue a vivir a una cueva oscura y lejana. Todo aquel que allí llegaba era convertido en piedra por su mirada. Su fin tuvo lugar cuando el valiente Perseo llegó hasta su morada usando unas sandalias con alas y, mirándola en el reflejo de su escudo para evitar ser petrificado, le cortó la cabeza. La sangre de Medusa fue guardada por los dioses nadie sabe por qué, aunque algunos dicen que tiene el poder de la inmortalidad.

Frankenstein

Ocho de octubre

Víctor Frankenstein era un científico. Cuando pequeño, su padre le leía un cuento que le fascinaba: Pinocho. Cuando rezaba, le pedía a su madre que le contara una y otra vez cómo era que dios había creado a los humanos con arcilla. Unos años más tarde ya no preguntaba por Pinocho o por dios, ahora leía sobre experimentos con electricidad y rayos durante las tormentas. Se desveló intentando responder muchas preguntas: ¿Cómo surge la vida? ¿Quién puede dar la vida? ¿Solo dios puede encargarse de la creación?

Pasaron los años y Víctor no paraba de hacer experimentos. Pero no lograba responder a sus dudas, así que intentó crear a un hombre él mismo. Después de varios ensayos, Víctor creó a un hombre y le dio vida a través de la electricidad de un rayo. Estaba feliz, pues supo que no solo dios puede crear seres humanos, o que tal vez él mismo era como un dios que crea y da vida. Pero no duró su felicidad. El ser que había creado era feo y deforme, hecho de retazos; era, después de todo, un experimento. Asustaba a todos en la calle, era despreciado y abominado. Este hombre monstruo, al que todos llamaban Frankenstein, pues este era el apellido de Víctor, se fue volviendo un ser solitario y triste. Le echó la culpa de su desgracia a su creador y quiso vengarse. Amedrentó y lastimó a los seres más queridos y cercanos de Víctor.

Víctor huyó al Polo Norte temiendo su muerte en manos de su propia creación. Pero hasta el Polo Norte llegó Frankenstein y allí mismo dio muerte a aquel que le había dado la vida. En medio del desespero y la tristeza por lo que había hecho, Frankenstein se lanzó al mar frío y nunca más se supo de él.

Tundama y el jaguar

Nueve de octubre

El cacique Tundama fue uno de los guerreros más valientes que haya existido nunca. Fue incansable en su lucha. Se negaba a morir hasta no vencer la guerra contra los españoles. Una noche, mientras descansaba sin dormir, siempre atento, un jaguar se acercó a él y le dijo: «Tundama. Es hora de partir. Has sido grande. Has sido justo y valiente. Pero nadie puede negar la hora de su muerte». Tundama se restregó los ojos y vio el resplandor del jaguar bajo la luna. Sus colores y su pelaje estaban cubiertos de polvo de oro. Pudo ver entonces Tundama que había perdido la guerra. Se despidió de sus seres queridos y con los ojos llenos de lágrimas se subió al lomo del jaguar. Antes de fundirse en un enceguecedor destello lunar, se vio a Tundama convertirse en un jaguar dorado.

Los diablos de la Isla de Pascua

Diez de octubre

Era un día de mucho calor en la Isla de Pascua. Unos diablos que allí vivían decidieron quitarse la ropa para refrescarse y dormir un poco. Los diablos nunca, nunca se quitaban la ropa, porque sus cuerpos no tenían carne, solo se veían sus huesos y esto les daba vergüenza. Mientras dormían pasó un joven y le sorprendió fuertemente esta imagen y se le quedó grabada en su memoria. Un diablo despertó y entre gritos le dijo al joven que jamás podría hablar sobre lo que había visto. Si contaba a alguien sobre sus formas, ellos mismos se encargarían de matarlo. El joven juró no decir una palabra sobre lo ocurrido. Los diablos, para asegurarse, lo siguieron durante muchos días, lo vigilaban y escuchaban sus conversaciones. El joven sabía que por allí andaban los diablos y se cuidó de no decir nada. Cuando los diablos sintieron que su secreto estaba a salvo, se fueron. El joven, que no podía sacar esa imagen de su memoria, cogió un trozo de toromiro, un árbol que crecía en esta isla, y talló en el tronco la figura de los escuálidos y ridículos diablos.

Así, el joven encontró una manera de comunicar a los demás cómo eran los diablos, sin decir una sola palabra.

El Mohán

Once de octubre

En lo más profundo del río Magdalena vive un ser aterrador, es una fiera negra, sus ojos son del color del fuego y sus colmillos del color del oro, tiene una cola larga y peluda y unas garras sucias y afiladas.

Le gusta hacerle maldades a los pescadores: les roba las carnadas y los anzuelos, rompe sus redes y voltea sus botes. A las mujeres que lavan la ropa a la orilla del río, las asusta y les roba camisas y pantalones.

Todos por allí llaman a esta fiera el Mohán.

Esta fiera puede convertirse en un hombre de largas cabelleras, que fuma tabaco, come arequipe y tiene anillos en todos sus dedos. Cuando tiene esta forma de hombre se va a las cantinas de los pueblos y conquista mujeres que después lleva al fondo del río, donde las encierra en oscuros calabozos.

Todos por allí hacen rezos para alejarlo, pero ninguno funciona. Todos por allí prefieren dejar arequipe y tabaco en la orilla del río Magdalena.

El ankus del rey y el rastro de la muerte

Doce de octubre

Mowgli se llevó entonces aquel ankus del rey custodiado por la cobra blanca, desoyendo su advertencia, que tras ese ankus iba el rastro de la muerte. Desoyendo también el consejo de Kaa, que le dijo que había que hacerle caso a la cobra. Cuando llegó a casa, su hermana Bagheera le preguntó también por ese palo afilado y brillante. «No seas humano —le dijo Bagheera—. Solo los humanos sienten esa estúpida devoción por algo que no se come». «Lo mismo dijo Kaa», respondió Mowgli.

Bagheera no gustaba mucho de ser comparada con nadie, y mucho menos con una serpiente. Agarró con un gesto más rápido que un rayo el ankus y lo tiró tan lejos como pudo. «Sabes que te quiero, hermanito, pero si vuelves a compararme con un lagarto sin patas, puedo romperte el cuello». Con la tranquilidad usual y bostezando, le contestó Mowgli: «Lo siento hermanita… no me rompas el cuello, pero no olvidarás aquella vez que el lagarto sin patas te salvó de una manada de micos desquiciados…». Ya sabía Bagheera que era imposible discutir con el cachorro humano. Bostezó también y antes de cerrar los ojos se limitó a decir: «Puedo no ser tan temida como la serpiente, pero al menos no arrastro la barriga por el suelo».

Al día siguiente, Mowgli fue a buscar el ankus. Encontró el suelo apisonado donde había caído el pesado objeto, pero alguien se lo había llevado. Rápidamente se dio cuenta del rastro de un humano. «Raro que hayan llegado tan lejos de su territorio los humanos», pensó. Siguió el rastro hasta algunos kilómetros más lejos, en dirección a una aldea humana. De pronto encontró señales de lucha y una mancha de sangre. A unos metros, el cadáver de un hombre. Ya no tenía el ankus con él. El nuevo rastro tenía varios pies, cuatro o quizás cinco hombres. A algunos cientos de metros encontró dos hombres muertos. El rastro seguía, esta vez alejándose de la aldea humana. Sintió algunas voces y llegó hasta un lugar donde acampaban tres hombres. Se escondió a observar.

Al poco rato hubo una discusión y otro hombre cayó muerto.

Los otros dos salieron corriendo en la noche. Más adelante uno de ellos mató al otro con el ankus. Y siguió corriendo como loco, con tanto desespero en la oscuridad que no se dio cuenta de caer en las fauces de unas hienas hambrientas. Después de la cena, las hienas olfatearon con curiosidad el ankus manchado de sangre y siguieron su camino. Mowgli se acercó y recogió al ankus. «Vaya que es verdad que la muerte va detrás tuyo, objeto frío e incomestible». Y asustado, lo lanzó al fondo de un río.

La Llorona

Trece de octubre

Solo aparece entre las ocho de la noche y las cinco de la mañana. No hace daño a nadie, pero sus lamentos asustan y quitan el sueño. La Llorona es una mujer que carga un niño. Al parecer, fue castigada y condenada a deambular por algunos lugares pantanosos, solitarios y oscuros. Pero algunos dicen que hay que tener cuidado, pues la Llorona puede aparecer y pedir que le carguen el niño por un momento y quien lo recibe asume el castigo y se convierte en la Llorona. Afortunadamente, entre las ocho de la noche y cinco de la mañana estamos durmiendo en una cama tibia y no deambulamos entre pantanos.

La Quimera

Era un animal horrendo. Tenía tres cabezas: una de león, otra de cabro y una de dragón en la cola. Echaba fuego por cualquiera de sus cabezas, tenía el cuerpo de una cabra y corría muy rápido. Asolaba distintas regiones de Asia Menor, pues se comía los rebaños y los animales.

Nadie sabía cómo derrotar a Quimera. Hasta que un buen día el dios Belerofonte, con la ayuda de Pegaso, su caballo alado, la vencieron con flechas de plomo. El fuego que la quimera lanzaba se mezclaba con el plomo de las flechas y su cuerpo se fue derritiendo poco a poco. Por fin podían vivir en paz los habitantes de estas regiones, que después fueron fértiles y prósperas.

El hombre lobo

Quince de octubre

En las estepas nevadas del norte del planeta, viven los lobos grises. Todos los meses, en las noches de luna llena, los lobos le cantan a la luna, se emborrachan, se pelean, hacen bulla, corretean, persiguen los trenes, perturban el sueño de los osos.

Las noches de luna llena, en el norte del planeta los seres humanos se esconden en sus casas y cierran las puertas con trancas. Porque si un hombre tiene una pelea con un lobo gris, en una noche de luna llena, y sobrevive, queda convertido en hombre lobo.

Es una enfermedad que tienen los lobos desde antes del olvido, la enfermedad de la luna. Si el hombre es infectado por esta enfermedad, se convierte en lobo por una noche todos los meses, la noche de luna llena. Y entonces sale esa noche a cantarle a la luna, se emborracha, pelea, hace bulla, corretea, persigue trenes, perturba el sueño de los osos.

O, al menos, eso es lo que cuentan las leyendas de esas tierras nórdicas.

El cascabel del gato

Dieciséis de octubre

Ocho ratoncitos vivían en una cocina en la que siempre había muchos quesos y galletas. Todos vivían felices, solo que tenían que estar atentos cada tanto al gato enorme y peludo que merodeaba por allí. Un día, el ratoncito gordo que vivía en el cajón de los dulces estuvo a punto de ser atrapado por el gato. Esa misma noche convocó una reunión con los otros siete ratones para resolver la situación: «No podemos seguir viviendo así, debemos buscar una solución». Un ratoncito de chaqueta morada saltaba con la mano levantada: «Pido la palabra», decía. Cuando lo dejaron hablar, opinó: «¿Por qué no le ponemos un collar con un cascabel al gato? Así siempre sabremos cuando esté cerca y no podrá tomarnos por sorpresa». Todos aplaudieron la ingeniosa idea, los que vivían detrás de las botellas de vino bailaban y se revolcaban de alegría. Otro ratón en silencio y pensativo tomaba nota de la inteligente propuesta. De repente el baile, los aplausos y el canto pararon cuando el ratón más viejo les preguntó: «Muy bien, ¿y quién le pone el cascabel al gato?» El silencio fue largo y cada ratoncito volvió a su cajón.

La Patasola

Diecisiete de octubre

La noche era oscura, muy oscura. El silencio era total. Ni ranas, ni grillos ni chicharras se escuchaban esa noche oscura y silenciosa. Un hombre intentaba llegar a su casa después de una larga jornada de trabajo. Su esposa era muy celosa y cada vez que él se demoraba, lo recibía con un gran regaño y sin comida. El hombre atravesaba el bosque para llegar lo más pronto posible, pero no veía nada. Sacó la linterna de su mochila pero de pronto dejó de funcionar. El hombre empezó a sentir miedo, caminaba torpemente y se tropezaba con una rama, con una piedra, con un tronco.

De pronto, escuchó un ruido. No eran las ranas, ni los grillos, ni las chicharras. Era un canto dulce y melodioso. Era un canto de mujer. El hombre se sintió embrujado y caminó guiado por la voz. Cuando la voz cesó, se encontró frente a una mujer, pero la mujer no era bella como su voz. La mujer era espantosa y lo peor de todo, solo tenía una pierna. El hombre intentó salir corriendo, pero la mujer saltaba en su pata como si fuera un veloz canguro. De tres saltos lo atrapó y se lo comió.

Todos en el pueblo hablan de esa mujer que atrae a los hombres que deambulan solos a altas horas de la noche. Por eso en ese pueblo los hombres llegan temprano a sus casas y no escuchan otra voz de mujer que no sea la de su esposa. Todos los hombres en ese pueblo le temen a la Patasola.

Dulcinea del Toboso

Dieciocho de octubre

Érase un hombre, o un loco quizás, llamado don Quijote de la Mancha. Loco, o caballero, don Quijote era de un lugar de la Mancha del cual parece que nadie quiere acordarse. Caballero, o enamorado, don Quijote de tanto leer novelas de aventuras, de dragones y doncellas, parece que perdió la cabeza. O eso dice al menos su familia. El asunto es que don Quijote salió un día a cabalgar con su caballo blanco y su fiel escudero. El propósito no era otro que salvar doncellas, combatir dragones y vivir las aventuras que todo caballero debe vivir.

Llamaba la atención, sin embargo, que en aquel entonces ya nadie había vuelto a hablar de dragones. De las doncellas no quedaba rastro. De los caballeros solo quedaban dibujos en aquellos viejos libros que tanto atesoraba don Quijote. Y bueno, don Quijote mismo no lucía como un caballero, quizás como una escoba con brazos y patas de lo huesudo y pálido que era. Su fiel caballo blanco Rocinante estaba viejo y acabado, era blanco más bien, por lo pálido y empolvado. Su escudero, el bueno de Sancho Panza, era un criado fiel al que había enviado la familia de don Quijote para asegurarse de que si bien había aventuras, que no fueran dañinas para la salud del hombre de la Mancha.

Así apareció entonces Dulcinea del Toboso. No habiendo rastro de doncellas, don Quijote bautizó a la doncella de sus sueños. Una vecina, hija de vecino, más bien desdentada y gordinflona, tan doncella como caballero era don Quijote, corcel era Rocinante y escudero era Sancho Panza.

La Madremonte

Diecinueve de octubre

Solo unos campesinos la han visto, pero muchos la han escuchado. Dicen que es una mujer grande y fuerte, que su rostro no se puede ver porque lo tapa un enorme sombrero, que su cuerpo está lleno de plantas, hojas y musgo. En las noches oscuras y de lluvia se escuchan sus gritos y lamentos. Asusta a los que roban en los campos y castiga a los que invaden las tierras de otros. Para protegerse de las apariciones de la Madremonte, es bueno caminar por el campo fumándose un tabaco y si eres muy pequeño para un tabaco, es importante ir rezando la oración de san Isidro Labrador, el santo que protege a los campesinos y trabajadores.

El ave Fénix

Veinte de octubre

Existe en un lejano país un pájaro muy extraño. Le llaman el ave Fénix, es grande como un águila y tiene hermosas plumas doradas alrededor de su cuello. Su cuerpo es color púrpura y su cola es azul con algunas plumas rosadas. Solo se alimenta del rocío y no lastima nunca a criatura alguna.

Cuando cumple quinientos años vuela hasta un sitio aún más lejano y allí hace una especie de nido con hermosas hojas secas y especias con deliciosos aromas. Allí se tiende a esperar que los rayos del sol quemen las hojas y el fuego lo consuma a él, pluma por pluma. Después quedan solo cenizas, ni un rastro de aquel pájaro grande y suntuoso. Pero pronto se ve salir de las cenizas a un gusanito, al segundo día este gusanito se transforma en un pequeño pájaro, y al tercer día el pajarito se transforma en un ave grande como un águila con plumas doradas en su cuello y cola azul y rosada. Es el ave Fénix que ha renacido de sus propias cenizas, hasta dentro de quinientos años más.

Las parcas

Veintiuno de octubre

Clotilde, Laritza y Antropina son tres brujas. Algunos dicen que son hechiceras, otros dicen que son hadas, unos pocos dicen que son diosas y por ahí andan diciendo que de verdad verdad, son demonios. Lo que sí es cierto es que son hijas de dos dioses: Zeus y Temis. Algunos dicen que son espantosamente hermosas y otros pocos dicen que son perfectamente feas. Lo que sí es cierto es que las tres son hilanderas. Las tres tejen nuestras vidas, nuestro destino y deciden nuestra muerte. Tienen razón todos aquellos que dicen lo que dicen de estas tres hermanas, a las que llamaremos parcas. Clotilde es la más joven, ella tiene siempre un ovillo de lana. Nuestra vida es ese ovillo. Cuando está listo se lo pasa a Laritza. Depende de su genio qué tan largo sea el hilo que representa nuestra vida. Si Laritza durmió mal, probablemente ese hilo no sea más largo que el cordón de tu zapato. Si tuvo buenos sueños muy seguramente el hilo será tan largo como la pita de tu cometa. El largo de ese hilo es el tiempo de vida que las parcas nos dan. A la última, la más vieja de las hermanas, todos le temen. Antropina tiene unas tijeras. Todos le temen a las tijeras de Antropina. Con esas tijeras Antropina corta el hilo de nuestras vidas. El hilo de la vida puede ser tan corto como de tres años y puede ser tan largo como de 120 años. Todo depende de las parcas.

Cómo llegó el miedo

Veintidós de octubre

Al comienzo de los tiempos, todos los animales vivían en paz. Todos los seres vivos se alimentaban de frutas y de manjares que regalaba la madre tierra, la madre selva.

Un animal era diferente a los demás. Lo llamaban hombre. El hombre era lampiño. Pasaba frío. No tenía garras para subirse a los árboles. Dormía en cavernas oscuras. No tenía colmillos para desagarrar las raíces y beber su savia. No tenía fuerza, ni era rápido, ni era ágil. Pasaba hambre.

Durante una tormenta eléctrica, un rayo incendió un árbol al frente de la caverna donde el hombre se escondía. Así el hombre descubrió el fuego. Supo cómo alimentarlo y cuidarlo. El fuego se volvió su atributo más preciado. Una noche el tigre, que en el comienzo de los tiempos no tenía rayas, se acercó curioso al fuego del hombre. El hombre lo miró con desconfianza. El tigre acercó su nariz al fuego y se le quemaron los bigotes. El hombre, temeroso de que se robaran su fuego, sintió miedo. Entonces sacó del fuego un palo incandescente y lo lanzó contra el tigre. El tigre se quedó paralizado del dolor y sintió miedo también. El hombre agarró otro palo del fuego. El tigre, enloquecido de miedo, saltó contra el hombre y le rompió el cuello.

Al ver lo que había hecho y sentir el olor de la sangre, que hasta entonces nadie conocía, el miedo se apretó contra sus huesos y su corazón. Huyó entonces a esconderse en lo más profundo de la selva. Pero ya el miedo había llegado al mundo para nunca irse. Lo que el tigre no sabía era que del miedo no podía nadie esconderse.

El murciélago y la comadreja

Veintitrés de octubre

Volaba distraído un murciélago enamorado. Iba pensando en el olor de su amada cuando se estrelló contra un árbol y fue a dar a la tierra, justo al lado de una comadreja. La comadreja dijo: «Es mi día de suerte, la comida me cae del cielo».

El murciélago le rogó que no se lo comiera, pero la comadreja le dijo que tendría que hacerlo, ya que toda la vida las comadrejas habían sido enemigas de los pájaros. El murciélago le respondió: «Pero si yo no soy un pájaro, soy un ratón».

La comadreja lo miró y le dio la razón. Continuó volando el feliz y astuto murciélago enamorado, pero nuevamente se estrelló con otro árbol y cayó otra vez al lado de una comadreja. El murciélago le suplicó que no se lo comiera y esta le respondió: «Te voy a devorar porque odio a los ratones».

El murciélago entonces le aseguró que no era ratón sino pájaro. Y se libró así por segunda vez.

El conde Drácula

Veinticuatro de octubre

En la antigua Rumania vivió un conde llamado Drácula.

En su tiempo fue un valiente guerrero que defendió a su pueblo, Transilvania, de ataques de pueblos bárbaros. De vuelta de una de sus campañas guerreras, se encontró con la triste noticia de la muerte de su esposa. Drácula había amado mucho a su bella esposa. Su muerte lo postró en una tristeza infinita.

No quiso ver más la luz del sol ni comer alimento alguno, solo quería morirse. Pero a la muerte no le gusta ser llamada. La muerte llega solo cuando a ella se le antoja. Drácula dormía todo el día dentro de un ataúd, llamando y tentando a la muerte. La muerte llegaba y lo miraba y lo despreciaba.

Tanto tiempo pasó en este juego que el conde Drácula, enfermo de amor, quedó muerto en vida. Pálido y flaco como un muerto. Desencantado y triste como un muerto.

Tan triste y patético que la muerte misma lo rechazó.

Se volvió entonces un ser malvado. Buscaba doncellas en las noches para infectarlas de su triste enfermedad. Con el tiempo, su castillo en ruinas, ignorado por el olvido, se volvió el reino de los seres más melancólicos y taciturnos que puedan imaginarse.

Tanto tiempo pasó, que al final el olvido tuvo piedad de ellos. Se acordó el olvido del pobre conde Drácula. Ya nadie sabe entonces dónde queda Transilvania.

Y a quien sí supo, ya se le olvidó.

El canto del cisne

Veinticinco de octubre

Todos en el lago querían al cisne, todos admiraban su blancura y elegancia. Disfrutaban los pájaros, los peces y los árboles su canto y su nadar pausado. Lento nadó el cisne al lado de su amigo el sauce, el árbol que lo acompañaba especialmente durante los veranos para cubrirlo con su sombra.

Un día, el cisne dobló su cuello y se miró en el agua durante largo tiempo. Comprendió que el frío que sentía y el cansancio que invadía su cuerpo marcaban la hora de su muerte. El cisne debía preparase. El lago se estremeció de tristeza y nadie comprendía que pudiera morir un ser tan perfecto.

Durante la noche, y en medio del silencio, el cisne empezó a cantar. Nunca antes se había escuchado en el lago ni en sus alrededores un canto más sublime y lleno de amor. El canto se prolongó hasta que el cielo fue naranja y violeta. En ese momento, cuando todo se cubrió nuevamente de silencio, el lago le dijo al sauce, a los peces, a los pájaros: «Aprendamos a iniciar el viaje de la muerte de la manera más tranquila y agradecida con la vida, como lo hizo nuestro amigo el cisne».

Por qué el tigre tiene rayas

Veintiséis de octubre

Al comienzo de los tiempos, el tigre, enloquecido por el miedo, mató a un hombre. Eran tiempos en que el matar aún no se conocía en la selva. Todos los animales comían lo que regalaba la madre selva y morían de viejos.

Los animales se reunieron alrededor del hombre muerto. Al sentir el olor de la sangre, todos tuvieron miedo y huyeron a esconderse. Entonces la madre selva preguntó: «¿Quién mató al hombre?». Nadie respondió, porque todos tenían miedo. Entonces la madre selva ordenó a los árboles que señalaran a aquel que mató al hombre.

El tigre se escondía en un pantano en lo profundo de la selva. Sintió entonces cómo las ramas de los árboles y los matorrales se cerraban sobre él. Intentó correr y las ramas hirieron su piel.

Desde entonces, el tigre es rayado. Y desde entonces, teme al hombre.

Kokorikó

Veintisiete de octubre

La mamá de Kokorikó vivía preocupada porque un zorro de cola despelucada se comiera a su hijito. Un día, Kokorikó salió a buscar leña y se encontró con el zorro de cola despelucada.

«Te voy a comer», dijo el zorro. «No me comas. Mi mamá te hará un delicioso ponqué si no me comes», le dijo Kokorikó. «Mañana iré a tu casa. Si no hay ponqué, te comeré a ti y a tu mamá», respondió el zorro. Toda la noche estuvo amasando y amasando y horneando y horneando la mamá de Kokorikó. En la mañana,

Kokorikó encontró dos ponqués, uno para el zorro, otro para él. Pero el muy goloso se los comió los dos mientras la mamá dormía. Cuando el zorro de cola despelucada llegó, Kokorikó dormía de la llenura y su mamá del cansancio. Cuando el zorro quiso empezar su cena, Kokorikó vomitó de la indigestión. El pobre zorro quedó lleno de vomito y tuvo que irse a su casa a ducharse. Tuvo tiempo entonces la mamá de preparar un ponqué más, uno solo para el zorro.

Tundama y el manatí

Veintiocho de octubre

Siendo aún un niño, Tundama fue a pescar y encontró una manatí perdida.

Como guerrero y cazador que era, lo primero que pensó fue matarla y aprovechar su carne. Pero la manatí le rogó que perdonara su vida: «No reconozco este río. Si me cuidas para que pueda volver a mi río, te haré muy fuerte. Cada día que me cuides serás más fuerte». La manatí era insaciable. Se comía todo. Tundama era cada día más fuerte, pero tenía que usar su fuerza para conseguirle comida a la manatí. Pasaron tres años. Tundama se volvió un joven flaco y enjuto porque no le quedaba casi nada para comer, pero musculoso como un jaguar.

La manatí le pidió entonces que se montara en su lomo. Lo llevó a conocer las profundidades de los ríos. Tundama casi se muere del miedo, de ver los espíritus que habitaban los ríos profundos. Al volver, la manatí regordeta se convirtió en un jaguar hermoso y dijo:

«Has aprendido a cumplir tu palabra. Y eres generoso. Mi última lección fue enseñarte el miedo. Ya estás listo para defender a tu pueblo». Desde entonces fue Tundama uno de los más valientes guerreros que haya existido nunca.

Don Quijote y los molinos de viento

Veintinueve de octubre

El buen Don Quijote de la Mancha, imaginador de aventuras, de doncellas, de dragones, de escuderos y corceles, cabalgaba en busca de aventuras. Loco, como decía su familia que estaba, no necesitaba de mucho para vivir las aventuras buscadas.

Cabalgaba entonces cuando vio un grupo de terribles ogros, de cuatro brazos ondeantes, un solo ojo, una sola pierna gorda como un árbol, que producían un terrible rumor con su respiración.

Sancho le dijo:

—Señor, que yo creo que son molinos de viento.

—Sancho, cómo vas a decir que son molinos de viento estos monstruos de un solo pie, un solo ojo, una sola pierna, cuatro brazos con garrotes que ondean amenazantes, olor de ogro y respiración de dragón.

—Hombre señor, que yo creo que son molinos de viento, con su ventanita, su torrecita, sus aspas dando vueltas y su ruido de molino de viento.

Pero con el bueno de don Quijote nadie discutía. Golpeó al pobre Rocinante y con su vieja lanza arremetió contra los molinos de viento. Quedó guindando de sus aspas como una camisa colgada en un perchero. Sancho tuvo que bajarlos a él y a su corcel, parándose sobre su burro gordo.

—Señor, que a mi me parece que son molinos de viento.

—Cállate Sancho, no hables a un caballero vencido. Nuestra derrota de hoy será el orgullo de mañana. Nuestras heridas halagarán a nuestra doncella, la hermosa Dulcinea del Toboso. No olvides contarle el tamaño de los garrotes de esos monstruos. Tu serás el cronista de mis hazañas.

Suspiró Sancho y siguió fiel el camino de su delirante señor.

Hans el tonto

Treinta de octubre

El rey de un esplendoroso país tenía una hija a quien quería por sobre todas las cosas. Un día, esta princesa tuvo un hijo y nadie supo quién era el padre. Entonces al rey se le ocurrió una idea: le pidió a la princesa que fuera a la iglesia con el niño y le pusiera un limón en la mano, aquel al que se lo diera sería el padre del niño y, por tanto, esposo de la princesa. Así hizo la princesa. A las afueras de la iglesia se armó una larga fila de interesados, todos nobles, pues esa había sido la orden del rey. Pero en la ciudad vivían un chico jorobado que no era muy listo y por eso le llamaban Hans el tonto. Pero fíjense que no era tan tonto, pues se las ingenió para meterse en la fila y entró a la iglesia. Cuando el niño tuvo que entregar el limón, se lo dio a Hans. La princesa se espantó y el rey se enojó. Entonces ordenó que la metieran en un barril con Hans y el niño, y los lanzaran al mar.

Ya en el mar, la princesa se lamentaba por su suerte y le dijo a Hans: «¡Por qué hiciste esto! ¿Por qué te colaste en la iglesia si tú no tienes nada que ver con este niño?». Hans le respondió: «Claro que tengo que ver con el niño. Hace un tiempo yo deseé que tuvieras un hijo y todo lo que yo deseo se cumple». «Si eso es verdad —dijo la princesa—, desea que llegue aquí algo de comer». Hans deseó una torta de papas y allí apareció. La princesa quedó muy sorprendida. Después Hans deseó un gran barco y cuando ya estaban allí, en un suntuoso barco, llegaron a tierra y Hans deseó un palacio. Fue entonces cuando se convirtió en un guapo e inteligente príncipe. Allí se casaron y vivían muy felices.

De pronto, un día, el rey padre de la princesa llegó al palacio sin saber quiénes vivían allí. No reconoció a su hija, pues la imaginaba muerta. La princesa lo atendió muy bien y antes de irse puso un vaso de oro en el bolsillo de su chaqueta sin que se diera cuenta. Al rato, la princesa envió tras él a unos jinetes para que lo detuvieran. Cuando comprobaron que él tenía el vaso de oro, lo llevaron al palacio. Le juró a la princesa que él no lo había robado y ella le respondió: «Por eso es mejor cuidarse de considerar culpable a alguien sin haberlo escuchado antes». La princesa le dijo que ella era su hija y el rey se puso muy, muy feliz. Cuando murió el rey padre, Hans se convirtió en rey.

Día de los muertos

Treinta y uno de octubre

Hace miles de años, en las tierras altas del norte del mundo, vivían los celtas. Los druidas eran los líderes espirituales de los celtas. Ellos sabían de pociones mágicas, de remedios, del futuro y también sabían hablar con los dioses. Hubo en aquel entonces un druida poderoso y sabio, cuyo nombre se ha olvidado, que hizo un reclamo a los dioses: «¡Dioses, oh dioses! Ustedes mandan acá en nuestra tierra. Definen tiempos de sequía. Deciden cuándo llueve y cuándo no. Traen a los vivos y se llevan a los muertos. Dicen cuándo habrá sol y cuándo luna. Nos envían el frío y la oscuridad o la luz y el calor. Todo lo hacen sin nunca mostrarnos su rostro. ¡Muestren la cara! ¡Déjense conocer!»

Un dios, cuyo nombre se ha olvidado, le respondió al druida: «¡Oh druida! Acá vivimos, en la invisibilidad y el silencio. Solo nuestros actos son por ustedes conocidos. Ustedes, humanos, disfrutan del sol y se broncean en tiempos de sequía. Beben el agua y sacian su sed en tiempos de lluvia. Aman y son amados en vida, lloran y son llorados en el tiempo de la muerte. Juegan bajo el sol, bailan bajo la luna. Se aman en el frío y la oscuridad, coquetean cuando hace sol y calor. Gozan la vida mientras nosotros permanecemos invisibles, en silencio, sin dar ni recibir un beso de amor, sin beber el agua que regalamos, sin gozar del sol, ni inventar poesías a la luna».

El druida se quedó pensativo durante varios días. Hasta que un día, un 31 de octubre de hace miles de años, organizó una gran fiesta, le pidió a todos los celtas que se pusieran máscaras y disfraces, y volvió a hablarle a los dioses así: «¡Oh dioses de las tierras altas! Heme aquí de nuevo. No tengo queja alguna. Solo palabras de agradecimiento. Amo el viento que toca mi piel, el agua que moja mis barbas, el sol que calienta mis pies. He amado y he sido amado. He llorado a mis muertos y seré llorado por quienes me aman y respetan. Quiero ofrecerles esta noche una gran fiesta. Podrán besar y ser besados, probar nuestros manjares, mojarse y quemarse». «¡Oh druida! El reino de los dioses es también el reino de la eternidad. El reino de los dioses es el reino de la muerte. Acá están a mi lado todos tus muertos». Y el druida respondió: «Déjame visitar tu reino, oh Dios. Deja que todos los muertos nos visiten. Déjanos visitar a nuestros muertos».

«Druida, eres poderoso y sabio. De este lado de la muerte el aire es frío, las noches son largas. Hemos dado nuestra euforia a cambio de la tranquilidad. Hemos entregado nuestra furia a cambio de la calma. No estamos nunca tristes, pero hemos renunciado a la alegría. Este es un sitio donde nunca pasa nada malo. Este es un sitio, de este lado de la muerte, donde nunca pasa nada bueno. Acá no pasa nada, nunca pasa nada». «¡Dioses! Hoy es la noche del fin de nuestro año. Vengan a este lado. Que hoy seamos amados y amemos. Besemos y seamos besados. Cantemos y gocemos. Todos nos hemos puesto máscaras y disfraces. Nadie sabrá quién es quién».

En ese momento una fría luz lunar se abrió en medio del vacío. El druida entendió que había convencido a los dioses. Habían accedido a abrir una puerta, un pasadizo del reino de los vivos al reino de la eternidad. El único que se atrevió a acercarse fue el druida. Caminó sin ansiedad hacia la eternidad. Nadie supo nunca qué vio el druida del otro lado del reino de la muerte. De este lado, en cambio, todos los seres fueron presa de la más conmovedora ternura. Todos gozaron y amaron y fueron amados. Todos comieron manjares y dulces y bebieron agua de las altas montañas.

Desde entonces, el 31 de octubre se recuerda y se celebra esa noche, fin de año para los celtas. La única vez en la historia de los hombres, en que dioses y vivos y muertos bailaron juntos. La única vez en que los visibles y los invisibles compartieron cantos y bailes al lado de las fogatas.

Noviembre

La marcha de la sal

Primero de noviembre

En el año 1938 de nuestros tiempos, vivió un hombre poderoso en un país llamado India. Su nombre era Gandhi. Era apenas más alto que un niño, flaco como una ramita de romero, tranquilo y pausado como una tortuga. Así, logró vencer al ejército más fuerte de su tiempo.

Su país, India, era dominado por el imperio británico. Lo habían conquistado a sangre y fuego. Pero los británicos pretendían ser hombres de bien, muy diplomáticos, muy correctos, muy amables. Gandhi sabía que esta amabilidad era una forma de hipocresía. Y sabía también, que esta amabilidad era la forma como el imperio británico justificaba frente al mundo su presencia en India.

Los habitantes de la India debían pagar a los británicos por todo. Estaban obligados a comprar telas británicas, alimentos británicos, autos británicos, paraguas británicos. Vivían en la pobreza y debían pagar impuestos por usar las calles, por las casas, por el agua...

incluso por la sal tenían que pagar tributo. Sal que podía tomarse con la mano en las inmensas costas indias.

Para Gandhi el impuesto a la sal, conocido como la ley de la sal, era un símbolo de la tiranía británica. Todo ser vivo necesita aire, agua y sal, como elementos mínimos indispensables para sobrevivir. Ni el aire, ni el agua, ni la sal deben ser objeto de dominación ni de monopolio.

Como un símbolo de su lucha pacífica, no violenta, contra la dominación británica, Gandhi decidió proponer a los indios la desobediencia general, masiva, a la ley de la sal. Empezó a caminar desde el interior del país, a ritmo pausado y alegre. Setenta y ocho personas comenzaron esta caminata con él. Durante un mes recorrieron cuatrocientos kilómetros hacia la costa del océano Índico. Cuando llegaron a la playa, ya no eran setenta y ocho personas, eran millones. Nadie ha podido nunca contar cuántos indios llegaron a las playas del océano Índico, siguiendo a Gandhi. Millones de hombres se agacharon y tomaron millones de puñados de sal.

Ni la policía británica, ni el ejercito británico, ni las cárceles de la India podían enfrentar una manifestación de desobediencia civil de tal magnitud. Intentaron entonces arrestar

solamente a Gandhi, el líder de la causa. Y eso era lo que él quería. Quería contarle al mundo que este imperio mentirosamente sonriente y bondadoso, era capaz de arrestar a un hombre desarmado e inofensivo por tomar un puñado de sal en una playa cualquiera.

Al ver esto, la India entera, 350 millones de hombres, se levantó desobediente contra el imperio británico, con el apoyo del resto del mundo. Los británicos mostraron sus colmillos. Blandieron sus bastones de acero y golpearon a hombres, mujeres y niños indefensos. Pero nadie tiene tanto poder como para golpear a una nación entera. Golpearon y encarcelaron a 48 mil hombres. Mujeres y niños salieron entonces solos a las calles a protestar y a desobedecer la ley británica. Entonces dispararon los británicos sus armas de fuego contra mujeres y niños indefensos. Pero nadie tiene tanta pólvora como para disparar contra una nación entera.

Gandhi le envió una carta al rey británico. Solo escribió una frase: «Ya es tiempo de irse». Se dirigió a su gente y les dijo: «No debemos odiar a los británicos. Ellos no nos han quitado nuestra tierra. Nosotros se la hemos dado. Debemos dejarlos partir». Era tanto el poder que la resistencia pacífica le había dado a Gandhi, que el rey británico no pudo hacer más que obedecer sus órdenes. Un hombre tan valiente que no necesita de ningún arma para enfrentar un ejército, es un hombre cuyo poder es ilimitado. Una nación que se levanta sin violencia, resistente y desobediente, es una nación cuyo poder no tiene límites.

El viento y el sol

Dos de noviembre

Discutían el sol y el viento cuál de los dos era el más fuerte. En ese instante pasó un hombre con una capa y el viento le dijo al sol: «Te propongo algo: quien logre quitarle la capa a ese hombre, será el más fuerte y por lo tanto el ganador».

El sol estuvo de acuerdo. El viento empezó a soplar, soplaba con todas sus fuerzas. El hombre se resistía, pues no iba a permitir que el viento se llevara su capa. Pero el viento sopló tanto como un huracán y el hombre sintió tanto frío que abrazó con más fuerza su capa. Ya cansado, el viento se rindió.

El sol, sin decir nada, dejó que sus rayos calentaran como era su costumbre. Calentaron cada vez más y el hombre comenzó a sudar. Sintió tanto calor que se quitó la capa.

El sol ganó entonces la competencia y el viento aceptó que hay otras formas de fortaleza.

Pies Negros

Tres de noviembre

Hubo una vez, hace mucho tiempo, una noche en la que un indígena apache recibió la visita de un lince. El lince le explicó la forma de una planta. Le dijo que si se untaba la savia de esta planta en sus pies, correría tan rápido como los bisontes. El territorio apache atravesaba por la peor sequía que pudiesen recordar. Los bisontes se habían ido lejos hacia el norte, en busca de pastos frescos. Los cazadores apaches no lograban alcanzarlos. A la mañana siguiente del sueño, el indígena buscó la planta descrita por el lince. Se untó los pies con su savia. Los pies le quedaron negros. Los cazadores de su pueblo lo imitaron. Corrieron todos hacia el norte, veloces como el viento. Llegaron a donde se habían mudado los bisontes y lograron la mejor caza en mucho tiempo. Desde aquel entonces se quedaron habitando las tierras del lejano norte. El pueblo de los Pies Negros fue legendario en todo el norte de América. No se recuerdan mejores cazadores que ellos.

La leyenda de El Dorado

Cuatro de noviembre

Hace cientos de años, en las montañas de los Andes vivían los muiscas. Para ellos las lagunas de las tierras altas eran sagradas. El agua y los páramos eran sagrados. Una de las lagunas que para ellos era más importante, era la laguna de Guatavita. Esta es una laguna de color verde oscuro, un círculo perfecto de aguas muy profundas, rodeada de una pared alta de montañas. Como si el cráter de un antiguo volcán se hubiese llenado de agua de esmeralda.

En esta hermosa laguna los jefes o caciques muiscas hacían un rito de iniciación. Eran cubiertos de polvo de oro y sumergidos en las aguas sagradas verde esmeralda de la laguna de Guatavita.

Por las montañas de los Andes se escuchaban estas historias. Los hombres ambiciosos y soñadores empezaron a hablar también de ciudades con calles de oro, mujeres de oro, papas de oro, árboles de oro. Muchos hombres murieron buscando estos tesoros. Otros hombres se

ahogaron en las aguas de la laguna. Otros se mataron en peleas inútiles buscando secretos que quizás nunca existieron. Una pareja famosa de aventureros intentó explotar con dinamita una de las altas paredes montañosas de la laguna. Buscaban desaguar la laguna y recoger los tesoros que esperaban encontrar en su fondo.

Murieron en el intento y lo único que quedó fue un boquete que todavía nos recuerda hoy la inútil ambición humana por el oro.

Todo lo que siempre hubo fue una laguna color verde esmeralda con los secretos de una cultura sabia, que protegía el agua y las montañas.

El hijo del zar y el lobo gris

Cinco de noviembre

El hijo menor de aquel zar de Rusia, aquel que sufría porque un pájaro devoraba las manzanas de oro de su árbol favorito, partió con su caballo en busca del pájaro de fuego. Cabalgó varios días hasta que se encontró con una piedra en la que estaba grabado un mensaje: «Aquel que tome el camino de la derecha, pasará hambre y frío. Aquel que tome el camino de la izquierda, estará a salvo, pero su caballo morirá». El príncipe pensó que si algo le pasaba a su caballo, podría reponerlo después. Tomó el camino de la izquierda y continuó. Al cabo de un rato se encontró con un lobo gris muy grande. El lobo le recordó lo que estaba inscrito en la piedra. Tomó entonces su caballo y se lo comió. El príncipe estaba muy triste. Lloró un largo rato y,

cuando su ánimo se lo permitió, continuó el camino a pie. Cuando ya estaba muy cansado, apareció el lobo gris, quien le pidió disculpas por haberse comido a su caballo y le ofreció llevarlo en su lomo hasta el sitio donde se encontraba el pájaro de fuego. Llegaron a un jardín que rodeaba un castillo. El joven se acercó a una jaula en la que, en efecto, se encontraba aquel animal maravilloso. Pero cuando intentó tomarla, aparecieron todos los guardias junto con el rey del castillo. El rey estaba muy enojado por querer robarse a su pájaro. Le dijo que le perdonaría la vida y le daría el pájaro de fuego solo si le traía al caballo con la crin de oro que tenía un rey que vivía en un castillo cercano. El joven no tuvo otra opción, así que se subió al lomo del lobo y se dirigió al castillo.

Nashville y las cafeterías

Seis de noviembre

Hubo una vez, hace muy poco tiempo, un país donde no todos sus habitantes tenían los mismos derechos. Hacía quinientos años, guerreros vencidos de África habían sido comprados como esclavos. Después habían sido encadenados y vendidos en América. Los africanos vivieron mucho tiempo como esclavos. Tuvieron que luchar por su libertad. Y hace apenas unas décadas tuvieron que luchar por sus derechos.

Los negros de América, afroamericanos, lucharon pacíficamente. En la ciudad de Nashville, como en muchos otros sitios de Norteamérica, había cafeterías, almacenes y puestos en los buses para

blancos exclusivamente. Un grupo de estudiantes afroamericanos empezó a ir a las cafeterías para blancos. Aunque no los atendieron, se quedaron todo el día en las mesas estudiando. Al día siguiente los insultaron. Al siguiente los golpearon. Y al siguiente los arrestaron. Los demás afroamericanos los imitaron. Entraban a los sitios exclusivos para blancos. Cuando echaban a un grupo, otro entraba. Arrestaban a uno y aparecía otro. Así durante seis meses. A los seis meses, con las cárceles llenas y almacenes y cafeterías arruinados, los blancos tuvieron que ceder a los reclamos justos de los negros.

San Jorge y el dragón de Klagenfurt

Siete de noviembre

En una vieja ciudad, en aquellos tiempos en que las ranas se enamoraban de los nenúfares, vivía una hermosa doncella. Una tarde en que la doncella recogía dientes de león en el bosque cercano a la vieja ciudad, le sucedió que un dragón se enamoró de ella. Era un dragón joven y hermoso. Sus escamas eran brillantes y azuladas. Tenía alas inmensas color cielo. Y sus poemas de amor eran llamas vivas naranjas y verdes.

El dragón tenía un solo problema: su aliento era terrible, aliento azufrado y caluroso. La doncella sufría con este pretendiente. Le parecía bello, pero no soportaba su sulfurosa presencia.

Fue entonces cuando por casualidad pasó el caballero san Jorge por esta vieja ciudad. San Jorge tenía fama de haber vencido a los más temibles dragones de la región. Pero, como le explicó a la doncella, poco o nada sabía de dragones enamorados. La doncella le ofreció amor eterno si venció al dragón. San Jorge, caballero enamoradizo además de valiente, aceptó el reto. Fue al bosque y le gritó al dragón: «¡Vete de acá dragón, que tu amor no te ama a ti, me ama a mí!».

El dragón le lanzó una llamarada tan fuerte que san Jorge quedó chamuscado, echando humo, sin cejas y calvo. Rendido entonces ante el poder de su contrincante, le dijo san Jorge al dragón con una vocecita tierna: «Quizás si masticas todas las mañanas hojas de menta, tu amor te ame más a ti que a mí».

Y así, por su chamuscada valentía y sus sabios consejos, le erigieron a san Jorge una bella estatua en la plaza central de la vieja ciudad, y el joven dragón y la bella doncella vivieron felices juntos para siempre.

Hércules

Ocho de noviembre

Heracles era conocido en roma como Hércules. Hércules era conocido en Roma por su fuerza. Contaban que cuando era un bebé, había matado a dos serpientes. Quería mucho a su madre y a su padrastro. En una disputa casi resulta muerto su padrastro si no es porque Hércules se ofrece como esclavo por doce años a cambio de la vida de este. Todos sabían de la fuerza de Hércules y el hombre pensó que no sería un mal trato. Este hombre le asignó un trabajo por cada año que estuviera bajo su dominio.

Estos trabajos, misiones o aventuras son conocidos como «los doce trabajos» de Hércules. Uno de ellos, el primero y el que más asombro causó en Roma, fue traer la piel de un león muy bravo, el famoso león de Nemea. Estuvo Hércules caminando muchos días intentando encontrar al león, hasta que un día el león lo encontró a él y quiso comérselo de un bocado. Hércules se defendió con sus flechas, pero la piel del león era tan dura que no le hicieron ni un rasguño. Entonces Hércules se enfrentó cuerpo a cuerpo con el león, sin nada más que sus manos, sus piernas y sus gritos de lucha que lograron espantar al león, que se escondió lastimado en una cueva. Ya en la cueva, Hércules lo asfixió con sus brazos y una vez muerto, tomó su piel y se la puso encima.

Furiosos jabalíes, caballos y toros serán algunas bestias contra las que luchará Hércules durante doce años.

Múgger del Múgger-Ghaut

Nueve de noviembre

El viejo Múgger del Múgger-Ghaut, un cocodrilo ancestral, el más grande que se recuerde en este pantano antiguo, nadaba lento, susurrando en su gruesa voz de ultratumba: «Respetad a los viejos».

Un bote a motor se acercó con cautela al viejo cocodrilo. No convenía hacerlo enfurecer. Siendo joven, el cocodrilo había destrozado con su cola botes más sólidos que este. Ahora se atrevían a acercarse confiando en que la edad hacía lento y perezoso al cocodrilo.

Medio ciego, el viejo Mugger rezongaba: «Respetad a los viejos», para que los jóvenes cocodrilos del pantano se apartaran de su camino.

Un extraño olor dulzarrón llamó la atención del cocodrilo. Dirigió su nariz al bote que se acercaba con cautela. Un rifle enorme se asomó por la borda. El cocodrilo sintió la mirada del cazador y su olor. El olor de miedo del hombre. En ese momento recordó. Una vez, solo una vez, había fallado. Solo una vez erró su mordida. De un bote, que en aquel entonces era nuevo, asomaba la mano tierna de un niño. El cocodrilo, entonces joven, se acercó invisible, inaudible, al bote. En el momento justo lanzó su mordida y se hundió en el pantano. Esperaba hundirse con su presa entre sus fauces. Pero no. Le quedó el olor del niño impregnado en el olfato. Otro cocodrilo se burló de él. La manita del niño cabía entre sus dientes. El niño escapó por su ternura, gracias a ser tan pequeño. No siempre los más grandes vencen... ni los más fuertes.

Pero el niño tampoco olvidó. Se hizo grande. Y se hizo cazador. Ahora reconoció al cocodrilo de sus pesadillas. El viejo cocodrilo Múgger, el Múgger del Múgger-Ghaut, se quedó quieto, hechizado por el recuerdo del olor de su único fracaso. El cazador disparó y acabó con su vieja pesadilla. Otro cocodrilo joven se burló. No siempre los más viejos vencen.

Sansón

Diez de noviembre

Este era otro pueblo más oprimido por unos pocos. Habían sido casi cuarenta años de dolor e injusticia. Dios sabía que debía ayudar a los más débiles reconociendo el sufrimiento que debían soportar. Así que envío a uno de sus ángeles para anunciar el nacimiento de un hombre que ayudaría a la liberación de este pueblo. El ángel advirtió a los futuros padres que el niño elegido debía cumplir con tres leyes: no tomar vino, no acercarse nunca a una persona muerta y jamás, jamás cortarse el pelo. Sus padres lo llamaron Sansón.

A medida que Sansón crecía, la sorpresa de la gente de su pueblo era mayor. Sansón era capaz de levantar a cien hombres, capaz de levantarlos con una sola mano. Una vez luchó con un león y lo venció de manera asombrosa. Luchó contra un ejército entero solo con el hueso de la mandíbula de un burro. Sansón era fuerte. Sansón era el ser humano más fuerte de la tierra.

Sansón ayudó a su pueblo a liberarse. Sansón nunca tomaba vino, nunca se acercaba a un muerto y nunca se cortaba el pelo.

Contra todos pudo Sansón, pero nunca se imaginó la manera como sería derrotado. Los enemigos ingeniaron un plan. Buscaron a una hermosa mujer, una mujer llamada Dalila, y le prometieron dinero y poder si enamoraba a Sansón y averiguaba el secreto de su fuerza. No fue difícil para Dalila enamorar a Sansón. Dalila era un derroche de encantos. La fuerza no le sirvió a Sansón cuando Dalila le pidió como prueba de amor que le contara su secreto. Y como la fuerza de nada sirve frente a la nobleza del corazón y los encantos de una mujer, Sansón le dijo que su fuerza estaba en su pelo. Y en menos de lo que contamos esta historia, Dalila fue por unas tijeras y mientras dormía el engañado enamorado, le cortó el pelo. Sin fuerza, abatido y arrepentido, no hubo manera de defender a su pueblo y tuvo que aceptar la derrota.

El joven príncipe, el caballo de crin de oro y el pájaro de fuego

Once de noviembre

El hijo menor del zar iba en el lomo de su amigo el lobo gris. El lobo gris iba tan rápido como sus patas se lo permitían. Debían ir por el caballo de crin de oro para dárselo al rey, quien le regalaría el pájaro de fuego al joven. Esa era su misión: encontrar al pájaro de fuego y llevárselo a su padre. Cuando llegaron al castillo, el joven se deslizó silenciosamente hasta el establo. Allí estaba el hermoso caballo. Pero cuando intentó sacarlo, el caballo hizo un gran alboroto y el dueño despertó furioso. Le dijo al joven que le daría el caballo si le traía a la hermosa princesa Helena, que vivía en un castillo cerca de allí. El rey estaba enamorado de ella. Nuevamente, el joven se subió al lomo de su amigo y partió a buscar a la princesa, pero nadie contaba con que ellos se enamorarían profundamente. El joven no quería entregar a Helena y Helena no quería casarse con el rey, sino con el joven príncipe. El lobo estaba conmovido, nunca había visto amor semejante. Propuso entonces un conjuro. El lobo se transformó en la princesa y se fue junto al rey quien, a su vez, entregó el caballo, y el caballo, a su vez, fue entregado a cambio del pájaro de fuego. El joven logró llegar hasta el palacio de su padre. Allí se casó con Helena y unos meses más tarde apareció el bueno del lobo gris, quien los acompañó para siempre.

Este es el fin de las aventuras del joven príncipe y el pájaro de fuego.

El incendio y la serpiente

Doce de noviembre

En un bosque ancestral se desató un gran incendio. Todos los hombres del pueblo cercano corrieron a intentar apagarlo. Pero era imposible, las llamas ganaban terreno. Se dedicaron entonces los hombres a salvar a los venados, y a los osos, y a las ardillas, y a las doncellas, y a las brujas, y a los castores. A todos los seres vivos, menos a una serpiente que se le chamuscaba la punta de la cola y lanzaba dentelladas sin ton ni son. Un joven que apenas acababa de dejar de ser niño, se compadeció de la serpiente y logró salvarla con una varilla larga de metal. Cuando ya se había hecho de noche y no quedaba nadie por salvar, se fueron todos los hombres a sus casas a descansar. Cuando el joven llegó a su casa encontró a la serpiente guardando su puerta. Con un gesto de su cabeza le cedió paso. Después volvió a su posición de guardiana. Y así estuvo hasta su muerte, muchos años después, cuidando siempre la puerta del joven que valientemente salvó su vida.

Los deseos opuestos

Trece de noviembre

Un hombre tenía dos hijas. Las dos se casaron, la una con un campesino, la otra con un alfarero. Un día, el padre quiso saber cómo estaban y ofrecer alguna ayuda en caso de ser necesario. A la primera le preguntó cómo iban las cosas. Ella le respondió: «De maravilla, padre. Espero que siga lloviendo para que las verduras sigan creciendo». Luego fue a ver a su otra hija y la misma pregunta le hizo. A lo que ella respondió: «No tan bien, padre. Quisiera que el sol saliera durante más tiempo para que nuestras vasijas secaran más rápido».

El padre se fue pensando en cómo pedirle al cielo que llueva y haga sol en el mismo instante.

Gerónimo

Catorce de noviembre

Así parecen ser las cosas: los seres humanos tienen dificultades para vivir juntos en paz. En una gran isla llamada Inglaterra, vivían los ingleses. A unos ingleses les gustaban unas cosas. A otros ingleses les gustaban otras cosas. Como no podían ponerse de acuerdo, unos ingleses se fueron de la isla. Otros ingleses se quedaron.

Unos ingleses atravesaron el mar y llegaron a un continente inmenso. Allí decidieron rehacer sus vidas. Se organizaron para explorar este territorio y hacerlo propio. El problema es que ese territorio estaba ya habitado. Ahí vivían osos, caballos salvajes, alces, venados, patos, ardillas, linces, apaches, sioux, pieles rojas. Pero los ingleses no querían extraños en su nueva casa. Claro, los extraños eran ellos, pero así son los ingleses. Se pusieron a pelear contra todos. A sangre y fuego. A echar a todos los que desde antes del olvido vivían en este continente inmenso.

Fue entonces cuando Gerónimo, el jefe apache, y el caballo Trueno, emprendieron la lucha contra los recién llegados. Durante décadas Gerónimo y Trueno atacaron y atormentaron a los hombres blancos, que era como llamaban a los recién llegados. Huían veloces, saltando precipicios imposibles, y nunca pudieron ser atrapados por los hombres.

De lo único que no pudieron escapar fue de la vejez. La edad los alcanzó y los hizo lentos. Ya eran una leyenda de la resistencia apache, cuando se rindieron al hombre blanco, cansados ya de correr.

Aquiles

Quince de noviembre

Un guerrero muy especial acompañó a Ulises en la guerra contra Troya. Era conocido como «el de los pies ligeros». Nadie era tan rápido como él, nadie era tan hermoso como él, nadie era tan bueno con el arco como él. Cuando nació, su madre lo llamó Aquiles y lo bañó en las aguas de un río que lo protegerían de todo. Lo tomó de su talón izquierdo y lo sumergió en aquellas aguas mágicas.

Aquiles creció con su buen amigo Patroclo. Comían jabalíes, entrañas de león y huesos de oso para hacerse más fuertes y valientes. Tan valientes y fieles eran que lucharon como los mejores soldados en la guerra contra Troya. Casi muere de ira y tristeza Aquiles cuando en una de las batallas mataron a su amigo. Pero Aquiles continuó la lucha hasta que Paris, el príncipe de los enemigos, le disparó una flecha envenenada en el único lugar donde no lo cubrió el agua mágica: su talón izquierdo. Cayó muerto Aquiles, pero todavía hoy se recuerda la valentía y la fuerza de este gran guerrero.

David y Goliat

Dieciséis de noviembre

A una comunidad de pastores tranquilos y pacíficos, los abuelitos de Moisés, llegó Goliat. Goliat era musculoso, alto, brutal y muy agresivo. Aunque los pastores eran valientes y debían enfrentar a osos y lobos para proteger a sus ovejas, no acostumbraban pelear contra humanos. El bruto de Goliat se volvió entonces un fastidio para todos. Le andaba pegando a los hombres, molestaba a las mujeres, pellizcaba a las ovejas, hacía bromas pesadas... era un gran fastidio.

Apareció entonces David, un pastor que cantaba en las tardes y le recitaba poesías a la luna. David le dijo a Goliat: «Si no nos dejas en paz, me va a tocar cortarte la cabeza». Y dijo Goliat: «¿Ah sí? ¿Tú y cuántos más?». «Yo solito te pego y te hago callar la jeta». «Nos vemos mañana al mediodía en la plaza del pueblo, a ver quién termina sin cabeza».

Así fue entonces, llegaron los dos al mediodía a la plaza. Goliat iba vestido con una armadura de hierro forjado, un casco de bronce y una espada larga. David iba con su vestido habitual de pastor y una cauchera. Además, llevaba cinco piedras filudas en el bolsillo. Goliat le dijo: «¿Acaso me viste cara de picaflor, que me vas a pegar con tu caucherita?» David agitó su cauchera y le clavó a Goliat una piedra filuda en la frente. Goliat se desplomó de cara contra el piso. David le compuso una canción, la canción del pobre bruto vencido, y se fue con su rebaño a seguir con su trabajo.

Aníbal y los elefantes

Diecisiete de noviembre

Hubo hace mucho tiempo un imperio poderoso, llamado imperio romano. Su centro era la magnífica y hermosa ciudad de Roma. Todo el mundo conocido en aquel entonces llegó a ser parte de este poderoso imperio. Pero antes de esto existió también una próspera ciudad llamada Cartago. Los cartagineses eran excelentes navegantes y manejaban el comercio en el mar Mediterráneo.

Al sur del mar Mediterráneo estaba Cartago. Al norte del mar Mediterráneo estaba Roma.

Como así eran los romanos, declararon la guerra a Cartago. Los romanos querían tener el control de todo y de todos, no podían permitir la prosperidad de una ciudad distinta a Roma.

Aníbal dirigió a los cartagineses en la primera guerra contra Roma. Fue la primera de tres guerras. Esta primera la ganaron los cartagineses. Ellos eran navegantes, no guerreros. No tenían ejércitos, ni las armas, ni la experiencia, ni el poder bélico de Roma. Pero Aníbal era un hombre ingenioso y resistente.

En la tierra de Cartago existían unos los elefantes. Aníbal se reunió con los elefantes y los convenció de ayudarlo en la guerra contra Roma.

Se embarcaron entonces cientos de elefantes guiados por Aníbal para cruzar el mar Mediterráneo. Pero la genialidad de Aníbal estuvo en dar un largo rodeo. No desembarcaron de forma obvia en las costas romanas. Desembarcaron mucho más lejos y caminaron muchas leguas hacia el norte. Tuvieron que atravesar una alta cadena de montañas nevadas. Muchos elefantes murieron de frío. Para finalmente llegar por el norte a territorio romano.

Cuando los romanos vieron a los elefantes, su tamaño y la tremenda furia que traían después de atravesar las nieves perpetuas, salieron despavoridos. Bajó Aníbal de norte a sur por todo el inmenso territorio romano destruyendo ciudades y venciendo ejércitos

acosados por el miedo. Llegó hasta las costas de Roma, donde se embarcaron de nuevo para llegar triunfales a Cartago.

Después hubo otras dos guerras entre Cartago y Roma, pero son parte de otras historias.

Los supermercados de Sudáfrica

Dieciocho de noviembre

Hubo una vez, hace muy poco tiempo, un país donde la mayoría tenía menos derechos que una minoría. Los africanos de raza negra, que habitaban su territorio desde hacía milenios, habían sido sometidos por blancos europeos. Los africanos lucharon agresivamente contra la dominación blanca. Hace apenas unas décadas los africanos descubrieron el poder de la lucha pacífica, no violenta. Los blancos eran los dueños de empresas, almacenes y supermercados. Durante meses los africanos sembraron pequeños cultivos en los solares de sus casas. Buscaron formas alternativas para abastecerse de alimentos. Así, llegó el momento en el que pudieron organizarse para no comprar más en los supermercados. Luego de una semana, los grandes empresarios presionaron al gobierno para que cediera a las peticiones de la mayoría. Pocos días sin ventas bastan para que un gran negocio se arruine. La resistencia pacífica hizo de los africanos los grandes héroes de nuestra época.

El cacique Tundama

Diecinueve de noviembre

En el año 1492, los españoles llegaron a América después de haber cruzado el mar. Buscaban mercancías, comercio, negocios, oro, mucho oro, y tierras, fortuna, nueva suerte. El problema que encontraron fue que todas las tierras estaban ya pobladas. Desde antes de la memoria, las tierras de América habían estado pobladas por innumerables culturas. Pero los españoles no continuaron buscando suerte en otras partes. Decidieron luchar a sangre y fuego por estos territorios que no les pertenecían. Fue entonces que el cacique Tundama se convirtió en el símbolo de muchos indígenas que luchaban por lo propio. Tundama luchó y resistió toda su vida. Fue admirado por muchos y traicionado por unos pocos que temían su fuerza. Solo pudo ser derrotado en algunas batallas gracias a las traiciones. Y la guerra solo la perdió víctima de la muerte.

El mosquito luchador y el león

Veinte de noviembre

Era un mosquito necio, inquieto y camorrero. Volaba buscando problemas hasta que se estrelló con un león. El león le gruñó y continuó su camino, pero el mosquito fue tras de él y lo enfrentó: «¿Quién te crees que eres para gruñirme?, ¿que porque eres más grande puedes hacer lo que quieras?». El león intentó ignorarlo, pero se enojó aún más el mosquito. Entonces le dijo: «León: te desafío a un duelo». El mosquito empezó inmediatamente a zumbar alrededor de la oreja del león y lo picó fuertemente en su nariz. El león, al intentar espantarlo, se rasguñó fuertemente y prefirió darse por vencido. El mosquito volaba y bailaba satisfecho y orgulloso, pero tal fue su entusiasmo que, sin darse cuenta, fue a parar a una telaraña y, mientras la araña lo envolvía en sus hilos, pensaba en cómo iba a morir en manos de un pequeño animal, después de haber derrotado al rey de todos los animales.

San Jorge y el dragón

Veintiuno de noviembre

En un lago cerca a un pueblo próspero vivía un dragón que pedía tres comidas diarias. Si no se las llevaban, el dragón iba al pueblo y se llevaba una doncella. En un tiempo de sequía, en el pueblo no lograban reunir los alimentos necesarios para completar las tres comidas diarias del dragón. Negociaron entonces con él, que en vez de tres comidas aceptara una doncella diaria. Así se hizo hasta el día que le llegó el turno a la princesa. Solo hasta ese momento, el rey pensó que se trataba de un trato muy injusto. Mientras el rey discutía y aplazaba el momento de la muerte de su hija, y la princesa gritaba y pataleaba, llegó el caballero Jorge. Y mató al dragón. Muerto el dragón, llegó Jorge al pueblo a que lo aplaudieran y besaran. Pero no encontró nada de eso. El pueblo estaba enfurecido. ¿Solo al turno de la princesa se acordaba de ellos? Le tocó entonces a Jorge salir corriendo con el rey y la princesa consentida. Se casó con ella y fue recordado como san Jorge.

El pájaro de fuego

Veintidós de noviembre

Un poderoso zar de Rusia tenía tres hijos. Tenía un bello palacio y un gran jardín. En el jardín tenía árboles que daban todo tipo de frutos. Pero su árbol favorito era un manzano que no era cualquier manzano, pues este daba manzanas de oro. Llevaba varios días acongojado el zar, pues todas las noches un pájaro picoteaba su querido manzano. Le dijo a sus hijos que aquel que capturara al pájaro lo haría muy feliz y le daría la mitad del reino. Sus dos hijos mayores eran ambiciosos y, a decir verdad, el pequeño solo quería ver feliz a su padre y que volviera a dormir sin preocuparse por las manzanas picoteadas por el pájaro.

Decidieron los hermanos turnarse cada noche y permanecer despiertos para así capturar al pájaro. El primer hermano esperó una hora y el sueño lo venció. Como todas las noches, llegó el pájaro y comió del árbol. Al día siguiente el hermano del medio esperó despierto dos horas, pero el sueño lo venció. Como todas las noches, llegó el pájaro y comió del árbol. Al tercer día el hermano menor esperó, esperó y esperó. De pronto parecía que hubiera amanecido, pero era el pájaro enorme que había llegado. Tenía plumas brillantes y naranjas como el fuego, que iluminaban todo el jardín. Era muy veloz pero el joven logró agarrarlo de la cola y arrancarle una pluma.

Al día siguiente mostró el hijo a su padre la pluma y estuvieron de acuerdo en que era necesario emprender un viaje para buscar aquella legendaria criatura que hasta ahora solo se había visto en los libros de literatura fantástica: el pájaro de fuego. El maestro del palacio le dio a los tres hermanos las indicaciones para llegar al sitio donde vivía el pájaro. Les advirtió que se encontrarían con desafíos, peligros y dificultades. Pero esto animó aún más a los tres jóvenes.

Muy temprano en la mañana cada uno tomó su caballo y partieron a lo que sería un viaje lleno sorpresas. Un lobo, un caballo con crines de oro y una hermosa princesa llamada Helena acompañarán a nuestro querido amigo, el menor de los hermanos, en su aventura en busca del maravilloso pájaro de fuego.

En átomos volando

Veintitrés de noviembre

En tiempos de guerra, el joven Ricaurte se comportó como el mejor de los guerreros. Cuando se acercaba el tiempo de las batallas finales, a Ricaurte le fue solicitada una misión exigente. Debía cuidar y defender el arsenal de su ejército. Se trataba de una casa grande donde almacenaban todas las armas y la pólvora con las que su ejército luchaba. El enemigo logró rodear la casa y vencer a los hombres de Ricaurte. Viendo él que la derrota era ineludible, se escondió en el cuarto inmenso donde se guardaba la pólvora. Cuando sintió las botas del enemigo entrando a la casa, prendió fuego. La explosión fue tan grande que no quedó ni un hombre vivo a cientos de metros a la redonda. Fue tan grande el desconcierto por la fuerza de la explosión, que todo el ejército enemigo se llenó de temor. Gracias al temor provocado fue posible dar la batalla final que terminó con esa guerra cruel. Desde entonces Ricaurte es recordado como uno de los más grandes héroes de guerra que hayan nunca existido.

Kunidjuack

Veinticuatro de noviembre

En un pueblo muy lejos en el Polo Norte vivía una anciana. La anciana no tenía hijos ni parientes que cazaran para ella. Se alimentaba de frutos secos y de restos de comida que le regalaban otras familias de su pueblo.

Un día, buscando agua en el glaciar, la anciana encontró un cachorro de oso polar blanco abandonado. Pensó que quizás su madre había sido presa de los cazadores y decidió llevarlo a casa con ella. En su casa lo consintió y durante meses compartió con él lo poco que tenía para comer. La anciana nombró al oso Kunidjuack. Le decía: «Kunidjuack, hijo mío».

Kunidjuack creció y con el tiempo se convirtió en un fuerte cazador y un gran pescador. En casa de la anciana hubo entonces abundancia. Abundancia que era compartida con todos los habitantes del pueblo. Sin embargo, los otros cazadores estaban envidiosos de la habilidad y fuerza del oso polar.

Un día el grupo de cazadores decidió que sería mejor matar a Kunidjuack. Le dijeron a la anciana que podía volverse peligroso para los habitantes del pueblo. La anciana se llevó entonces a Kunidjuack a donde lo había encontrado, lejos en el glaciar. Le dijo que no podía volver nunca y se despidieron llorando amargamente.

Meses después, extrañando mucho al oso, que se había convertido en su hijo, la anciana volvió al lugar donde lo había despedido. Gritó varias veces: «¡Kunidjuack, hijo mío!». Al poco rato apareció un oso polar blanco grande y fuerte. La anciana lo reconoció de inmediato. Kunidjuack la abrazó y la besó. La anciana miró que no estuviese herido y lo acarició.

Desde entonces la anciana iba al glaciar todos los días a buscar a su hijo oso, quien le traía comida y velaba por ella.

Robin Hood

Veinticinco de noviembre

En el bosque de Sherwood, cerca a la ciudad de Nottingham, en los tiempos de los reyes, vivía Robin Hood. Robin Hood fue un barón, un hombre de clase alta que tuvo acceso a la corte de los reyes. Pero cualquier día que se encontraba cazando en el bosque, se topó con una pandilla de malandrines que quisieron robarlo. En vez de atemorizarse, él se fijó en las ropas andrajosas con que vestían y en sus rostros vio el desespero del hambre.

Después de haber visto esa imagen no pudo más que despreciar las riquezas que lo rodeaban en su palacio en Nottingham. No pudo comer más los manjares que le ofrecían, pensando en el hambre de la pandilla del bosque de Sherwood. Se sintió ridículo con sus vestidos costosos. El confort de su casa le pareció excesivo, inútil y vanidoso.

Decidió irse a vivir al bosque de Sherwood con la pandilla de ladrones. Desde entonces se dedicaría a robar a los ricos, sin hacerles daño, para repartir sus riquezas excesivas entre los pobres.

En los alrededores de la ciudad de Nottingham, no había en los tiempos de los reyes, hombre más querido por los pobres, ni hombre más temido por los ricos, que Robin Hood.

Quemando ciudades

Veintiséis de noviembre

En una de las guerras más crueles de la historia, sucedió uno de los eventos más crueles de las guerras. Un ejército avanzaba en la conquista de un inmenso y helado país nevado. Cuando el ejército invasor ganaba una batalla, las mujeres y los niños de los soldados vencidos prendían fuego a la ciudad. Y se iban camino a una muerte casi segura en esa inmensidad de temperaturas congeladas. Llegaba el ejército invasor y encontraba la ciudad en llamas. No encontraban alimentos, ni agua, ni un techo para protegerse. Así perdió la guerra el ejército invasor, diezmado por el hambre y la lejanía, a pesar de ganar todas las primeras batallas. No deja de asustar, sin embargo, la cruel valentía del pueblo del inmenso país nevado.

Guillermo Tell

Veintisiete de noviembre

Guillermo Tell fue el arquero más preciso conocido en toda la historia de la humanidad. Además de la precisión al disparar sus flechas, fue también un hombre valiente y defensor de lo justo. En la tierra donde él vivió, la antigua Helvecia, había un gobernador injusto y cruel. Guillermo lideró la resistencia contra aquel gobernador.

Como el gobernador no podía vencerlo, hizo algo ruin. Mandó apresar al hijo menor de Guillermo. Guillermo y su grupo fueron a pedir justicia, a decir que los niños no debían ser involucrados en las guerras de los hombres. El gobernador sacó entonces al niño, encadenado, a la plaza del pueblo. Puso una manzana sobre su cabeza y le dijo a Guillermo: «Si eres tan valiente y buen arquero, quiero que atravieses esta manzana disparando tu flecha a cien metros de distancia. Si lo logras, me iré de acá».

A Guillermo le temblaron las piernas, se le hizo un nudo en la garganta y bajó su arco. Era incapaz de disparar contra su propio hijo. Todos se quedaron en silencio. Un soldado del gobernador se paraba al lado del niño con una espada. Cualquier acción lo ponía en riesgo. Fue el mismo niño quien levantó su voz, voz aguda de niño, pero poderosa en sus palabras: «¡Padre! No temas por mí. Si por mí te dejas vencer no podré seguir viviendo. Prefiero morir en este instante. Prefiero que una de tus flechas atraviese mi corazón a ser causa de tu derrota. ¡Dispara, padre! ¡Dispara!».

Toda la fuerza del mundo y de la justicia acompañaron en ese momento a Guillermo Tell. Levantó su arco y disparó con pulso firme. Su flecha despedazó la manzana. Los soldados del gobernador se quedaron asombrados, asustados, mirando al niño sonreír triunfante. Cuando volvieron a mirar a Guillermo, ya tenía lista otra flecha apuntando al corazón del gobernador. Los soldados soltaron sus armas y el gobernador se vio obligado a cumplir su promesa. Se fue, para nunca más volver, mientras el pueblo festejaba su liberación.

Gandhi y el hijo del enemigo

Veintiocho de noviembre

Mahatma Gandhi fue un hombre inmenso. Era flaco como una rama de bambú y pequeño como una rana. Pero sin arma alguna, sin siquiera levantar la voz, venció al ejército más poderoso de su tiempo. Liberó a su pueblo de un imperio tirano y su pueblo lo adoraba. Lo buscaban para recibir consejo y anhelando perdón.

Un hombre buscó a Gandhi y le dijo: «Necesito que me perdones. He matado a mi enemigo». Gandhi le dijo: «Yo no perdono, dios es el único que perdona». El hombre le dijo: «Sí, pero tú puedes ayudarme para que dios me perdone». «No. Tú eres el único que puedes hacer algo para que dios te perdone», respondió Gandhi. «¿Y qué puedo yo hacer?», preguntó el hombre. «Debes adoptar al hijo de tu enemigo. Un niño que ha quedado huérfano por culpa tuya. Y debes criarlo y cuidarlo como si fuese tu propio hijo», dijo Gandhi. El hombre se tomó la cabeza entre las manos y se fue defraudado. Había caminado semanas para encontrar a Gandhi. Pensaba, de forma equivocada, que eso bastaría para expiar sus culpas.

Las alas de Ícaro

Veintinueve de noviembre

Dédalo era un gran arquitecto y tenía un hijo llamado Ícaro. El rey de una isla recordada como Creta los encerró en una torre muy alta, pues Dédalo había construido un laberinto para encerrar al Minotauro, y para cuidarse de que Dédalo nunca le dijera a nadie cómo encontrar la salida del laberinto, los alejó de todos, allá, en esa torre. No había forma de huir, pues toda la isla estaba custodiada por los soldados del rey.

Un día, mirando por la ventana de la torre los pájaros que iban y venían, a Dédalo se le ocurrió hacer unas alas e intentar salir volando por esa misma ventana como esos mismos pájaros libres y valientes. Recogían todos los días las plumas que caían y las guardaban cuidadosamente. Cuando ya hubo suficiente material para dos pares de alas, Dédalo se dispuso a cocer pluma por pluma; cocía unas con hilo, pegaba otras con la cera de las velas que los alumbraban.

Pasaron muchos, muchos días hasta que estuvieron listos los dos pares de alas. Dédalo se puso sus alas y le puso en la espalda el otro par a su hijo, y le enseñó cómo moverlas, cosa que había aprendido mirando a los pájaros desde la ventana de la torre. Le advirtió que no debía volar muy alto y que tenía que concentrarse en volar siempre al frente para lograr llegar a otra isla.

Llegó el día y padre e hijo tomaron impulso y se lanzaron al vacío. Las alas funcionaban. Podían volar. Ícaro estaba feliz y agitaba las alas, ignorando las recomendaciones de su padre. Voló tan alto que se acercó al sol y este derritió la cera con la que Dédalo había pegado las plumas. Como un pájaro al que le disparan, cayó Ícaro al mar. Su padre, ya a salvo, lloró el resto de sus días la imprudencia de su hijo.

Los doce lanceros

Treinta de noviembre

En estos tiempos, cuando desear parece casi inútil, hay un país llamado Colombia. Hace unos quinientos años este territorio fue conquistado a sangre y fuego por un poderoso imperio llamado España. Y hace unos doscientos años Colombia se independizó de España. Esta guerra de independencia fue una guerra cruel y llena de mentiras. Mentiras de acá y mentiras de allá. Como en casi todas las guerras, hombres elegantes dirigen las acciones, pero quienes luchan y mueren son hombres descalzos, pobres y anónimos. A los hombres elegantes se les hacen bustos y se les recuerda. A los hombres descalzos, gente como uno, se les olvida.

En esta guerra de independencia de Colombia hubo, excepcionalmente, un hombre descalzo que se hizo muy famoso. Fue el guerrero Juan José Rondón, que dirigía su escuadra de doce caballos montados por doce lanceros. Todos iban desnudos, descalzos, armados solo con su lanza.

Hubo una cruenta batalla, recordada como la batalla del pantano de Vargas. Las fuerzas de la independencia mandaron a sus mejores hombres, los más elegantes, a pelear y a ser recordados. Pero las fuerzas de España acabaron con estos hombres elegantes. Rondón, con sus hombres desnudos y sus caballos sin sillas, esperaba cerca al pantano. Su asunto no era la historia, su asunto era la justicia. Así fue entonces que el general de las fuerzas de la independencia llamó a Rondón, cuando no tuvo más opción, y le dijo: «Coronel, salve usted la patria».

Arremetieron entonces estos hombres de músculos forjados en el trabajo del campo, jinetes sin estribos ni sillas, hombres de piel quemada por el sol, hombres que habían labrado su supervivencia en las llanuras colombo-venezolanas. Arremetieron con gritos de joropo, con la fuerza de la tierra de su lado, y vencieron al poderoso imperio.

La guerra de independencia de Colombia se logró en verdad por la fuerza de hombres como estos, campesinos descalzos. Los hombres elegantes tienen sus bustos, así como querían, pero nuestra memoria honra a estas personas, gente como uno.

Diciembre

Un cuento de Navidad

Primero de diciembre

Un hombre viejo, muy viejo, y rico, muy rico, y tacaño, muy tacaño, dormía amargado la víspera de Navidad. Ese día en la mañana, su único empleado había llegado con su hijo enfermo, porque no tuvo con quien dejarlo. El viejo había obligado a su empleado a llevar de vuelta a casa al niño, sin importar que tuviese que quedarse solo. A mediodía tiró a la basura un pedazo de pastel que su empleado le ofreció para celebrar la Navidad. Al final del día, le exigió a su único empleado quedarse hasta más tarde, para compensar el tiempo perdido en la mañana.

El viejo dormía amargamente cuando, en sueños, se le apareció su antiguo socio, muerto hacía años. Su socio cargaba una pesada cadena. El viejo le preguntó por su lastre, a lo que el socio respondió contándole que el lastre que él tendría que cargar después de muerto sería peor. Y le anunció que vendrían tres fantasmas a visitarlo, el fantasma del pasado, el del presente y el del futuro. Al viejo no le importó nada, «que venga lo que sea», dijo.

El fantasma del pasado, un fantasma amable, le mostró al viejo su propia infancia: un niño enfermo que miraba con tristeza a los demás niños que jugaban en la nieve. El fantasma del presente, un fantasma enojado, le mostró al viejo a su empleado: un hombre bueno que era recibido amorosamente por su familia en una casa humilde pero llena de felicidad y afecto a pesar de la austeridad. El fantasma del futuro, un fantasma oscuro y silencioso, le mostró al viejo la hora de su muerte: una tumba solitaria, un enterrador de beneficencia, su casa abandonada saqueada por mendigos y ladrones.

El viejo se despertó sudando una hora antes de Navidad. Por muy tacaño que fuese, ningún ser humano soporta la idea de una muerte solitaria y anónima. Tuvo apenas el tiempo de conseguir un gordo pavo navideño y un regalo para el hijo de su empleado. Llegó sonriente a su casa, ante la sorpresa de la humilde familia, que lo acogió con cariño y agradecimiento. El viejo siguió siendo cada día más viejo y más rico. Pero nunca más volvió a ser tacaño.

La gota de agua

Dos de diciembre

Hace mucho tiempo vivía un anciano hechicero. Era anciano, hechicero, cocinero, científico, pintor y herrero. Tenía una colección de lo que hoy llamamos lupas, las tenía de todos los tamaños y formas. Se pasaba el día mirando los mundos pequeños que se hacían grandes a través de estos lentes.

Un día, sin mucho interés tomó una gota de agua de un charco. Miraba distraído a través del lente cuando de pronto vio un montón de pequeños animalitos que corrían torpemente de un lado para otro, se chocaban entre sí y se golpeaban. «¡Qué horror! —exclamó el viejo hechicero—. ¿No habrá forma de que caminen con menos prisa, de manera más ordenada y sin golpearse?».

Pensaba el anciano cocinero, hechicero y pintor cómo hacer para que esto fuera posible. Miraba una y otra vez, pero era solo un montón de animalitos. Entonces decidió recurrir a la hechicería. Fue a la cocina,

tomó una copa de vino y le mezcló unas gotas de vinagre y jugo de uva. Vertió una gota de este líquido en la gota de agua y de pronto todos estos seres tomaron un color rosado. Ahora se podía ver mejor: eran como pequeños seres humanos desnudos, que corrían sin importarles quién estaba al frente o al lado, se tiraban al piso, se rasguñaban y se tiraban de los pelos, porque también tenían pelo.

El anciano hechicero seguía sin entender qué pasaba allí. Entonces le pidió a un hechicero más anciano que le ayudara a ver aquella gota. «¿Qué ves allí?», le preguntó nuestro anciano cocinero, mostrándole con la lupa la gota de agua. «Lo que veo —dijo el anciano más anciano— es una ciudad como cualquier otra, es una ciudad que bien podría ser Lima, Bogotá o Nueva York». El anciano guardó silencio pensando que era mejor creer que no era más que una gota de agua.

Bachué

Tres de diciembre

De la laguna de Iguaque, en el comienzo de los tiempos, surgió la diosa Bachué. Iba acompañada de un niño de tres años. Con el niño construyó una choza. Cuando el niño fue grande, se casó con él. Tuvieron muchos hijos. Cuando ya todos sus hijos habían poblado el territorio, Bachué y su hijo y esposo, volvieron a la Laguna de Iguaque. Allí se convirtieron en serpientes y se hundieron en sus aguas para siempre. Así cuentan los taitas muiscas el origen de su gente.

La vaca en la isla Verde

Cuatro de diciembre

En el mundo hay una isla verde, muy verde, más verde que todas las islas verdes del mundo. Es así de verde porque crecen árboles frutales, lechugas, apios y cereales. Allí solo vive un animal: una vaca grande. Todos los días la vaca corre entre los árboles con una felicidad inmensa porque puede comer todas las lechugas que quiera y cuantas hojas de apio se le antoje. Pero cuando llega la noche se entristece pensando en qué va a comer al día siguiente. Se preocupa tanto que se hace flaca, muy flaca y solloza: «¡Qué va a ser de mí! ¡Qué comeré mañana!». A veces no puede dormir de la tristeza y la preocupación.

Pero cuando sale el sol, la vaca corre hacia los árboles, apios y lechugas, y nuevamente es feliz. Está contenta de poder comer todo lo que quiera, todo lo que le gusta. Entonces está otra vez gorda y bonita. Come y duerme todo el día. Pero cuando se hace de noche vuelve a estar triste, igual de triste que la noche anterior.

Vuelve a estar flaca y se lamenta, igual que la noche anterior. Así vive la vaca flaca y gorda, feliz y triste en la isla Verde, más verde que todas las islas del mundo. ¿Alguien podrá explicarle a esa vaca que si hasta ahora siempre ha tenido qué comer, no hay por qué preocuparse?

La lengua

Cinco de diciembre

A don Eugenio le gustaba probar todo tipo de comida. Un día llegó a un restaurante y le pidió al mesero que le trajera lo mejor que tuviera. El mesero llegó con una suculenta lengua guisada. Don Eugenio se la comió de principio a fin. Al día siguiente, volvió al mismo restaurante y le pidió al mesero lo más ordinario que tuviera. El mesero le trajo nuevamente una lengua. Don Eugenio, muy sorprendido, le preguntó: «¿Cómo es posible que un día me traigas lengua como el mejor plato y al día siguiente como el más ordinario?». El mesero le respondió: «Estimado señor: la lengua es a la vez lo mejor y lo peor que hay en el mundo. Si es buena, es realmente lo mejor: se dicen las cosas más bellas e interesantes. Si es mala, es lo peor: puede ofender y humillar a cualquier ser humano». Convencido de esto, don Eugenio se la comió nuevamente de principio a fin.

El regreso de Ulises

Seis de diciembre

Los ocupantes del palacio de Ítaca estaban aburridos de esperar a que la reina Penélope eligiera un nuevo marido entre ellos. La reina esperaba a su esposo Ulises, que todos daban por muerto, pues ya habían pasado diez años desde que se fuera a librar una guerra contra Troya. La reina esperaba tejiendo y destejiendo una tela.

Un veinte de diciembre los pretendientes ambiciosos decidieron obligar a la reina a elegir de una vez por todas. Pero ese mismo día llegó el único amor de la reina: esa misma tarde apareció Ulises en la playa, pues la diosa Atenea nunca lo desamparó.

Atenea le dijo a Ulises que finalmente había llegado a casa, pero que la situación en su reino era delicada. Entre los dos planearon una estrategia para vencer a todos esos hombres que ocupaban el palacio. Atenea lo convirtió en mendigo y así se fue Ulises a casa, pero primero pasó a hablar con el anciano que cuidaba los cerdos y caballos. Este anciano había sido siempre un hombre leal y, aunque no reconoció a Ulises, lo trató como a un rey: le dio comida en abundancia y le contó la triste situación que vivía la reina.

De pronto apareció Argos, el perro fiel de Ulises que ya estaba viejo y ciego, pero el perro sí lo reconoció: movió su cola vigorosamente y la emoción fue tan grande que cayó muerto en ese mismo instante. Ulises estuvo muy triste, pero tenía que volver al palacio. Allí,

vestido de mendigo, pudo engañar a los nobles que lo golpearon y maltrataron. Ulises escondió las armas de todos ellos y al día siguiente los venció con su arco y flechas uno a uno.

Penélope no podía creer lo que veía: ese mendigo usaba el arco como su esposo Ulises. Su hijo Telémaco y Penélope lo reconocieron de inmediato y se fundieron los tres en un solo e interminable abrazo. Ulises había regresado.

Chimancongo

Siete de diciembre

Ha habido terribles tiempos de infamia en la historia de la humanidad. Uno de esos tiempos de infamia y vergüenza, fue hace algunos pocos cientos de años, cuando unos hombres comerciaban con la vida de otros hombres. Españoles y portugueses, ingleses y belgas, compraban guerreros derrotados en reinos de África. Los encadenaban, los metían en las barrigas de sus barcos y los llevaban a continentes lejanos en viajes interminables.

Así llegó a la heroica ciudad de Cartagena de Indias, desde el Congo africano, el guerrero Benkos Bioho. Fue vendido como esclavo a una familia blanca. Apenas sanaron sus heridas de guerra y las marcas incandescentes de las cadenas, Benkos Bioho se levantó en rebeldía. En su lengua gritaba: «Yo soy del Congo, ¡Chimancongo!». Lo azotaron, le pegaron, apretaron sus cadenas, lo castigaron, lo dejaron sin comida. Pero nada ni nadie calmó su furia. Su grito guerrero le daba toda la fuerza de sus ancestros: «¡Chimancongo!».

No pudieron detenerlo más. Benkos Bioho se fue de Cartagena, se liberó, y fundó el primer pueblo de negros libres al otro lado de los Montes de María, el pueblo de San Basilio de Palenque. Desde hace pocos cientos de años existe, intacto y

resistente, este pueblo libre. Allí se habla una antigua lengua del Congo, el bantú, en un continente lejos de África. Sus habitantes siguen firmes hoy, luchando contra la infamia.

San Francisco y el pesebre

Ocho de diciembre

San Francisco, aquel hombre que optó por la pobreza y disuadió de su ferocidad a un lobo feroz, vivió en Asís. En aquellos tiempos en que vivió san Francisco, en aquellas tierras, la región de Asís, pocos sabían leer. San Francisco se esforzaba entonces en contar las historias de Jesús. Cuando estaba contando la historia del nacimiento de Jesús, se quedó sin palabras para describir la humildad del establo donde María dio a luz.

Pareciera que hay muchas palabras para hablar de la riqueza y la lujuria, pero pocas palabras para hablar de la humildad y la pobreza. Hay muchas palabras para contar un palacio, pocas para contar un pesebre. Propuso san Francisco construir una representación de la historia, como quien juega con casas de muñecas. Así de humilde se veía todo. Así de sencillo. Desde entonces en muchos países se tiene la costumbre de armar el pesebre en diciembre, para ayudarnos a recordar la humildad, la pobreza y la sencillez que hacen parte de la historia del nacimiento de Jesucristo.

La parábola del elefante

Nueve de diciembre

Todos los habitantes de un pequeño pueblo del desierto eran ciegos. Hace muchos años habían sufrido de una extraña enfermedad, pero se habían acostumbrado a vivir una vida tranquila, aun sin poder ver. Un día llegó la noticia de que en el pueblo vecino el rey había traído un elefante de la India. Todos en el pueblo estaban muy intrigados, pues nunca habían estado cerca de un elefante ni sabían cómo era. Entonces decidieron enviar a seis de sus sabios para que les contaran cómo era un elefante.

Cuando llegaron al pueblo vecino, los sabios pidieron permiso al rey para poder tocar al elefante y así fue que uno tocó la trompa, otro tocó la oreja, uno más tocó la pata. El sabio más anciano pidió permiso para montar sobre él y dio un corto paseo. Cuando llegaron a su pueblo, todos los rodearon y preguntaron cómo era el animal. El primero les dijo: «Uy, es como un tubo largo, fuerte y flexible. ¡Ay de ti si te atrapa!» El que había tocado la oreja, respondió: «¿Cómo que como un tubo? Es como una gran alfombra que se mueve cuando la tocas». El tercero, sorprendido, dijo: «¡Están ustedes locos! Si el elefante es como una pesada columna, arrugada y peluda». El más anciano dijo: «No, no, no... es como una montaña que se mueve». Los seis sabios estuvieron horas discutiendo quién tenía la verdad sobre cómo era el elefante y los habitantes del pueblo se fueron a sus casas sin saber cómo era en realidad un elefante.

Rodolfo el reno

Diez de diciembre

En el Polo Norte vivía una gran familia de renos. El mayor orgullo para ellos no era comer la mayor cantidad de pasto ni ganar una pelea de cuernos, el mayor orgullo era ser elegidos por Papá Noel para conducir su mágico trineo cada año durante las fiestas navideñas. Todos se entrenaban para ello y los más pequeños jugaban a ser los renos navideños arrastrando troncos. Papá Noel siempre viajaba con ocho renos, los más fuertes, listos y nobles.

Todos jugaban y se divertían menos uno: Rodolfo. De él se burlaban desde que había nacido, no porque tuviera una rara cornamenta, no porque fuera gordo, no porque caminara raro, se burlaban de él porque tenía una enorme y roja nariz, tan roja como la nariz de un payaso. Decían que un hada se la había puesto y nadie sabía por qué. Cuando llegaba el invierno y el frío era mayor, Rodolfo se resfriaba y su nariz era roja como nadie puede imaginar, incluso debía dormir alejado de la manada porque la luz de su nariz no dejaba dormir a los otros renos. Así era que Rodolfo nunca había ni siquiera soñado con pertenecer al grupo de renos de Papá Noel.

Llegó el día que todos los niños esperan: el día que Papá Noel reparte los regalos.

Todo estaba listo, el trineo repleto de regalos y los renos amarrados emocionados de partir. De pronto se vino una gran tormenta de nieve, nada se veía y los renos, aunque eran fuertes, no podían avanzar. Papá Noel solo pensaba en la tristeza de los niños si no recibían los regalos. Entonces se acordó de aquel bello y tímido reno de nariz roja como rojo era su traje. Fue a buscarlo y le pidió ayuda. Papá Noel lo amarró delante de los otros renos y le pidió que dirigiera el trineo. Con su gran nariz Rodolfo iluminó el camino y demostró ser tan fuerte como todos sus compañeros. Los regalos llegaron a su destino y desde ese día Papá Noel no viaja a ningún lado sin su reno favorito: Rodolfo.

Luzbel

Once de diciembre

Dios vivía en el cielo con los ángeles. De todos los ángeles, el más hermoso era Luzbel. Por eso dios lo tenía en un lugar especial y lo consentía mucho. Lo consintió tanto que Luzbel se volvió engreído. Le dijo un día a dios: «Padre, me gustaría hacer llover y lanzar rayos como haces tú». Dios le respondió: «No hijo, eso solo lo puedo hacer yo».

Dios lo seguía queriendo mucho a pesar de sus caprichos. Pero Luzbel se iba haciendo cada día más engreído. «Padre, me gustaría, así solo sea por un ratico, decidir quién se muere y quién vive allá en la tierra, ¿sabes? enviar pestes, terremotos, diluvios...». «No hijo, eso solo lo puedo hacer yo».

Dios lo seguía queriendo, a pesar de sus caprichos crecientes, pero ya estaba preocupado. Lo llamó y le dijo: «Hijo mío, ángel de mis preferencias. Tu belleza es gracias a la luz que yo te he dado. Esa es tu gracia y tu privilegio. Como gracia y privilegio, debe ser motivo de humildad y no de arrogancia». Luzbel oyó sin escuchar y al día siguiente volvió donde dios: «Padre, ¿me darías tu copia de las llaves de cielo?». Ya dios no tuvo más paciencia y le alzó la voz: «¡Hijo!, mis responsabilidades son mías. ¡Tú limítate a ser feliz!». El cielo tembló entero con la furia de dios. Pero Luzbel no se amedrentó. Tanta era su arrogancia que le volteó el rostro a su padre. Fue a buscar a sus amigos y volvieron armados a retar a dios. «Padre, me darás lo que quiero a las buenas o a las malas».

Un tercio de los ángeles del cielo apoyaban a Luzbel. La furia divina dejó rápido paso a una profunda tristeza. Con un gesto melancólico, dios le quitó toda la luz a Luzbel. Su belleza desapareció. Con otro gesto los envió a todos lejos del cielo, abajo, al profundo reino de las tinieblas. Desde entonces, Luzbel se volvió el diablo. Y allá vive, en las tinieblas, vanidoso y engreído.

El árbol de Navidad

Doce de diciembre

En un hermoso bosque crecía un árbol diferente a los demás: era impaciente, hablador y siempre estaba ansioso, ansioso de crecer. Pero no solo quería crecer para ser como los grandes, lo que nos ocurre a todos los niños. Este árbol quería irse del bosque, ver otros mundos, experimentar cosas nuevas. Desde pequeño había visto que en el invierno venían personas a llevarse los árboles más bellos y él quería ser uno de esos que viajan a otros mundos. En realidad nadie en el bosque sabía a dónde iban esos árboles, pero nuestro amigo no podía esperar el momento en que le tocara el turno. Así fue que años más tarde llegó su hora. Unos hombres con un hacha lo cortaron y el árbol cayó desmayado del dolor. Cuando despertó, se encontró un poco adolorido y enterrado en un balde con arena. Estaba al lado de una chimenea y a su alrededor distintas personas le ponían luces, moños y adornos de todo tipo. Esto hizo que su dolor se disipara. Estaba muy feliz de recibir tantas atenciones, todos decían que se veía hermoso. Cada día niños y adultos se reunían en torno a él. Parecía que

el árbol había hecho realidad su sueño. Pero unos días después quitaron todos sus adornos, intentó estirar sus ramas, pero ya estaban secas. Fue arrastrado al patio y allí cortaron su tronco en pedazos que servirían para alimentar la chimenea. En ese momento, nuestro arbolito lamentó profundamente no haber disfrutado más su permanencia en el bosque, con sus amigos y en el lugar al que pertenecía.

El patito feo

Trece de diciembre

Todos los patos estaban alborotados. Por fin la señora Pata iba a tener hijos. Había esperado mucho y finalmente cinco huevos iban a eclosionar. Salió el primer patito: era pequeño y amarillo. Muy bonito, como son todos los patos pequeños. Nació el segundo, con las plumas alborotadas y ojos brillantes. Muy bonito, como son todos los patos pequeños. Salió con cierta dificultad el tercero: era blanco y gracioso. Muy bonito, como son todos los patos pequeños. Pasaron dos horas y finalmente salió el cuarto patito: amarillo con algunas plumas blancas y cafés. Muy bonito, como son todos los patos pequeños. Pasaron tres horas, cuatro horas y ya todos estaban cansados de esperar el quinto hijo de doña Pata. Uno a uno se fueron nadando. Mamá Pata no se retiró ni un instante del quinto huevo. No pegó el ojo en toda la noche, esperando algún movimiento de ese huevo.

Al día siguiente ya había una grieta y todos los patos se reunieron nuevamente a esperar al último hijo. Poco a poco se vio el pico, era grande. Salió la cabeza, era grande y gris. Salieron las alas, eran demasiado grandes y oscuras. Finalmente salieron las patas y el patito entero.

Pero no era bonito, como todos los patos pequeños. Era grande, torpe, oscuro y hablaba de forma extraña. En el lago prefirieron no decir nada y nuevamente se fueron retirando uno a uno en silencio. Mamá Pata sabía que era distinto, pero no por ello menos amado. Lo que no sabía es que a este quinto patito todos lo iban a rechazar, incluso sus hermanos. El patito, al que ya todos llamaban el Patito Feo, notó el desprecio y decidió marcharse. Nadó varios días, lloró varios días. Extrañó a su madre y se enojó con la naturaleza por haberlo hecho tan feo.

Lloraba el patito en un lago lejano y vio aterrizar a unos pájaros grandes que nunca antes había visto. Lo saludaron de manera muy familiar y lo invitaron a seguir el camino con ellos.

El Patito Feo no entendía nada. Ni siquiera sabía volar. Uno de ellos le dijo que debía saber, pues era un cisne. El patito no creyó nada hasta que en el reflejo del lago se vio igual que ellos. Comprendió entonces que había nacido por error en una familia de patos pero que en realidad era un bello, grande y majestuoso cisne. Ya no lloró más, ya no renegó más, voló alto y lejos, y siempre recordó con cariño a su mamá Pata.

El niño que lo pidió todo

Catorce de diciembre

Se acercaba Navidad y Luisito le escribió a san Nicolás una carta que decía: «Querido san Nicolás, para esta Navidad lo quiero todo». Llegó la medianoche del veinticuatro de diciembre y Luisito se despertó con un estruendo. Fue a la sala y vio regalos de todos los tamaños, carros y caballos, patinetas y bicicletas, osos y hornos, televisores y guitarras, baterías y pianos, cajas grandes y pequeñas, medianas y diminutas. Cuando se iba a lanzar a destapar los regalos, escuchó que alguien lo llamaba desde la calle. Abrió la puerta y vio a san Nicolás en su trineo: «Querido Luis, muchas gracias por querer ayudarme. Sube a mi lado, vamos a repartir todos los regalos». Luisito no supo qué responder. Después de lo que fueron miles de horas para Luisito, pero apenas un minuto para el resto del mundo, volvió el niño a casa agotado, a duras penas lograba mantenerse en pie. Antes de despedirse, se acordó que no había quedado ni un regalo para él: «San Nicolás, ¿y mi regalo?». Y san Nicolás le respondió: «Luisito, ¿acaso no recuerdas? Tú no me pediste nada».

El lobo y el pastor

Quince de diciembre

El pastor cuidaba de sus ovejas, sabía cuáles eran sus enemigos y el lobo, por supuesto, era uno de ellos. Cada día salía el pastor y miraba que no hubiera peligro. Sin embargo, hacía un tiempo un lobo caminaba cerca de él y de su rebaño. Le parecía al pastor muy extraño que el lobo no le hiciera daño a ninguna oveja. «Tal vez esté solo y busca compañía», pensaba. Se acostumbraron así a la presencia del lobo y ya no le tenían miedo. Hasta que un día el pastor debió ir al pueblo y pensó que podría dejar solas a las ovejas un rato. Al fin y al cabo estaba el lobo para cuidarlas.

Cuando regresó el pastor con su rebaño, no encontró ni a una de sus ovejas. Solo estaba el lobo con la panza a punto de reventar. «Bien merecido lo tengo, ¿cómo se me ocurrió que podía dejar mis ovejas al cuidado de un lobo?», se dijo el pastor sollozando sin remedio.

Las pescadoras

Dieciséis de diciembre

Un grupo de pescadoras había trabajado hasta muy tarde arreglando los pescados. De regreso a casa, se oscureció y además estaban cansadas por el peso de las canastas llenas de pescado. Afortunadamente encontraron en el camino una casa donde tocaron y una mujer muy amable les abrió la puerta. Esta mujer cultivaba flores y las vendía en el mercado. Las invitó a seguir y a pasar la noche allí. Les ofreció una habitación amplia donde guardaba en canastas hermosas flores de todo tipo que vendería al día siguiente. Las mujeres muy agradecidas se dispusieron a dormir. De pronto, una de ellas empezó a quejarse por el olor de las flores: «¡Qué horror! ¿Alguna de ustedes puede dormir con ese olor?». Todas estuvieron de acuerdo en que no soportaban el olor de las flores y no podrían conciliar el sueño. Entonces a una se le ocurrió una idea: «Cojamos las canastas de pescado y las usamos como almohadas, así podremos evitar ese desagradable olor». Así hicieron: cogieron las canastas con el desagradable olor a pescado, pusieron sus cabezas y en un minuto ya estaban durmiendo plácidamente.

Sé como un muerto

Diecisiete de diciembre

Era un maestro espiritual muy sabio. Tenía un alumno joven y con unos deseos profundos de aprender todo lo que su maestro estuviera dispuesto a enseñarle. Un día, el maestro lo llamó y le dijo: «Ve al cementerio y grita a todo pulmón todos los halagos, palabras bonitas y piropos a los muertos». El alumno nunca cuestionaba lo que el sabio maestro le pedía. Fue hasta el cementerio y en medio del frío y el silencio, empezó a gritar todo tipo de elogios. Volvió después al lado de su maestro, quien le preguntó: ¿Qué te respondieron los muertos?». «Nada», dijo el joven. «Ahora vuelve al cementerio y grita todos los insultos, groserías y palabras feas a los muertos», pidió el maestro. Un poco más desconcertado partió el joven al cementerio e hizo al pie de la letra lo que le pidió el maestro. Volvió nuevamente a su lado y le preguntó: «¿Qué te respondieron los muertos?». «De nuevo, nada», dijo el joven. Entonces el maestro le dijo: «Así debes ser tú: como un muerto; es decir, indiferente a los halagos y a los insultos de los demás».

Las tres hachas

Dieciocho de diciembre

Un leñador feliz y humilde vivía de la leña que cortaba cada día en el bosque. Un día, cortando leña cerca a un río, la hoja de su hacha se zafó y fue a caer al agua. El leñador lloró desesperado y desconsolado hasta que oyó una voz que lo llamaba. Era un pez dorado que le mostraba un hacha de oro: «No llores más. En este bosque todos apreciamos tu humildad y tu felicidad. Acá está tu hacha». El leñador sonrió y dijo: «Me haces muy feliz con tus palabras, pez dorado. Pero no puedo recibir esa hacha. No es la mía». El pez dorado volvió a sumergirse en el agua y salió con un hacha fabricada en diamante. «Pez dorado, tus atenciones me hacen cada vez más feliz. Pero esa tampoco es mi hacha», dijo el leñador. El pez se sumergió una tercera vez y sacó el hacha de acero del leñador. Si antes de esta historia ya era feliz el leñador, después de saberse tan querido, fue el hombre más feliz del mundo.

Las dos ranas

Diecinueve de diciembre

La rana Felipa vivía en un pozo pequeño y viejo. Nunca había salido de allí, ese era su mundo y se sentía muy a gusto. Una tarde pasó al lado del pozo una rana viajera que venía del mar. Felipa le preguntó: «¿De dónde vienes? Tienes un color extraño». «Vengo del mar, he viajado mucho y mi piel va tomando estos colores», dijo la rana aventurera.

Felipa quiso saber cómo era el mar y preguntó: «¿Es grande el mar? ¿Es bonito el mar?» La otra rana le dijo entusiasmada: «Es extraordinariamente grande. Es hermoso». «¿Más grande que mi pozo? ¿Más hermoso que mi pozo?», preguntó exaltada la rana Felipa. «¡Es imposible comparar el mar con tu pozo! El mar es descomunal, es enorme», dijo la rana.

La rana Felipa se enojó mucho, muchísimo y muy airada le dijo a la su contertulia: «¡Es mentira! No hay nada en el mundo más grande ni más hermoso que mi pozo». Diciendo esto, echó del pozo a la rana aventurera.

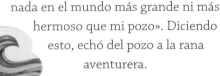

La torre de Babel

Veinte de diciembre

Hace mucho mucho tiempo, cuando desear todavía era útil, en tierras remotas, los hombres quisieron estar más cerca de dios. En aquellas tierras, en aquellos tiempos, dios vivía en el cielo, rodeado de ángeles. Los hombres quisieron entonces construir una torre muy alta, tan alta que llegase hasta el cielo.

Convocaron a todos los hombres, de todos los lugares que en aquel entonces existían en el mundo. En aquella época todos hablaban la misma lengua. Durante años construyeron uno a uno los incontables pisos de la torre que debía llegar hasta el cielo. Trabajaron sin cansarse hasta un día en que el piso más alto de la torre llegaba a las nubes y no podía verse desde el suelo.

Ese día dios escuchó a los hombres hablando, felices por su logro, y decidió premiarlos por su esfuerzo. Hasta ese día todos los hombres se habían entendido con las mismas palabras, en la misma lengua. Dios les dijo: «A partir de hoy hablarán todos lenguas distintas. Cada lugar tendrá su propia lengua. Cada hombre hablará la lengua propia de su lugar. Las palabras serán incontables. Cada cosa tendrá incontables nombres en incontables lenguas».

Así, de pronto, el gato de un hombre fue el pastel de otro. Para algunos el sol fue el padre, para otros la madre. Para unos la luna fue ella, para otros él. La nieve para unos fue una sola, para otros tuvo veinte nombres diferentes. Para quienes vivían en la selva cada árbol tuvo su nombre propio. Para quienes vivían en el desierto la arena tuvo tantos nombres como colores tenía ella a distintas horas del día. El mundo se pobló de palabras y nombres de riqueza infinita.

Los tres reyes magos

Veintiuno de diciembre

A la magnífica ciudad de Constantinopla llegó el anuncio del nacimiento del hijo de dios. Constantinopla era una ciudad maravillosa de comienzos de nuestra era. Allí se reunían personas de todas las partes del mundo conocido en aquel entonces. Se hablaban incontables lenguas, se adoraban incontables dioses, se vestían las personas de incontables maneras. Un mago negro de África, que vivía en Constantinopla, se enteró de la noticia y tomó su camello para ir a adorar al niño dios. Un mago amarillo de Asia, que vivía en Constantinopla, se enteró de la noticia y tomó su camello para ir a adorar al niño dios.

Un mago blanco de Europa, que vivía en Constantinopla, se enteró de la noticia y tomó su camello para ir a adorar al niño dios. Ya lejos de la ciudad, los tres se encontraron en la ruta a Belén. Como todos iban vestidos de gala, en la misma ruta y llevaban un regalo, fue inevitable que se miraran con curiosidad. Fue Baltasar, el mago negro de África, el primero en hablar: «Mi nombre es Baltasar. Vengo de África. De color soy negro. Voy a adorar al niño dios, dios de los judíos. De regalo le llevo oro». «Yo soy Gaspar. Vengo de Europa. De color soy blanco. Voy también a adorar al niño dios de los judíos. De regalo llevo mirra». «Yo soy Melchor. Vengo de

Asia. De color soy amarillo. Voy a adorar al niño dios de los judíos. De regalo llevo incienso». Así se presentaron todos. Siguieron juntos el camino, contándose historias y conjuros. Por eso, por tanta conversación, llegaron doce días tarde a adorar al niño dios.

Antes de llegar, Baltasar les preguntó a Gaspar y a Melchor: «¿Por qué quieren adorar a este hijo de dios ajeno?» Gaspar dijo: «He entendido que este hijo de dios es un hombre. Le han dicho el hijo del hombre. Yo me he aburrido de rezarles a dioses divinos, ajenos, extraños. Yo quiero adorar a un hombre». Y Melchor: «He entendido que este hijo de dios será dios de todos, no solo de quienes profesen su religión. Será dios también de quienes no crean en él. Yo me he aburrido de pelear con mis vecinos por el nombre de nuestros dioses. Yo quiero adorar a un dios sin religión».

«¿Y tú, Baltasar?», preguntaron Gaspar y Melchor. «He entendido que este hijo de dios habla del amor. Yo me he aburrido de escuchar palabras de odio en el nombre de nuestros dioses. Yo quiero adorar a un dios que me hable del amor».

Cuando se presentaron en Belén, todos entendieron que eran representantes de sus continentes. Los trataron entonces como reyes. Desde entonces se les dice rayes magos.

La bella y la bestia

Veintidós de diciembre

Un noble vivía en un castillo con su servidumbre. Gozaba de una larga y saludable juventud. Era además hermoso. Poseía tierras y riquezas. Pero era un hombre vanidoso, soberbio, arrogante y huraño. Una bruja que vivía en el bosque cercano estaba fascinada con la belleza del noble. Un día fue la bruja a llevarle de regalo una rosa roja. El noble la miró con asco y tiró la flor al piso. La bruja, presa de la ira, le dijo: «Esta es tu maldición: tomarás la forma que tus sentimientos expresan. Así será hasta que esta rosa se marchite. Si para entonces no has sido capaz de querer a alguien,

morirás». En ese instante el noble se convirtió en una bestia. Su servidumbre hizo lo posible por alargar la vida de la rosa. Pero el príncipe era cada día más huraño. Se quedó entonces solo en su amargura. Cuando el último pétalo de la rosa estaba a punto de caer, la bruja llegó al castillo. El noble, que llevaba tanto tiempo solo, se emocionó al verla. La bruja sonrió y él la abrazo con cariño. Entonces su cuerpo volvió a ser como antes. Pero su corazón había cambiado. Fueron entonces grandes amigos por siempre, jugaban en el bosque y ofrecían fiestas.

La Navidad robada

Veintitrés de diciembre

En un pueblo en las montañas llamado Cocuy, vivía una bruja vieja y amargada. Había crecido sola y nunca había celebrado una Navidad. Un veintitrés de diciembre no aguantó más la envidia y se robó la Navidad. En el pueblo vivía también Fernanda, una hermosa mujer que tenía veintitrés hijos. Fernanda fue hasta donde el taita que vivía aislado en las lajas al lado de la nieve. El taita le preguntó a Fernanda: «¿Y por qué habría yo de ayudarte?». A lo que Fernanda contestó: «Porque he caminado mucho y porque tengo veintitrés hijos que mañana no pararán de llorar». El taita rió y le dijo: «Hay dos bolsas sobre esa mesa. Una devuelve la Navidad. La otra se lleva la Navidad para siempre. Debes escoger una». Una de las bolsas era de tela fina y nueva. La otra era un costal de fique usado. Sin pensarlo, Fernanda tomó el costal de fique. «Muy bien», rió el

taita, «¿cómo supiste?». «La Navidad se usa mucho desde hace ya más de dos mil años». Acompañada por una risa del taita, Fernanda volvió al Cocuy justo a tiempo para hacer reír a todos los niños.

San Nicolás

Veinticuatro de diciembre

Desde que nació el pequeño Nicolás fue el asombro de todos. Nada más en su primer baño, se puso de pie y se bañó solito. Desde bebé decidió que miércoles y viernes solo tomaría leche de su madre una vez. Estuvo, desde que nació, preocupado por llevar una vida austera. Sus padres tenían mucho dinero. Pero al pequeño Nicolás nunca le interesaron las riquezas ni los lujos. Siendo niño, escuchó el llanto de un vecino. Este tenía tres hijas. Pero no tenía cómo mantenerlas. Se hacía viejo, no podía trabajar, y era cada día más pobre. Pensó entonces este vecino, con mucho dolor en su corazón, en poner a trabajar a sus tres hermosas hijas. Nicolás se acercó con cautela, de noche, a la ventana del vecino. Dejo caer con mucho cuidado una bolsa llena de monedas de oro. En la mañana el viejo no podía creer lo que veía. Le dio la bolsa llena de monedas a su hija menor, para que no tuviera que pasar hambre nunca más. A la siguiente noche Nicolás hizo lo mismo. Y también la noche que siguió, hasta que las tres hijas tuvieron entonces suficiente para no pasar hambre nunca más.

Así hizo Nicolás toda su vida. Por eso fue nombrado santo: san Nicolás. Y sigue siendo san Nicolás, o, como lo llaman en algunas tierras del norte, Santa Claus, quien trae los regalos para los niños en diciembre.

El nacimiento de Cristo

Veinticinco de diciembre

Así fue entonces esta historia. El arcángel san Gabriel visitó a María, su saludo se volvió una oración: «Salve María, llena eres de gracia, el señor es contigo, bendita tú eres entre todas las mujeres, bendito es el fruto de vientre: Jesús». Así informó dios a María que estaba embarazada, que su vientre daba un fruto y el nombre de su fruto era Jesús. Debió empalidecer María, aún no se había casado, ni siquiera sus labios conocían los labios de su amado José, ¡y ya resultaba embarazada! por obra y gracia del espíritu santo. El dios de los cristianos es así: es padre, es hijo y es espíritu santo. Es uno y son tres. Son uno y son tres. Es uno y es tres. El misterio de la santísima trinidad, es como se llama a este asunto.

De los tres que es uno, fue el espíritu santo el encargado de sembrar la semilla que sería el hijo de dios en el vientre de María. Tiene sentido. El hijo, o sea Jesús, no podría sembrarse a sí mismo. El padre, o sea dios, no baja a estas tierras desde el comienzo del mundo. Así que fue el espíritu santo, o sea espíritu, el encargado de esta tarea que cambió para siempre la historia de la humanidad. Y fue Gabriel, arcángel, el encargado de dar la noticia. También ayudó el arcángel a resolver el escepticismo inicial de José. Le habrá dicho, quizás: «Hombre, José, no es tarea pequeña esta de hacer de dios hombre. Ya sabes, los hombres son hombres, dios es dios».

Y dijo José: «Pero siendo dios todopoderoso, ¿no podría aparecerse por acá así simplemente?». «Para ser hombre hay que nacer. Solo las mujeres dan a luz, solo las mujeres hacen de los hombres hombres. Y pues así simplemente se ha aparecido dios, como tú dices, en el vientre de María». «¡Justamente en el vientre de mi amada! de tantos vientres que hay por ahí solitarios». «Bendito habrías de sentirte, querido José, elegido por dios tu señor».

Nada más dijo José. En verdad no le creyó mucho a Gabriel sus palabras, a pesar de las alas y de todo su despliegue celestial, coros celestiales, centellas celestiales, iluminación celestial. En lo que creyó José fue en su amor por María. Más que fe en dios, tuvo José fe en el hombre y en la mujer. En lo que creyó José fue en el amor.

Ya no sabemos si fue la inspiración de dios, hecho hombre en el vientre de María, a través de la voz de san Gabriel, la que hizo que José creyera en el amor. O si fue la fe de José en sí mismo y en María, y en el amor que se tenían, la que hizo de ese hombre en el vientre de María, dios en la tierra. Pues ese hombre que era dios, llamado Jesucristo, no hizo más que hablar sobre el amor.

Así fue entonces esta historia. El emperador que mandaba en esas tierras en aquel entonces, mandó matar a todos los niños que nacían. Así estaba de temeroso este poderoso emperador, con la profecía que anunciaba la llegada del hijo de dios a la tierra. Escaparon entonces María y José, y huyendo fue que nació Jesucristo. Cerca a Belén, en un establo pobre, al calor de una vaca y un burro, sobre el heno seco, nació el hijo de dios. A las doce de la noche de un veinticuatro de diciembre hace poco más de dos mil años, pastores y campesinos humildes recibieron a Jesús con lo poco que podían ofrecer: un pedazo de queso, algo de pan, medio salchichón, unas mediecitas bordadas con premura.

Con un retraso de doce días llegarían tres reyes magos de tierras lejanas, a cuyos oídos había llegado también la anunciación de la llegada del hijo de dios. Muy raro les pareció que el hijo de un dios tan poderoso naciera rodeado de semejante pobreza. Dejaron sus regalos exóticos, oro, incienso y mirra, y se volvieron por donde habían llegado. Nunca más se supo de ellos.

Desde entonces, todos los veinticuatro de diciembre, en algunos países, y todos los seis de enero en otros, los adultos le dan regalos a los niños. El niño dios mismo, da regalos también. Y san Nicolás, protagonista de otra historia, le trae regalos al resto.

El nacimiento del Sol

Veintiséis de diciembre

Hubo un tiempo en que se desató una guerra impresionante: la guerra entre las tinieblas y el Sol, entre la oscuridad y la luz. Las tinieblas eran poderosas y querían dominar en la Tierra, pero el Sol luchó con valentía e inteligencia. El Sol ganó todas las batallas. El Sol ganó invicto.

El día del triunfo fue el veinticinco de diciembre: el momento de mayor luz, pues es después del solsticio de invierno. Para agradecerle al Sol, los primeros hombres celebraron su triunfo todos los veinticinco de diciembre de cada año. La celebración era una fiesta en la que se tomaba mucho vino y se comía en abundancia. Era la fiesta del Sol Invicto. Así fue por muchos años. Hasta que un día, un emperador llamado Constantino, que disfrutaba mucho de estas fiestas, decidió que podrían unir la fiesta Navidad, es decir, el nacimiento de Cristo, con esta fecha. Desde entonces seguimos celebrando el nacimiento de Cristo, pero se nos ha olvidado celebrar el triunfo del Sol. Hoy es un buen día para empezar.

Dionisio y los delfines

Veintisiete de diciembre

Dionisio era un dios de espíritu alegre. Era, claro, el dios del vino. Como casi todos los dioses, era muy atractivo y cuando tomaba la forma de ser humano, parecía un príncipe.

Tanto así que un día unos piratas lo secuestraron pensando que podrían venderlo como esclavo y recibir una buena suma por él. Nunca pensaron los piratas lo que esto significaría. Dionisio se enfureció de tal forma que, una vez en el barco, se convirtió en un fiero león e hizo aparecer un oso enorme. Los piratas corrían por el barco sin saber qué hacer. Unos murieron bajo las garras del oso, y los que lograron saltar, fueron transformados en delfines. Muchos dicen que los delfines siguen teniendo el alma de los piratas, pero de los piratas arrepentidos que acompañan a los barcos y ayudan a los náufragos.

El día de los inocentes

Veintiocho de diciembre

El líder del pueblo judío, Moisés, al nacer se salvó por poco de una matanza de recién nacidos ordenada por el rey del pueblo que tenía sometido a su pueblo. Jesucristo al nacer también se salvó por poco de una matanza de recién nacidos ordenada por Herodes, rey de Judea, que temía el anunciado nacimiento del hijo de dios. El veintiocho de diciembre se recuerda a todos estos bebés inocentes muertos. Por alguna extraña razón, en nuestra tierra, este día se celebra haciendo bromas. Si es veintiocho de diciembre y el periódico dice que ha llegado el fin del mundo, es mejor no creerlo. Si lo crees todos se reirán y te dirán: «¡Pásalo por inocente!». Hoy es veintiocho de diciembre... ¿podrías creer que esta historia es una inocentada?

El hombre que duerme

Veintinueve de diciembre

Todos en este pueblo tranquilo y rodeado de montañas estaban desconcertados: ¡había allí un hombre que llevaba más de quince años durmiendo! Nadie podía explicar este fenómeno. Venían personas, médicos y científicos de lugares lejanos para intentar ayudar, comprender o solo curiosear. Ante tanta incertidumbre, el alcalde decidió un día llamar a un ermitaño que llevaba más de treinta años viviendo solo en una de las montañas cercanas al pueblo. Decían que era capaz de conectarse con la naturaleza y con los espíritus. Tal vez podría conectarse con el hombre dormido.

Un poco a su pesar bajó el ermitaño y se sentó junto al hombre durmiente. Cerró los ojos, pidió silencio y empezó a dirigir su mente hacia la mente del dormido. Pasaron largos minutos y la gente del pueblo temió que el ermitaño tampoco fuera a despertar. Una hora más tarde, el ermitaño abrió los ojos y habló: «He llegado hasta la mente del hombre que duerme, he llegado a su corazón y he encontrado la razón por la cual el hombre no despierta: él sueña que está despierto y por lo tanto, no se dispone a despertar».

Parábola de Gritón y Callado

Treinta de diciembre

Gritón llegaba a la iglesia a rezar. Se paraba frente al altar y gritaba: «¡Oh dios! Soy buen padre y buen hijo y buen trabajador y buena persona. ¡Gracias, dios!». Callado se agachaba en la parte de atrás de la iglesia y murmuraba: «Perdona dios. Creo que puedo ser mejor padre y mejor hijo y mejor trabajador y mejor persona. Dame fuerzas por favor para ser cada día mejor. Gracias,

dios». Gritón tenía cada día menos cosas que gritar. Un día, sus hijos le dijeron que era muy narciso para poder ser buen padre. Otro día sus padres le dijeron que era muy creído para ser buen hijo. Otro día lo echaron de su trabajo por arrogante. Y todos quienes escuchaban sus gritos en la iglesia lo odiaban por fanfarrón. Callado hablaba cada día más bajo, pero se veía cada día más feliz.

El año viejo

Treinta y uno de diciembre

En muchos lugares del Caribe, esa amplia región que huele a mar, construyen muñecos grandes el último día del año. Los muñecos tienen el nombre del año que se va. Entienden así en esta región que los años vienen y se van, como las olas del mar Caribe. El tiempo no viene para quedarse, viene para irse.

Cada muñeco se viste con ropa elegante. Se cubre su cabeza con un sombrero. Se le regala un paquete de cigarrillos y una botella de ron. En sus bolsillos se guardan mensajes para el año que viene. Se viste con calzoncillos amarillos. Se calza con los mejores zapatos.

Una hora antes del fin del año, se le llena la cabeza de fuegos artificiales y la barriga de juegos pirotécnicos. A las doce se le prende fuego. Se manda a volar.

El año viejo debe irse. Lo que sea que haya pasado, ya pasó. Si hemos sido felices, debemos dejar pasar la felicidad para labrarla nuevecita en el año que llega. Las tristezas debemos dejarlas pasar para conjurarlas el año nuevo.

Año nuevo, vida nueva, dicen en esta región que huele a mar.

Fuentes bibliográficas

Los autores de este libro han consultado las siguientes fuentes para contar, o mejor recontar, estos cuentos. Los que no aparecen listados son o bien fabulaciones de hechos históricos, o cuentos originales de los autores. [1]

Cuentos tradicionales del mundo: 11B, 34B, 31B, 40A, 42B, 43, 43B, 46A, 45, 49A, 50A, 50B, 51A, 52A, 52B, 53A, 53B, 57A, 63, 68A, 70C, 71A, 72A, 73, 88, 89B, 97B, 98C, 101A, 89A, 99A, 100A, 107A, 107C, 108A, 114A, 114B, 119A, 119C, 124B, 125A, 125B, 128B, 129A, 130A, 132A, 134C, 135B, 137, 138, 139A, 142A, 145, 149A, 151A, 151B, 153, 159, 159B, 164B, 164C, 168, 173, 177, 178C, 183B, 184A, 185A, 186B, 187A, 187B, 189B, 190B, 192A, 197B, 203B, 205A, 206A, 208B, 209, 210B, 212, 214A, 216A, 218A, 215, 216B, 217A, 227, 231A, 231B, 232B, 234, 235A, 239C

Mitologías del mundo: 12A, 18A, 26A, 32A, 56A, 77A, 90B, 96B, 102A, 104A, 110A, 126B, 162A, 165B, 185B, 189A, 192B, 193, 199B, 204, 206B, 208, 211A, 219, 223B, 239A, 238

Cuentos sufíes: 33, 34A, 74B, 87C, 107B, 126A, 140A, 160B, 162B, 166B, 172C, 224A, 226B

Rudyard Kipling: 13A, 19, 55, 68B, 76, 81, 80, 111, 142B, 147B, 156B, 158, 146B, 182, 188A, 194, 196B, 207

Esopo: 13B, 15B, 16B, 20B, 21A, 23A, 24A, 24B, 61B, 64B, 70A, 70B, 71B, 79A, 85, 87A, 87B, 89B, 95B, 96A, 97A, 99B, 100B, 102B, 106A 108A, 108C, 113A, 119B, 120A, 121A, 127A, 147A, 149B, 150B, 163A, 163B, 164A, 165A, 169B, 170B, 178A, 178B, 195A, 203A, 210A, 214B, 224B, 230B

Hans Cristhian Andersen: 14B, 35, 51B, 60B, 62A, 84, 91, 183A, 223A, 228B, 229

Las mil y una noches: 15A, 28, 36B, 30, 36A, 37B, 39B, 43A, 44A, 44B, 42A, 46B, 49B, 53A, 54B, 56B, 57B, 59A, 59A, 58B, 61A, 64A, 105B, 120B 122

Hermanos Grimm: 16B, 17, 48, 72B, 115, 109, 110B, 112, 113B, 144A, 148, 179, 171, 180, 176, 199

Santiago de la Vorágine: 20A, 26B, 59C, 60A, 75B, 77B, 77C, 79C, 82A, 170A, 184A, 214C, 228A, 236A, 239B

Gottfried A. Bürger: 22B, 32A, 37A, 38A, 38B, 39A, 40B,

Biblia: 18B, 22B, 58, 69A, 75A, 67A, 94, 96A, 98A, 98B, 101B, 104B, 134B, 140B, 128A, 131A, 131B, 129B, 134A, 136, 143, 155B, 146A, 159A, 155A, 152, 154, 211B, 233, 240A, 236B

Homero: 23B, 90A, 116, 132B, 156A, 167A, 224C

Miguel del Cervantes Saavedra: 24C, 191, 198

Charles Perrault: 8, 117

Carlo Collodi: 66A

Leonardo da Vinci: 66B, 74A, 95A, 121B, 132A, 196A

Oscar Wilde: 67B, 174

Mark Twain: 82B

Charles Dickens: 160A,222

Platón: 166A, 169A

Mary Shelley: 186A

Bram Stoker: 195B

Felix Samaniego: 190A

León Tolstoi: 232A

---

1 El número indica la página, y la letra el lugar en el que se encuentra el texto: A es el primero de arriba abajo, y así sucesivamente.

THE COUNTRY CLUB
Brookline, Massachusetts

Hole	Par	Yardage	Hole	Par	Yardage
1	4	450	10	4	447
2	3	190	11	4	450
3	4	451	12	4	486
4	4	335	13	4	436
5	4	432	14	5	534
6	4	310	15	4	432
7	3	197	16	3	186
8	4	378	17	4	370
9	5	513	18	4	436
	35	3,256		36	3,777
				71	7,033

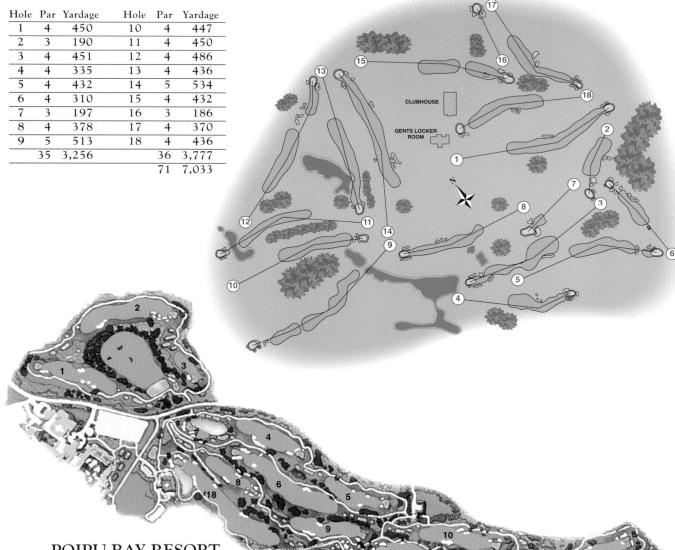

POIPU BAY RESORT GOLF COURSE
Koloa, Kauai, Hawaii

Hole	Par	Yardage	Hole	Par	Yardage
1	4	428	10	4	394
2	5	524	11	3	193
3	3	209	12	4	412
4	4	380	13	4	384
5	4	355	14	5	537
6	5	573	15	4	427
7	3	152	16	4	501
8	4	334	17	3	201
9	4	405	18	5	550
	36	3,360		36	3,599
				72	6,959

CHAMPIONSHIPS
ANNUAL
1999

Writers
Tim Rosaforte
Bob Verdi
Joe Gordon
Bill Kwon

Photographers
Michael Cohen
Michael S. Green
Harry How
Craig Jones
Andy Lyons
Jamie Squire

Editor
Bev Norwood

Presented by

ROLEX
The Official Timepiece of
THE PGA OF AMERICA

In Memoriam

Payne Stewart

1957-1999

ISBN 1-878843-26-5
©1999 PGA of America
100 Avenue of The Champions
Palm Beach Gardens, Florida 33410

Published by International Merchandising Corporation
IMG Center
1360 East Ninth Street
Cleveland, Ohio 44114

Designed and produced by Davis Design

Course illustrations courtesy of NYT Special Services, Inc.,
DuCam Marketing (UK) Ltd., and Poipu Bay Resort.

Photographs by Harry How, Craig Jones, Andy Lyons and
Jamie Squire courtesy of Allsport Photography (USA) Inc.
Photograph by Michael S. Green courtesy of AP/Wide World Photos.

Printed in the United States of America

CHAMPIONSHIPS
ANNUAL
1999

FOREWORD

The year 1999 in the world of golf will be remembered more than most. Sadly, we will always know that our friend Payne Stewart, along with five others, lost his life in an airplane accident in October.

In senior golf, Allen Doyle continued to amaze everyone with his remarkable senior career as he won his biggest prize, the PGA Seniors' Championship. Personally, winning the PGA Championship was the highlight of 1999, and the PGA Grand Slam was the perfect ending to my year.

The Ryder Cup Matches were the most anticipated event of the year and provided excitement to meet all expectations when the United States rallied in the singles on the last day to narrowly defeat a determined group of Europeans.

All of these tournaments and more are included in words and photographs on the following pages of the PGA Championships Annual, which is presented for your enjoyment by Rolex Watch USA.

Tiger Woods

Allen Doyle, winner of 60th PGA Seniors' Championship.

Tiger Woods, winner of 81st PGA Championship.

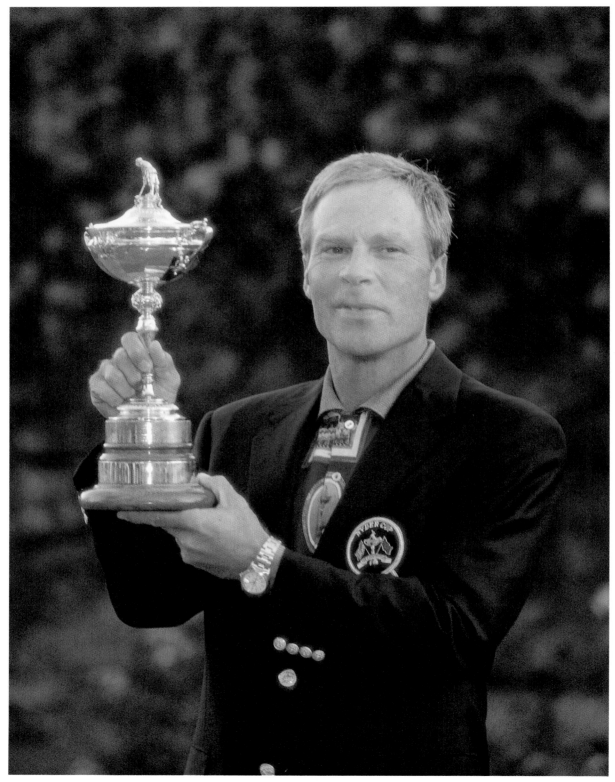

Ben Crenshaw, Captain of United States Team in 33rd Ryder Cup Matches.

Tiger Woods, winner of the PGA Grand Slam of Golf.

1999 PGA SENIORS' CHAMPIONSHIP PRESENTED BY Advil®

DOYLE PROVES DOUBTERS WRONG IN MAJOR WIN

By Tim Rosaforte

The 1993 Walker Cup Matches at Interlachen brought together a diverse mix of youth and talent for United States Captain Marvin (Vinny) Giles. The old school was led by U.S. Amateur Champions Jay Sigel and John Harris, but the veteran player Giles thought he could count on the most was a 45-year-old practice range operator from LaGrange, Ga., by the name of Allen Doyle. From the college ranks, Giles had All-Americans David Berganio, Tim Herron and the previous year's U.S. Amateur Champion, Justin Leonard. Going into the Sunday singles, Giles pulled aside Doyle and Leonard for a strategy session.

"Look guys," he said, "I've designated you the top two players. I want one of you to go out first and one of you to go out last. Do you have any preference?"

Doyle stepped forward. He was a big man with a Forrest Gump voice and the attitude of a hard-nosed athlete. "I want to get out there first 'cause I want to kick somebody's butt," he told Giles. The Captain smiled. Those were the words he wanted to hear.

Doyle led off and beat Dean Robertson of Scotland 4 and 3. The United States went on to a 19-5 victory. Doyle won three out of three matches. "He's a hell of a competitor," said Giles, who has since become Doyle's manager. "I'd take him any time under any circumstances. I don't think there's anybody I've ever been around who is any tougher."

Doyle grew up playing ice hockey in New England. He had a scholarship to Norwich University in Vermont and was later inducted into his school's Hall of Fame. He had a reputation for being a team player, but it was the singular sport of golf, not hockey, that became his love. With a slap-shot swing he won State Amateur titles in Massachusetts and Georgia. He played on two Walker Cup and three World Amateur Teams, won the Sunnehanna Amateur and the Porter Cup in 1994, and if anybody ever questioned his Doug Sanders move, they were making a mistake. Allen Doyle was short on backswing, but long on heart.

He had a dogged attitude, and a desire to prove everybody wrong. At 46 he hired a man to run Doyle's Golf Center and turned professional. He had two daughters heading to college and no playing status on the PGA Tour. Imagine the type of

Allen Doyle celebrated after chipping in for eagle on the 10th hole. Doyle finished with 64 and a 274 total.

Starting the fourth round tied for the lead, Vicente Fernandez could manage only 70 and second place.

confidence and inner strength that took — or maybe it was simply a leap of faith. At 47, he was the oldest rookie in PGA Tour history.

Whatever drove Doyle in amateur golf, and to three Nike Tour victories, took over in the final round of the 60th PGA Seniors' Championship. When it was over, and he had shot 64 to win by two strokes, Doyle couldn't help but flash back to the golf professional at Spring Valley Country Club in Sharon, Mass., who told him that his swing needed reworking. "I was told as a teenager that if I ever wanted to accomplish anything in this game, then I'd have to change," Doyle said. At the time, all he wanted to do was beat the rest of the caddies in the pen. At PGA National Golf Club in Palm Beach Gardens, Fla., some 38 years later, all he wanted to do was beat the best senior golfers in the world for a piece of immortality.

He got it, and was informed that champagne was on the way.

The road in between the caddie yard at Spring Valley and Doyle's first PGA Seniors' Champi-

onship was well traveled. After college he was stationed on the DMZ in North Korea. From there he transferred to Fort Gordon in Georgia, where he won the All-Army Championship. After his discharge he ended up staying in Georgia, working as a production superintendent for a textile factory.

The boss at the plant wouldn't let him split his vacation time to take three days off at a time to play in amateur events. That led him to buying a practice range on Highway 219 in LaGrange, where he was his own boss and could work on his game. Doyle was the kind of guy who would mow the grass, pick up the balls, work behind the counter and sweep up at night. "If something needs to be done and it's there and you wanted to get it done, then you do it," he said. It was sort of that way for Doyle with 18 holes to play in his first major championship as a senior. He was four shots down and there was a job that needed to get done. He just went out and did it.

Doyle started the day by going birdie-birdie. The third hole is a par-5 that ranked the easiest

The birdies would not fall on the last day for Bruce Fleisher, who also had a double bogey on the second nine.

on the golf course, but Doyle parred it. Then, at the shortest par-4, the 324-yard fourth, he made double bogey to seemingly lose all momentum. Instead of quitting, or getting down on himself, Doyle cleared the puck and surged. He birdied the fifth, seventh and ninth holes to turn in 3-under-par. He chipped in for eagle at the 10th, but gave one back with a bogey at the 11th. At the 12th he started a run of six consecutive 3s, and when he looked at the scoreboard, there he was, alone in the lead. All he had to do then was finish, and finishing has never been a problem.

With his swing, not much can go wrong. "Short and sweet," is his way of describing it. "I don't ever get that far out of position, so even when I don't hit it great, it stays straight. All the other guys are trying to maximize their good shots. I'm trying to minimize my bad shots."

There weren't many bad ones coming in. While Vicente Fernandez (70) and Bruce Fleisher (73) both faltered with double bogeys on the second nine, Doyle finished birdie-birdie-birdie-par-birdie-par-par. His best shot was a cut 3-iron from

Jose Maria Canizares tied for third place at 72–279.

Despite two three-putt bogeys, Canizares shot 68 in the opening round to trail by two strokes.

186 yards into the 16th green. The ball stopped one foot from the hole, but it was the chip-in that Doyle called "as big a shot as I hit all day." At the time it sent a message to Fernandez, Fleisher — and even Doyle himself — that this was more than a two-man tournament.

"This guy Doyle has proved himself," Fleisher said. "I saw it at the qualifying school. I tell you what, he doesn't move, he's tough, he's a rock."

No one had ever shot lower to win on Sunday in 59 previous PGA Seniors' Championships: Not Gene Sarazen, Sam Snead, Arnold Palmer, Gary Player, Lee Trevino, Raymond Floyd or Jack Nicklaus. Not Hale Irwin, who had a run of three straight PGA Seniors' titles going, and was chasing Walter Hagen's 72-year-old record as the last golfer to win four consecutive titles in a major. (Hagen won the 1924-1927 PGA Championships.)

Doyle went deep into red numbers on the Senior PGA Tour's toughest golf course, making nine birdies and an eagle to offset the bogey and the double bogey, shooting 31 on the second nine

for his 64 and 274 total, 14-under-par, and two better than Fernandez. Tied for third, five shots behind, were Fleisher and Jose Maria Canizares. It was his second victory, coming seven weeks after a five-shot win at the ACE Group Classic in Naples.

"When I won my first state amateur, people were shocked," he said. "And then when I stepped up to the regional level, people were taken back. And when I even stepped to the national amateur level, and then the Nike Tour, there's no doubt in my mind that those kids were saying, 'Well, it's one thing to play with those chumps as an amateur, but it's something else to come out to the big leagues and play on that level.' So every rung of the ladder has been kind of special to me."

What Doyle had going for him at PGA National was timing. He played well enough the first three days to stay in touch with the leaders, but he never made a trip to the press room and he didn't take the lead until the second nine on Sunday. Flying under radar, there was never any pressure on him until the final day.

The story on Thursday was Bruce Summerhays, who would finish tied with Dana Quigley for fifth place. This was a man who had missed only three tournaments since joining the Senior PGA Tour five years ago. He has the record for playing in 91 consecutive events and has averaged 36.5 events a year since turning 50. But for the PGA Seniors' Championship, Summerhays decided to prepare in a different way. For four days, he didn't touch a club. By his standards, that was not preparing at all.

"For me that was an extended vacation," he said. Based on the way he played in the opening round at PGA National, Summerhays may consider a new approach to all the major championships on the senior circuit. He shot 6-under-par 66 in 30 mile-an-hour winds to assume the lead.

What made the round so unusual was not the six birdies at the fifth, eighth, ninth, 12th, 16th and 18th holes. It was the zero bogeys on his scorecard. "It couldn't get much better than it was for me," he said. "When you shoot this number in that type of wind on this type of golf course, you're hitting it fairly solid."

Only 18 players in the field of 144 broke par, and of those, five were in the 60s. Tied at 69 were Bob Dickson, the former Nike Tour tournament director; John Jacobs, who earlier in the year had won the MasterCard Championship and lost a five-hole playoff to Gary McCord at the Toshiba Senior Classic; and Terry Dill, who earned over $700,000 without a victory in 1998. Two shots back of Summerhays at 4-under 68 was Canizares.

Canizares, from Spain, had a history at PGA National. In the 1983 Ryder Cup Matches, Canizares took Lanny Wadkins to the 18th hole before losing in the pivotal match. When Wadkins staked a wedge and made birdie, it was the clinching point for Jack Nicklaus' United States Team. Sixteen years later he came back and registered his best start in three PGA Seniors' competitions.

Bruce Summerhays led off with 66 for first place.

Terry Dill shot 288 after his 69 start.

He finished tied for 35th in 1997 and tied for 22nd in 1998 and had a stroke average of 74 in eight rounds at PGA National.

"My round today, I played steady but I made two stupid mistakes," Canizares said. "I made bogey on the 10th and on the 12th. I made three-putt and three-putt. Other than that, I played very steady."

Canizares was attempting to become the second Spaniard in a week to win a major title, following Jose Maria Olazabal's Masters victory. He was also proud of Sergio Garcia, who was the low amateur at Augusta and about to turn professional. As a boy, Olazabal looked up to Canizares and they were teammates on the 1989 Ryder Cup. "Spain is a little, poor country," Canizares said. "Everyone is lucky to work for food. There's no more than 600 professionals in our country. Was the performance by Olazabal and Garcia in the Masters unusual? Maybe lucky."

Luck was definitely involved in Bernard Gallacher's second hole. Playing in his first Senior PGA Tour event, the former European Ryder Cup Captain holed a 3-iron from 198 yards for an

Bob Dickson followed a 69 with three 72s.

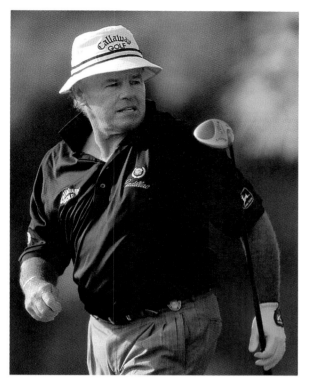

Jim Colbert was over par in three rounds.

Gil Morgan shot one score in the 60s.

eagle. He needed that to shoot 73 and join the man he followed in European Ryder Cup history, Tony Jacklin. It was Jacklin's best round in the PGA Seniors' Championship; his stroke average of 78.13 included rounds of 82 and 85. What made it especially good was that it came late in the afternoon when the conditions were the worst.

The only golfers who broke par teeing off after 12 o'clock were Doyle, Graham Marsh, Tom Weiskopf and Tom Jenkins. They were all at 1-under 71. Marsh was coming off a victory at The Tradition. Weiskopf, who hadn't won on the Senior PGA Tour since 1996, missed a three-footer at the 18th. Jenkins, the winner of the 1975 IVB Philadelphia Classic, was playing in his first PGA Seniors' competition.

Although Doyle had won the fourth full-field event of the year, most of the attention was on Fleisher. Paired with Arnold Palmer and Lee Trevino — he had a hard time accepting the fact of being in their company — "The Flash" shot 2-under 70 to trail Summerhays by four strokes. With season-opening wins at Key Biscayne and Sarasota, and second-place finishes in his next

two tournaments, Fleisher had been No. 1 on the Senior PGA Tour money list all year. "I don't know if I'm comfortable being the favorite in a tournament like this," he said. "It's so hard to look at it from that perspective. I don't feel like I'm playing all that well to be honest. I feel like I'm just holding it together."

Irwin was also trying to hold it together — but without as much success. He missed nine greens and took 30 putts in his round of 75. Reminded he shot 77 in the first round of last year's U.S. Senior Open, Irwin let reporters behind the 18th green know this wasn't Riviera, where he came back to win. "I'm very disappointed with the way I'm playing," he said. "Something has got to change and it's got to be overnight. Too many things are going the reverse of what they need to be." That included his play in the first five Senior PGA Tour events of the year. His best finish was a tie for fourth at the GTE Classic, and that was his only top-10 finish of the year.

Besides his putting woes, Irwin was also suffering from a twinge he felt in his left hand. Although he continually flexed it between shots,

Hale Irwin started in 75 with 30 putts.

Irwin refused to use it as an excuse. "That (sore hand) is not the reason," Irwin said. "I wish it was. It's just bad play, pure and simple bad play." In his three previous opening rounds at PGA National, Irwin had opened with scores of 66, 69 and 68. Now he was just below the field's stroke average of 76.5, and more importantly, was nine shots back of Summerhays.

The one player who didn't get much attention on the opening day was Fernandez, but that was about to change. Fernandez made his Senior PGA Tour debut at PGA National in 1996, shooting 4-under 284 to finish alone in third, four shots back of Irwin. He used that week as a springboard to the Senior PGA Tour, and when he won the Burnet Senior Classic and finished 18th on the money list, it guaranteed his exempt status in the 1997 season. He finished sixth at the PGA Seniors' Championship in 1998 and took the lead after 36 holes in 1999 by shooting rounds of 70 and 65 for a 135 total, one better than Summerhays.

As a young boy, Fernandez grew up impover-

ished in the outskirts of Buenos Aires, Argentina. His nickname was "Chino," because he had the Oriental look of a young boy from China, and he learned to play golf as a caddie, where he was discovered by Chi Chi Rodriguez at the 1962 World Cup. He was also born with his left leg almost two inches shorter than his right, which was withered.

Overcoming these financial and physical hardships, he won seven Argentine Opens, three Brazilian Opens, and five PGA European Tour events. At the 1992 English Open at The Belfry, he made an 87-foot putt on the last hole, and celebrated with a series of somersaults across the green. At 46, he was the second-oldest winner of a PGA European Tour event.

There was no reason do any gymnastics after his 65, but Fernandez was elated just to be playing pain-free. Since the previous October, he had been bothered by a problem with the cervical vertebra in his neck. The injury occurred before the final round of the season-ending Senior Tour Championship, played in the cold at Myrtle Beach, S.C. Reaching for the shampoo in the shower, Fernandez felt a twinge, and was awoken by a sharp pain following a final-round 69, which placed him fourth.

A physical therapist from the Senior PGA Tour's HealthSouth fitness trailer started treating him in Naples, and by The Tradition, he was able to put in full practice sessions again. "As soon as I started feeling well, I also started playing well," he said. "Maybe I was missing my health." He had finished second to Doyle at the ACE Group Classic and was third after 36 holes at The Tradition when snow ended that event.

Starting the second round at PGA National four shots off the lead, Fernandez made eight birdies and a bogey to overtake Summerhays, his playing companion. The turning point in their rounds came at the par-3 15th, the first hole of The Bear Trap. Fernandez hit a 7-iron to one foot. Summer-

With eight birdies, Fernandez shot 65 and took the 36-hole lead with a 135 total.

hays made his first bogey of the tournament by hitting the same club fat into the water. His 4 from the front tee was reminiscent of Greg Norman's bogey save on the 12th hole at the Masters the previous week. Moving to the front of the tee, Summerhays hit an 8-iron to 40 feet and made the putt.

"I played a very consistent round of golf except for one hole," said Summerhays, who shot 70. "But that was a tremendous bogey and really kept me in there."

Tied for third, four shots back at 139, were Canizares (68-71), Jacobs (69-70) and Quigley, the former New England club professional who lives at Bear Lakes Country Club in West Palm Beach. Quigley made his Senior PGA Tour debut at the 1997 PGA Seniors' Championship thanks to a sponsor's exemption from The PGA of America based on his outstanding record in the Dave Pelz PGA Tournament Series. Since then, he had won three times on the Senior PGA Tour and earned over $1.5 million. Conceivably, he could have been two strokes closer to the lead,

Dana Quigley, with 68–139, tied for third place.

John Jacobs secured a tie for eighth place.

Larry Ziegler posted three 70s and a 72.

J.C. Snead's second-round 68 was his best.

but a poor drive at the reachable 18th resulted in a closing bogey. "Six on the last hole is a lot easier to swallow on Friday than on Sunday, I can tell you that," said Quigley. "But I played well and I have no complaints. If I keep playing like this, I like my chances a lot."

Fleisher did not like the way he was playing at all, but he was tied for sixth with Gibby Gilbert (70-67), Larry Ziegler (70-70), and J.C. Snead (72-68) after his second round of 70. He recovered from a double bogey at the second hole — his tee shot stopped three inches out of bounds — by holing a 6-iron from 157 yards at the 16th for eagle.

"It was a nice sight," said Fleisher, "having not made a putt all day."

Irwin continued to be confounded by his putting. He switched putters, but it didn't matter. The defending champion shot 69 but didn't make up any ground on the lead. He started the day nine shots back and ended it nine shots back after Fernandez took it low. "If I putted the way I would hope to putt, that was probably a 5- or 6-

Irwin could not overcome his poor start.

Arnold Palmer missed the 36-hole cut with 79-75.

under round and I let it get away," Irwin said. "I can't do that the next two days." Although his putting total dropped from 30 to 28, Irwin said he might use his foot in the third round. He made it sound like tying Hagen's record was an improbability.

"Where I sit right now, I might as well go climb Mount Everest," he said. "I can do it, but it's a long ways off and I'm not even thinking about it."

The story of the day may have been Freddie Haas. At age 83, he shot 95 in the opening round and came down to the last hole with his last ball. Playing six months after a hernia operation, Haas came back on Friday to shoot his age. "That's not shabby for as old as I am," said the 1966 PGA Seniors' Champion. He finished at 34-over 178, five shots better than former Masters and PGA Champion Doug Ford (85-98) at 183.

Haas was the first player in history to qualify for a Walker Cup and Ryder Cup Team. In 1945, he won the Memphis Open as an amateur to end Byron Nelson's streak of 11 straight victories.

From 1966 to 1972, he finished first, tied for third, fourth, tied for fifth, second, tied for ninth and tied for fifth in the PGA Seniors' Championship played at the old PGA National (now BallenIsles Country Club). By today's purse standards, that kind of run would have made him a rich man, but he came before his time.

"We can't have the same possibilities as these 50-year-olds," he said.

When Haas won the PGA Seniors' Championship 33 years ago, first place paid $3,000 from a purse of $35,000. After the cut was made on Friday, 73 players knew they were in pursuit of $1.75 million, with $315,000 going to the winner. With those kind of stakes, it made sense that one of the men tied for the lead at the completion of the third round was Fleisher. He had been in the money since turning 50.

With temperatures in the mid-80s, and the wind gusting at 20 miles an hour, Fleisher teed off in the third round five shots back. When he went back out after a two-hour-and-20-minute lightning delay, the temperature had dropped to

Fleisher surged with 66 to share the 54-hole lead.

63 degrees and the wind had shifted 180 degrees. Playing in the final group with Fernandez and Canizares, Fleisher birdied the first, third and fourth holes before the delay and then the sixth right after it. His only birdies on the second nine came at the par-5s, making his score of 66 seem kind of ho-hum.

It was anything but. "I'm glad it's over," said Fleisher, who shared the lead at 206 with Fernandez.

Fernandez felt the same way after seeing his two-shot lead evaporate with bogeys on the 14th and 16th holes. He hit just six of 14 fairways in regulation, so it was a testament to his short game that 71 was his number for the day. With 77 putts over three rounds, he was tied with George Archer for fewest strokes in the tournament. He was still in position, but now the leaderboard was bunched with Canizares (68) one back and five players trailing by four shots.

One of those was Doyle, who shot 68 with a birdie at the 18th. In the worst scoring conditions, he had his best ball-striking round of the week, hitting 13 of 14 fairways and 15 of 18 greens. That moved him up into the next-to-last pairing with Quigley (71) and John Bland (66), who tied Fleisher with the day's low round.

Irwin pronounced himself out of contention after shooting 70. That put him at 2-under 217, eight shots off the lead, with 16 players ahead of him. "The chances of me passing all these players and winning are so infinitesimal that I am not even thinking about it," he said. "I'll just get what I can out of tomorrow and try to build on the rest of the year."

In the past three months, Irwin had opened his stance, moved his hands higher at address, loosened his grip, tightened his grip, thought mechanics, thought feel, talked to his son about technique and analyzed tapes. He came off the course on Saturday and talked about buying a new putter in the PGA National golf shop. He stood

Fernandez, the third-round co-leader at 206, considered his options after hitting on a cart path at the first hole.

Doyle birdied the first hole here while posting 68 to move into contention at 210, four strokes behind.

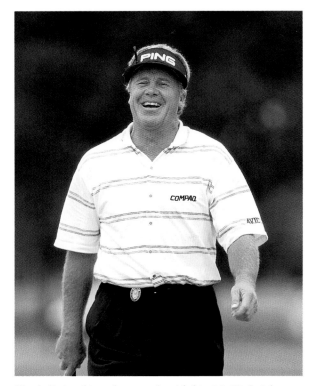

Raymond Floyd's bright spot was 69 in the third round.

Hugh Baiocchi took seventh with his 66-69 finish.

Quigley birdied the sixth hole while posting 70–280 to share fifth place.

on the putting green and studied the strokes of Hugh Baiocchi and Frank Conner. He said he was going home to have his eyes examined with his head tilted, the way he looks down the line at putts.

Irwin had dropped from first on the Senior PGA Tour in putting in 1998 to 64th. That equated to two less birdies per round and two strokes higher in scoring average. "He was the best putter in the world for two years," said Quigley. "Sooner or later that's going to end. It doesn't go on forever. He played 20 years on the regular tour, and he wasn't the best putter out there. He came out here and he made everything. You know when that stops, scores go up, I don't care who you are, or how well you hit it. You've still got to dunk it."

Quigley also thought that Irwin lost his edge as being the man to beat, that getting drummed by Fleisher and Doyle — with their one career PGA Tour victory — was a blow to his psyche. "I certainly don't believe that he's lost interest or is taking it easy," Quigley said. "I think he's grinding just as hard, probably harder than he ever did.

Summerhays rebounded for 70 to tie for fifth.

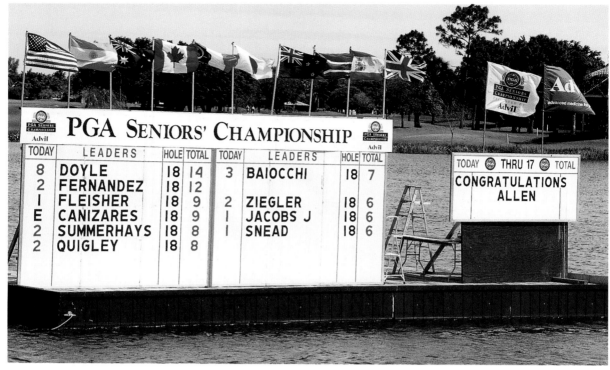

TODAY	LEADERS	HOLE	TOTAL	TODAY	LEADERS	HOLE	TOTAL
8	DOYLE	18	14	3	BAIOCCHI	18	7
2	FERNANDEZ	18	12				
1	FLEISHER	18	9	2	ZIEGLER	18	6
E	CANIZARES	18	9	1	JACOBS J	18	6
2	SUMMERHAYS	18	8	1	SNEAD	18	6
2	QUIGLEY	18	8				

TODAY	THRU 17	TOTAL
	CONGRATULATIONS ALLEN	

Doyle's name topped the list after his 31 on the second nine distanced him from the competition.

He probably didn't have to grind this hard. It's a whole new ball game for him now."

It was so unusual to see Irwin struggling with his confidence that it almost overshadowed what Fleisher was attempting to accomplish. For the past year, he had been dedicated to an exercise program designed by Randy Myers at the PGA Health and Fitness Center that was designed to build both strength and flexibility, and now he was one round away from his third win of the year.

Mentally, he would have to be strong, knowing that he had never been this close to a major championship. "The world's going to be looking tomorrow," Fleisher said, "and you have to deal with that."

Doyle just dealt with it better than Fleisher, and the win moved him ahead of Bruce to the No. 1 spot on the Senior PGA Tour money list. With $315,000 added to what he had already earned, Doyle was up to $666,724 for the four-month-old season. Instead of the Hale Irwin-Gil Morgan Show, the Senior Tour had become the Doyle-Fleisher battle of the late bloomers.

In a way, it was kind of ironic: When Doyle was 20, and just out of college, Fleisher came to Spring Valley as the U.S. Amateur Champion. Two of Spring Valley's members were his sponsors, and Doyle was Fleisher's caddie.

Doyle reminded Fleisher of that during the third round of the Senior PGA Tour Qualifying Tournament. They finished 1-2 that week, with Doyle taking medalist honors, and here they were again, with Fleisher finishing third.

"I kind of blew it today," Doyle said. "I was telling some of the guys that in Naples, there were some headlines in the paper saying, 'He shoots, he scores!' I said to them, 'I should have brought a damn hockey helmet and put it on coming down the 18th hole. Then I'd really be known for something.'"

He was underselling himself, of course. Doyle was now known as a major champion. His name was on the Alfred S. Bourne Trophy, next to all the greats. And when *Golf World* came out later that week, he was on the cover, under the headline "… the tough get going."

That was Allen Doyle in the 60th PGA Seniors' Championship. Tougher than the rest.

Doyle had gone from hockey player to practice range operator to PGA Seniors' Champion.

60th PGA Seniors' Championship

April 15-18, 1999, PGA National Golf Club (Champion Course), Palm Beach Gardens, Florida

Contestant	Rounds				Total	Prize
Allen Doyle	71	71	68	64	274	$315,000.00
Vicente Fernandez	70	65	71	70	276	189,000.00
Bruce Fleisher	70	70	66	73	279	101,500.00
Jose Maria Canizares	68	71	68	72	279	101,500.00
Dana Quigley	71	68	71	70	280	61,000.00
Bruce Summerhays	66	70	74	70	280	61,000.00
Hugh Baiocchi	72	74	66	69	281	54,000.00
Larry Ziegler	70	70	72	70	282	47,000.00
John Jacobs	69	70	72	71	282	47,000.00
J.C. Snead	72	68	71	71	282	47,000.00
Gil Morgan	72	71	72	68	283	36,500.00
Hale Irwin	75	69	70	69	283	36,500.00
Ed Dougherty	72	72	69	70	283	36,500.00
Joe Inman	76	67	69	71	283	36,500.00
Lee Trevino	71	74	72	68	285	28,000.00
Isao Aoki	73	73	69	70	285	28,000.00
Bob Dickson	69	72	72	72	285	28,000.00
Graham Marsh	71	75	70	70	286	21,250.00
John Mahaffey	72	73	70	71	286	21,250.00
Tom Weiskopf	71	74	69	72	286	21,250.00
Gibby Gilbert	73	67	70	76	286	21,250.00
Jay Sigel	75	72	70	70	287	17,500.00
George Archer	75	70	72	70	287	17,500.00
Orville Moody	70	73	72	73	288	14,000.00
Tom Jenkins	71	71	73	73	288	14,000.00
Mike McCullough	71	71	73	73	288	14,000.00
Terry Dill	69	74	71	74	288	14,000.00
Raymond Floyd	74	70	69	75	288	14,000.00
Frank Conner	72	71	73	73	289	11,250.00
John Morgan	71	76	69	73	289	11,250.00
Jim Colbert	73	70	73	74	290	10,500.00
Bob Charles	76	67	75	73	291	9,750.00
Dave Stockton	73	72	70	76	291	9,750.00
Jim Dent	73	74	71	74	292	8,220.00
Toru Nakayama	78	68	72	74	292	8,220.00
Jim Thorpe	74	70	74	74	292	8,220.00
Tommy Horton	74	71	74	73	292	8,220.00
Bob Duval	77	71	69	75	292	8,220.00
Jim Albus	75	73	71	74	293	6,750.00
Bob Murphy	78	70	71	74	293	6,750.00
Hubert Green	75	71	74	73	293	6,750.00
Tom Wargo	76	72	76	69	293	6,750.00
Walter Hall	75	73	69	77	294	5,700.00
Gary Player	75	73	72	74	294	5,700.00
Larry Nelson	76	75	74	69	294	5,700.00
Joe Huber	72	74	74	75	295	4,675.00
Noel Ratcliffe	74	67	79	75	295	4,675.00
Buzz Thomas	75	71	75	74	295	4,675.00
Eddie Polland	72	73	69	81	295	4,675.00
John Calabria	74	71	74	77	296	3,910.00
Christy O'Connor	76	71	73	76	296	3,910.00
Jim Barker	75	71	74	76	296	3,910.00

Contestant	Rounds				Total	Prize
David Graham	74	76	72	74	296	3,910.00
Bernard Gallacher	73	78	73	72	296	3,910.00
Larry Mowry	73	77	70	77	297	3,658.34
Roy Vucinich	76	73	74	74	297	3,658.33
Tommy Price	76	72	75	74	297	3,658.33
Kermit Zarley	72	75	75	76	298	3,587.50
Ed Everett	75	76	74	73	298	3,587.50
Jim Logue	72	74	75	78	299	3,550.00
Roger Kennedy	77	73	75	75	300	3,525.00,
Wally Kuchar	74	75	74	78	301	3,487.50
Ed Sneed	80	71	75	75	301	3,487.50
Calvin Peete	76	74	75	77	302	3,450.00
Richard Bassett	76	74	75	78	303	3,412.50
Randy Glover	77	74	76	76	303	3,412.50
Richard Whitfield	77	73	75	79	304	3,362.50
Dave Eichelberger	77	74	75	78	304	3,362.50
James St. Germain	74	77	73	81	305	3,312.50
Carl Pedersen	81	70	80	74	305	3,312.50
Koichi Uehara	75	75	74	82	306	3,275.00
Homero Blancas	76	75	83	77	311	3,250.00
John Bland	73	71	66		WD	

Out of Final 36 Holes

Dick McClean	80	72	152	Evan Williams	75	81	156
Bud Allin	77	75	152	Tommy Jacobs	80	77	157
Michael Zinni	78	74	152	Walter Morgan	80	77	157
Steve Lyles	77	75	152	Mike Schlueter	77	80	157
Peter Famiano	74	78	152	Gay Brewer	78	80	158
Steve Spray	77	75	152	George Glenn	78	80	158
Tom Joyce	79	73	152	Doyle Corbett	79	79	158
David Jones	75	77	152	Gary McBride	80	78	158
Larry Laoretti	73	79	152	Jerry Covich	79	79	158
DeWitt Weaver	78	74	152	Jay Hyon	80	78	158
Jay Horton	78	74	152	Al Krueger	79	80	159
Quinton Gray	71	82	153	John Schroeder	79	80	159
Leonard Thompson	77	76	153	Jerry Breaux	81	79	160
Bill Kennedy	77	76	153	Dan Wood	77	83	160
Tony Jacklin	73	80	153	Fletcher White	80	81	161
Simon Hobday	78	75	153	Gene Borek	83	78	161
Joe Jimenez	77	76	153	Doug Sanders	85	76	161
Ian Stanley	78	75	153	John Rech	87	74	161
David Lundstrom	77	76	153	Russell Helwig	85	77	162
Tom Shaw	79	74	153	Fred Hawkins	83	80	163
Denny Lyons	74	79	153	Tom Schauppner	77	86	163
Wes Smith	77	76	153	Tom Gorman	83	81	164
Joe Data	77	76	153	Lou Graham	84	80	164
Jim Rhodes	78	76	154	Wendell Coffee	86	79	165
Al Kelley	80	74	154	Bob Carson	79	87	166
Arnold Palmer	79	75	154	Sal Ruggiero	86	84	170
Terry Houser	81	73	154	Lee Elder	83	89	172
Bobby Stroble	79	76	155	Gordon Leslie	92	82	174
Fred Gibson	81	74	155	Fred Haas	95	83	178
Bill Robinson	77	78	155	Doug Ford	85	98	183
John Joseph	78	77	155	Tommy Aaron	85		WD
Bobby Nichols	78	77	155	Joe Carr	82		DQ
John Gentile	79	76	155	Charles Sifford	81		WD
Sam Adams	80	76	156	Bryan Abbott			WD
Bill Miller	80	76	156	Brian Barnes			WD
Hisao Inoue	82	74	156				

Professionals completing 36 holes but not returning 72-hole scores received $775 each.

TIGER HOLDS OFF SERGIO'S LATE BID FOR PGA VICTORY

By Bob Verdi

During his brilliant career at Stanford University, and certainly since his arrival on the PGA Tour late in 1996, Tiger Woods has been anointed by the community of golf as the exception who would rule. He was the prodigy who would combine his gift and his grit and not disappoint, the manchild who would step into the bright lights of center stage and neither blink from the heat nor fade toward a more comfortable corner.

Woods, seemingly born with a golf club in his hand, destined to become a teenage sensation in college, would be wonderful theater from the very beginning of his professional career. And then, he would grow into greatness, before our eyes, year to year, decade to decade, bringing generations and the globe along for the ride.

How fitting and proper, then, that Woods left both a message and a warning in August of 1999, when at age 23 he seized the last major of the century — the 81st PGA Championship. When Woods claimed his first of golf's premier prizes at the 1997 Masters, he romped by 12 strokes. Indeed, that April's runner-up at Augusta National,

Tom Kite, faintly praised himself for winning "the B Flight."

Woods' PGA Championship conquest over the venerable No. 3 course at Medinah Country Club in the west suburbs of Chicago was infinitely more difficult. When he sank a short par putt on the 72nd hole for a par 72 and a four-round aggregate of 277, 11-under-par, Woods appeared more exasperated than exultant, for that was the 39th stroke on the back nine, and his once commanding lead of five swings had dwindled to merely one over the span of a couple hours. Spain's Sergio Garcia, himself a wonderkid of 19, the youngest player to participate in a PGA Championship since Gene Sarazen in 1921, had mounted a spirited charge. Talk about terrific theater.

El Niño closed with a 71 for sole possession of second place with 278. Jay Haas (70) and Stewart Cink (73) tied at 280, one ahead of two-time PGA Champion Nick Price. Bob Estes and Colin Montgomerie finished in a deadlock for sixth at 282. Vijay Singh, bidding to become the first back-to-back PGA Champion since Denny Shute (1936-37), broke par in only one round and never really

Tiger Woods was fulfilled but exhausted, finishing with 72 for a 277 total to win the PGA Championship.

Sergio Garcia shot 66 to lead by two strokes.

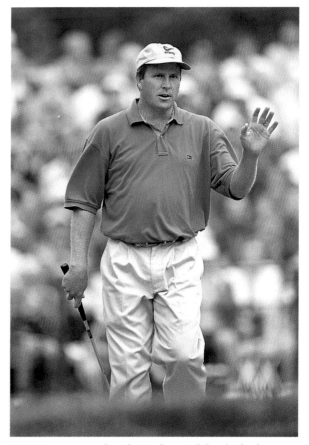

J.P. Hayes started with 68, but tied for 54th place.

Jay Haas credited his 68 to accuracy off the tee.

challenged. Tom Watson, in his last PGA before turning 50 and joining the Senior PGA Tour, failed to make the cut in the only major he has not won during a splendid career.

But the 81st PGA Championship did not lack for drama or story lines, and when Woods hoisted the Wanamaker Trophy, there existed little doubt that this was a match for the millennium. Woods has been compared often and favorably with Michael Jordan, a good friend who happens to be a member of Medinah and a legend who had recently retired after guiding the Chicago Bulls to six National Basketball Association titles. Jordan lifted his sport on his shoulders and took it around the world by doing it his way, with incomparable zeal, in cold blood. Whatever it takes, that was Jordan's calling card. Which is to say, when his radar was off and his shots weren't finding the net, he would beat you with defense. On those rare nights when he couldn't make the ball talk,

Stewart Cink had 69 to be among the leaders.

Brandt Jobe, starting with 69, tied for 16th place.

he would strip you of it.

At Medinah, Woods exhibited that same heart and resourcefulness. Garcia, by comparison, was on a walk in the park (although he did run on one unforgettable occasion). The onus was clearly on Woods. He had not won a major in two and a half years, after all, and dare we imagine the inquisitions that would have been launched about Tiger's innards had he squandered that five-shot margin and lost. The moment of truth came at the 17th hole, a rather robust par-3 of 206 yards over and beyond Lake Kadijah. Woods' 7-iron carried the green, and nestled into a fairly rough lie. Woods chipped to within eight feet or so, and then it was as though 45,000 spectators stood at attention, not to mention television viewers everywhere.

"I read the putt as inside-left and made sure I stayed steady," recalled Woods. "I had hit a pretty good chip, but it landed in a dead spot. I wanted

to carry it over that dead spot and it came up short. I kept seeing the putt as on top of the hole, but I knew this putt didn't break as much as it looked. On the putt, I made sure the blade released through the ball. I don't remember seeing it start off because I was keeping my head steady. But I remember seeing it zeroing in and it fell right in. A lot of times, the left-to-right putt is easy to block. That was perfect."

As the par putt disappeared, Woods pumped his fist, and he went on his merry way, toward his coronation. How many of golf's majors will he claim before it's all over? Ten? Twenty? Some in-between number? Some number beyond all comprehension? Whatever, when he's out there cleaning up on the Senior PGA Tour, Tiger probably will list that shiny Sunday afternoon at Medinah and freeze-frame it. That putt, despite all that had transpired before it, confirmed Tiger's place, come the new century, as the man to beat.

Opening with 70, David Duval tied for 10th place.

The PGA triumph was the eighth straight for Woods when he had the lead, or a share of it, after 54 holes. Only once as a professional had he been caught from ahead — at the 1996 Quad City Classic, after his first lead, by Ed Fiori.

Since then, it's been the same old story. Whatever it takes. Different names, different plots, different zip codes. But, Whatever It Takes. On Aug. 15, 1999, Woods became the fifth youngest PGA Champion and the youngest since Nicklaus won the 1963 PGA Championship for his third major title.

"He won the Grand Slam by 26," said Woods, who has studied his history. "Whether this puts me on track (to catch Nicklaus), that's hard to say … Hopefully, I can do the same. I'm thrilled to win, even though it might not look it. I used all the energy I had just to get in.

"The key is, I'm giving myself chances (to win). Sometimes you win, sometimes you don't. How many times did Jack Nicklaus finish second, 60 or something? But sometimes Jack had tournaments given to him. He did a great job of getting himself in position and then letting somebody else make the crucial mistake."

The most serious error an opponent or critic of Woods' could commit would be in assuming he is vulnerable to annoyances that afflict lesser competitors. He is remarkably focused when it's time to play golf. "He's got a lot going on, every minute, all around him," said David Duval. "And it's been that way since he was a kid. On top of everything else, he's carrying the flag for minorities, too. I don't know how he does it and I don't know that I could. And we forget that he's only 23. How many of us had that kind of poise at 23? He's amazing."

Whatever It Takes. Throughout his crash course in dealing with the increasing demands of celebrity, Woods has become more comfortable. Meanwhile, rather than bask in his laurels, Woods has worked hard to refine his game. Beside his

Brian Watts stumbled after his 69 to start.

Woods opened with 70, benefiting from his length.

new caddie, Steve Williams, and under the tutelage of esteemed coach Butch Harmon, Woods has rebuilt and fine-tuned his swing. He is still ungodly long, yet more accurate, off the tee. Witness his stellar effort at Pinehurst during the 1999 U.S. Open, the major most experts presume will be the most elusive for Woods because of the traditionally tight fairways. He still hasn't won our national championship, but he came this close at Pinehurst.

"I've been out here almost 20 years," said Mark O'Meara, "and Tiger has got more talent than anybody I've ever seen. Nothing he does surprises me. And I don't think he's even really scratched the surface."

Indeed, Woods continues to develop new weapons. Among the most effective of his advances might be a low trajectory missile that Tiger can launch with anything from a wedge or a 3-wood. His distance control is striking, and Woods gladly shares his secret on the knockdown, knockout punch.

Mark O'Meara's 72 was his best of the week.

Tom Lehman shot 291 after his 70 start.

Phil Mickelson went 72-72, then faded.

"I have to keep my left hand bowed," said Woods. "Butch taught it to me. I didn't used to be strong enough to do that, but I think I am now."

He thinks. Just what the rest of the PGA Tour didn't need to hear, that the best player on the planet feels compelled to revise his playbook.

"People who just watch us play and don't see us practice don't understand all the hours of work we put in," said Woods. "But it's the same in any business. You only see the product and not the preparation."

For golf to explode fully in the 21st century, of course, a rivalry would be nice, if not necessary. When Nicklaus and Arnold Palmer staged their frequent duels three decades ago, the profile of the sport increased exponentially. The logical American foe for Woods would be Duval. They spent all of 1999 jockeying between Nos. 1 and 2 in the World Ranking and, though Duval enters

2000 still seeking his first major, that partnership surely remains viable.

However, Garcia's animated display at Medinah, plus his expressed intentions to join the U.S. PGA Tour, absolutely nourished the possibility that he will be a challenger to Tiger's throne in due time. Indeed, though Woods' clutch putt at No. 17 during the final round will be hailed as the silencer, the most popular snapshot from Medinah for years to come will feature Garcia leaping in the air with a scissor kick to catch a glimpse of his phenomenal swing-and-a-prayer highlight clip from the No. 16 hole, also on Sunday. How many times has that sequence been shown, in slo-mo and reverse angle?

A month after the PGA Championship had been contested, after all the hospitality tents had been broken down at Medinah, there was still this crater at the foot of a huge oak tree beside the

16th fairway on that massive 452-yard, dogleg-left par-4 with an elevated green.

There was also a wooden blue tee in the ground where El Niño had carved his ball, with eyes closed while using a 6-iron, from a problem 189 yards short of yonder green. You should know this about that: Even from the middle of the fairway, knocking the ball on the putting surface in regulation is no cinch. How Garcia conspired to do so from the unyielding shade of Medinah's ancient shrubbery explains why the blue tee is still there — a plaque to be constructed later, perhaps? — and why galleries cheered wildly as Sergio sprinted up the hill to witness the landing.

"I thought I had a shot from there, even though it wasn't a very good lie," said Garcia. "But I had to hit a big slice, and the problem was that on the downswing, I could have hit the first part of the tree. And if I aimed right, I could have hit the second part of the tree. So I opened my clubface (but not his eyes) and hit the ball and went backwards in case the ball hit the trunk and came back at me. My heart was pounding. I could have lost the tournament right there."

Garcia parred the hole with two putts from 50 feet. Seve Ballesteros, under whom Garcia learned this type of legerdemain, wouldn't have been proud. Seve, who used to make pars from parking lots during his halcyon days, would have been positively ecstatic.

Medinah's No. 3 course had staged three previous U.S. Opens: 1949, won by Cary Middlecoff; 1975, Lou Graham; and 1990, Hale Irwin. The PGA Championship was a first for Medinah — although not for the Chicago area — and after some alterations and tweaking, the course was set up to play 7,401 yards, the longest ever for a major championship conducted at sea level and the longest since the 1967 PGA Championship at Columbine Country Club outside Denver, where the air is thin.

Davis Love III was under par only once.

Hal Sutton had four solid rounds for a 289 total.

Woods climbed to third place with 67–137, having pars on the last six holes including this save at the 13th.

The rough at Medinah during practice rounds proved difficult, and the terrain was firm from a dry, hot summer. Players anticipated a substantial but fair test of golf after the diabolical Carnoustie at July's British Open.

"If you miss the fairways by three feet, you're going to be in rough that's very deep," predicted 1999 U.S. Open winner Payne Stewart, who won the 1989 PGA Championship at Kemper Lakes, a public course not far from Medinah. "If you miss the fairways by 10 feet, you're going to be near some trees that are very tall. The best thing to do is hit it straight."

However, it rained before Thursday's opening round of the PGA Championship — as it rained before the start of the 1990 Open — and a few of Medinah's fangs were removed. The course played longer, but the greens, a few of them scarred by searing temperatures in previous weeks, were softer and thus more receptive. Most professionals will take that tradeoff anytime — controlling

the ball toward and on putting surfaces is paramount to low scoring.

Obviously, Garcia found Medinah No. 3 to his liking. He had struggled mightily at Carnoustie, where he shot 89-83 and left town in his mother's arms. But at Medinah, he opened with a 6-under-par 66 to tie the competitive course record established during the 1990 Open by four different players.

Garcia chipped in for birdie on No. 2, and was off on his bogey-free opening round. He shot 32 on the back nine to build a two-stroke lead over four players —Haas, Mike Weir, J.P. Hayes and Brian Watts. Woods was four off the pace with a 70, as was Duval. Also lurking was Irwin, at age 54 the oldest player in the field, but a man with good vibes for Medinah after his marathon 91-hole Open victory in 1990.

During pre-tournament interviews, Garcia seemed quite at ease discussing his Carnoustie horror show. It was as though Sergio needed to

Haas and his son, Jay Jr., led after 36 holes.

purge the episode from his memory bank and the cleansing process did not require solitude. But after Thursday's 66, El Niño had a bit of an attitude adjustment. He wanted Carnoustie in his rearview mirror.

"I just want to say one thing," said Garcia. "I don't want to hear any more questions about the British Open. I think I proved myself today. The British Open is done."

A total of 54 players equaled or broke par during Thursday's conditions, and five threesomes were unable to finish because of the rain delay. But, as we tend to forget, these are the best golfers on the planet, and providing them the advantage of soft greens leaves any course defenseless. Also, the PGA Championship field contained 94 of the world's top 100 players — believed to be the most formidable array of golfers for any tournament ever, anywhere. Before the first round at Medinah, however, Steve Elkington, the 1995 PGA Champion at Riviera, with-

Mike Weir, with two 68s, trailed by one stroke.

Skip Kendall shot 30 on the first nine for 65–139.

Lee Westwood challenged for two rounds.

drew when he learned that his caddie and close friend, Joe "Gypsy" Grillo, blacked out after suffering chest pains while waiting for Elkington near the clubhouse. Grillo was hospitalized and out of danger, but Elkington was out of the tournament.

Duval stayed around, albeit on the periphery. He had begun the season on fire, winning the Mercedes Championships and Bob Hope Chrysler Classic, the latter with a record-tying 59 in the final round. Duval then won The Players Championship and BellSouth Classic to boost his 1999 total to four victories. He was not so fortunate in the majors, however. He tied for sixth at the Masters, tied for seventh at the U.S. Open and never contended at the British Open, where he tied for 62nd place with an aggregate of 22-over-par. So Medinah was his last chance to claim a major, and after his second-round 71, Duval found himself six shots behind Haas.

Haas shot 67 for a 9-under 135 aggregate, with

son Jay Jr. carrying his bag before heading off to school. Haas' first major was the 1975 Open at Medinah, six years before Jay Jr. was born. He had no majors among his nine PGA Tour conquests, and he was halfway there at Medinah, but the list of luminaries in pursuit was estimable.

Weir, the Canadian left-hander who had challenged Woods for the Motorola Western Open title in July, shot 68 to move within one swing of the lead. Woods had 67 for a 137 total, two behind Haas. And Skip Kendall blistered the front nine in 30 for a 65. So much for Garcia's course record the day before. Kendall was in at 139, only four off the pace.

"It was a round you dream about," said Kendall, who had seven 3s on his card and one bogey on the par-3 13th. "Especially in a major. I'm proud of the record. But I'd like to have a good weekend, too, and see what happens."

Perhaps the most intriguing possibility, however, involved Irwin, who not only played with Garcia for the first two rounds, but played him to a standstill. Sergio dipped from 66 to 73 on Friday, the same day Irwin followed his 70 with a 69. Thus Irwin and Garcia were tied, four shots from the top, after 36 holes.

"There's no substitute for experience," said Irwin, who usually keeps himself plenty busy dominating the Senior PGA Tour. "You have to do what Medinah allows you to do, and that's not being overly aggressive and not foolish. Take what you can get and be happy with it."

Irwin is not a big hitter, but he is known for accuracy, especially with his long irons. It was his steady approach that precipitated his comeback victory in the 1990 Open.

"Mike Donald actually had me beaten twice," Irwin recalled. "In the last round, and then in sudden death."

The specter of Irwin winning a PGA Championship at age 54 was one thing to ponder. What about Irwin as a wildcard pick for the Ryder Cup?

Two late bogeys dropped Garcia to 73–139.

Hale Irwin revived memories of the 1990 U.S. Open.

1977 winner Lanny Wadkins tied for 34th.

1986 winner Bob Tway tied for 57th.

U.S. Captain Ben Crenshaw did have two to spend at the end of the PGA Championship, and we shouldn't forget that when Bernhard Langer missed that fateful putt at Kiawah Island, S.C., in 1991, allowing the United States to retake the Ryder Cup with a 14½-to-13½ margin, the opponent was Irwin, also shaking like a leaf.

"That was some kind of pressure," said Irwin. "But would I like to experience that kind of rush again? Are you kidding?"

"Hale Irwin, Ryder Cupper?" said Crenshaw. "Don't think I haven't given it some consideration."

"Do I feel old?" Irwin went on. "Yes and no. Sometimes I feel 54 and sometimes I don't. I figure this way. If you put a bag over everyone's head, you can't tell the difference. You can't see the gray hair I have, and you can't see the freckles Sergio has."

Besides Watson, a spate of surprisingly famous names left the premises upon Friday evening's cutdown. Lee Janzen and Justin Leonard, Ameri-

cans expected to contend, were on the wrong side of the breakpoint at 2-over-par. Each was 4-over-par, as were Steve Stricker and Ernie Els. Greg Norman, whom many thought would be a factor despite his sporadic playing schedule, shot 5-over. Being long and straight, Norman rued, didn't matter much after the rain changed the golf course. Jeff Maggert, who never met a fairway he didn't like, also missed the cut and thus was placed on the Ryder Cup bubble. He was in 10th place and in danger of falling from an automatic roster spot.

Jose Maria Olazabal, the Masters Champion, was a non-factor at Medinah as was Crenshaw, so busy running to and from Ryder Cup meetings that it was a wonder he could break 80. Said Crenshaw, "I wish I could blame the captain's job on the way I've been playing golf, but I can't. I haven't had a game for a long time before this Ryder Cup job heated up, so I can't use that as an excuse. I'd sure like to. The guys who've been captain tell me my game might not be worth much

Club professional Bruce Zabriski made the cut.

for a while after the Ryder Cup Matches, either. So I've got that to look forward to."

But Bruce Zabriski, a club professional, made the cut as did Paul Lawrie, the British Open Champion who still had to fend off barbs that his conquest of Carnoustie was a fluke. Better yet, one of the men he beat in Scotland during that bizarre four-hole playoff also made the cut at Medinah.

Jean Van de Velde. We all know his saga. The dashing and debonair Frenchman had his name all but engraved on the silver claret jug. He needed only a double-bogey 6 on the 18th hole at Carnoustie and it was his. But he rolled up his pant legs instead of his sleeves and took a 7 to fall into a playoff (with Leonard and Lawrie) which he lost.

The Frenchman was portrayed in a variety of ways by the press and public. Some people thought of him as gallant; others foolish. Van de Velde was consistent in one very important category, however. From the moment defeat befell him in

Jean Van de Velde attracted unusual attention.

Paul Lawrie was steady after his British win.

Scotland, he has been courteous and accessible. Many other athletes who had endured such a heartbreak would be reluctant to discuss the sordid details.

When he arrived in Chicago, the airlines saw to it that his golf clubs didn't arrive with him. Typically, though, instead of sulking, Van de Velde opted to go downtown and take in the sights. For his mass interview the next day, Van de Velde was warmer than a hot summer's afternoon. He spoke of how his family, friends and health were more important than any trophy. He would not pat himself on the back for his last lap at Carnoustie. But he would not stay awake nights pondering what might have been.

"It is the nature of golf," said Van de Velde, whose perspective made him many friends. "I think people take golf too seriously. When I walked into the press conference after the British Open, I could see all the journalists. Everybody was so serious about everything. I thought, 'Jeez, what's going on here? We're just out there

hitting a golf ball and here we go walking behind it and hitting it again.'

"Yes, I could have won at Carnoustie and I lost it on the last hole. But I couldn't live with myself knowing I tried to play for safety and blew it. I spoke about the nature of golf. That's not in my nature, playing safe shots. The one thing I don't think you can do is play golf against your nature. Yes, I lost, but a lot of good things happened to me after Carnoustie. I am here. That is one good thing."

At Medinah, people gravitated toward Van de Velde, and when he made the cut, that was just dandy by everybody.

But nobody had seen anything yet. The weekend at Medinah would be a classic.

Woods was in the next-to-last Saturday pairing, with England's Lee Westwood, just behind Haas and Weir. Haas experienced early difficulties, posting 39 on the front side toward a 75 that would effectively eliminate him from the hunt. Weir, however, was steady. He shot 69, his third consecutive round in the 60s, and reached 11-under-par after 54 holes for a 205 aggregate.

Weir was two shots behind Woods after 13 holes of the third round, but the 5-foot-9, 155-pound southpaw is a tenacious sort. He found himself in a greenside bunker on the par-5 No. 14 and calmly sank an L-wedge for an eagle 3. Then on No. 17, he dropped a 20-foot putt for birdie. From a distance, Weir was issuing another challenge to Woods, with whom he was paired during the last round of the Motorola Western Open in early July. Woods led Weir by four shots after 54 holes at Cog Hill, and the margin dwindled to only one through seven holes before Woods prevailed by three.

Ironically, while Woods has been anointed as the golfer to chase the legend of Nicklaus, Weir contacted the Golden Bear long ago, also from a distance. As a child learning the game back home in Sarnia, Ontario, Weir worked on a driving

U.S. Open winner Payne Stewart didn't challenge.

Defending Champion Vijay Singh tied for 49th.

range across from his house. Now at age 29, he is quite comfortable with his left-handed ways.

"I'm not completely left-handed," he explained. "For instance, in tennis, I serve left-handed, then switch to my right hand for ground strokes. But in golf, I was always hitting left-handed, which is pretty popular in Canada, but not so common everywhere else. So, I wrote a letter to Mr. Nicklaus, wondering whether I should switch. I didn't really expect a response, but …"

But Nicklaus answered Weir in a type-written letter, urging the youngster to continue with what was natural. If you feel more comfortable playing golf as a lefty, Nicklaus wrote, stay that way. Weir followed the advice, and slugged it out despite the predictable setbacks.

"I went to Brigham Young on a scholarship and that was great for me," Weir said. "But after I got out of school, it was difficult. It took me five years of qualifying to get to the PGA Tour. I played in Australia and Canada, and I can remember many times when I was missing cut after cut on the

1993 winner Paul Azinger tied for 41st.

Jeff Maggert was on the Ryder Cup bubble.

Justin Leonard went out with 73-75.

Australian tour. You're out there by yourself and you don't have any money and you battle through those times and you're out there on the range practicing by yourself until you can't see a shot five feet in front of you.

"I'll always have those things in my memory bank, those tougher times. I never once thought about quitting. I always believed in myself. I remember once hitting balls next to Nick Price at the Canadian Open in 1995. I stopped and watched him and thought to myself, 'There's no way I can beat this guy unless I change something.' So I worked on my swing to tighten it up. I think if anything contributed to my determination it's that I know from personal experience how hard it is to get out here. I don't ever want to go back to qualifying school."

After playing with Woods on Saturday, Westwood didn't want to go back and do the same thing on Sunday.

"That's one good thing about shooting 74," he said. "I won't be playing with Tiger tomorrow."

Being in a group with Woods can be an adventure, because galleries tend to regard him as the only golfer at work. When Tiger putts out on a given hole, for instance, people invariably move en masse toward the next tee, even if Woods' partner isn't finished. Westwood was paired with Woods during the first two rounds of the U.S. Open, missed the cut with 73-76, and later admitted he was often distracted. After his Saturday trip at Medinah, Westwood criticized the marshals for "pathetic" efforts at crowd control.

"We're not intimidated by the other guys we play against," added Cink, who shot a spiffy 68 in the third round, "but Tiger clearly has a presence out there. You could hear the roars on the other side of the course. Probably on the other side of Chicago."

"There aren't many courses that don't suit Tiger's game," said Price, who shot 69. "But this one does more than others because there's not

Steve Stricker missed the cut at 148.

Irish hopeful Darren Clarke also was out.

much run on the ball. There are only a handful of players in the entire field who can reach the par-5s in two, and he's one of them. So that makes it tough on the rest of us, if he's playing four par-5s as par-4s."

Indeed, on Saturday, Woods birdied three of the par-5s to come in with 68. He missed his share of fairways, but on No. 6, a par-4, he birdied from well off the fringe. At No. 15, his tee shot veered into the trees, but Woods somehow conspired to wrest the ball from the forest and, looking not unlike a contortionist, he knocked it into a bunker. Soon, he would have his up-and-down par.

"I got away with some bad shots," admitted Woods. "I had a bit of luck."

Meanwhile, there was a groundswell of noise attached to Garcia. He went out in 35, but birdied Nos. 10, 14 and 17 for 33 on the back, and congratulated himself on rallying after the previous day's travails.

"It was a great round for me," said Garcia. "There was a lot of wind blowing. I made some

Masters winner Jose Maria Olazabal shot 79-72.

His length on the par-5s was a big advantage for Woods. Here at the 14th in the third round, Tiger hit a 2-iron second shot in the right bunker, pin high. He thought for a moment that he had holed for an eagle 3 ...

great saves, but I played well. I gave it everything I had. I know this is a major, but I'm taking it as another tournament. If I win, it will be better than another tournament."

Haas was not the only veteran to take a bow. Irwin, who had stirred so much emotion over the first two days, three-putted No. 1, the very par-4 he had birdied to beat Donald in the 1990 U.S. Open playoff. Irwin didn't make many putts thereafter on Saturday at Medinah, and his only birdie occurred at No. 15. He skied to a 78 and expressed disappointment.

"I didn't know whether I was putting with a 2-iron or a wedge out there," Irwin said. "You have those days."

So, the cast was set for Sunday's climactic round. Woods and Weir, tied at 11-under-par 205, would be the final twosome. Before them, Cink and Garcia, tied at 9-under 207. There were four golfers at 6-under 210: Price, Kendall, Haas and Jim Furyk. But they fully realized that there was a lot of traffic to pass, notably Woods and his entourage.

"I think I can handle it," said Weir. "I got a sample of Tiger's popularity at the Western.

People are everywhere. There are a lot of things happening outside the ropes, and you really have to block it out, using mental techniques and focusing on your game. I know I'm not a household name. It's a little different playing with him than anybody else, but it's not going to bother me."

Then again, there are concerns within the ropes when Tiger is hunting a title. "If Tiger is playing the way he can play," said Garcia, "maybe we are all looking at second place."

"It's very difficult winning championships," cautioned Woods. "People have big expectations of me, which is fine, because I have them for myself, too. I put pressure on myself. When I first came out and won the Masters by 12 shots, everybody thought I could do that every time I teed it up. Well, golf isn't like that. Golf isn't that easy, especially with all these great players out here."

Woods included Garcia in that category. Woods had praised Garcia as the most talented player in golf, period, exclamation point. At the GTE Byron Nelson Classic in May, Woods shot 61 when Garcia shot 62. Would they battle again on Sunday?

More than 40,000 spectators turned out to wit-

... but Tiger made birdie on a three-inch putt. He finished with pars for 68 and 205, tied for the lead.

A third-round 68 had Cink tied for third.

Weir shot 69–205 to share first place.

Two-time winner Nick Price advanced to 69–210.

At 68–207, Garcia credited his short game.

ness the final 18 holes, and the first matter of business for Woods was to separate himself from his playing partner, Weir. It didn't take long. Woods birdied No. 2, a par-3 over Lake Kadijah, and — surprise — the two par-5s, Nos. 5 and 7. On the latter, he cut a 2-iron out of the right rough and landed it on the green 281 yards away. Brilliant.

That meant a comfortable 3-under-par 33 on the front side, at which point Weir had fallen seven shots off the pace. He bogeyed five holes going out, stopped the bleeding briefly with a birdie on No. 4, and put up a 40. He matched that on the back side, and wound up with an 80, or 11 swings higher than his poorest previous round for the week.

"What can I say?" said Weir. "I didn't think I hit it that bad. There was no indication on the practice range that I wouldn't have my game. I felt good. Now, I feel disappointed. But I'll be back."

Kendall stumbled to finish at 78–288.

Jim Furyk's 69–210 tied for fifth place.

Colin Montgomerie had started 72-70-70.

Haas fell to 75–210, five strokes back.

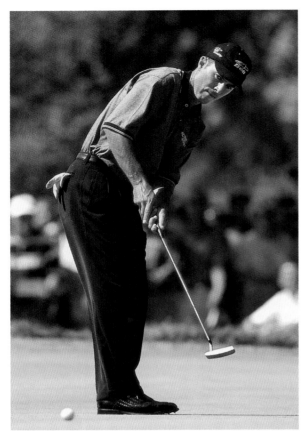

Taking 80 for 285, Weir tied for 10th.

Haas shot 35 on the front and wound up with 70, so he was not a factor. Cink excused himself from the fray with 38, then a 73. Price surged for a while with 32, but he couldn't get the ball to drop thereafter and settled for 39.

Thus, Woods appeared to be on cruise control, and when he parred No. 10, then followed with a birdie on No. 11, he owned a resounding five-shot lead. At 15-under, Woods appeared to be within range of 17-under-par, the PGA Championship record established at Riviera in 1995. Elkington closed with a 64 that Sunday in Los Angeles and, moments later, Montgomerie shot 65 to tie him at 267. When Woods lapped the field in the 1996 Masters by a dozen strokes, he finished a whopping 18-under, but Augusta National is a par 72. Riviera was a par 71 for the PGA Championship, and when Greg Norman shot 267 to win the 1993 British Open, par at Royal St. George's was 70.

But suddenly on Sunday at Medinah, Garcia went on a bit of a binge. He had shot 36 on the front, birdied No. 10, then parred Nos. 11 and 12. However, just as Woods bogeyed No. 12 by three-putting, Garcia was lofting his tee ball on No. 13 to within 20 feet of the cup. When Garcia sank the birdie putt to go 11-under, he turned toward the elevated tee and stared at Woods. In years to come, Garcia's gesture possibly will be dressed up to be more than it was, like Babe Ruth's called home run.

"I just wanted him to know I was still there," said Garcia. "I didn't do it to mean anything else. I just wanted him to know that he had to finish well to win. I did it with good feelings, not hoping that he would not do well."

Woods, still at 14-under, said he didn't see Garcia do whatever he did, and whatever it was would have seemed innocuous enough had Woods negotiated the par-3 without difficulty. But his 6-iron landed beyond the green, in the thick stuff. Woods attempted to chip on the putting surface, but the ball came out hot and skittered through the green and into the front rough. His third shot finally settled within bogey range, but Woods missed that putt and took a double-bogey 5. Now he was at 12-under, only one swing ahead of a pumped-up Garcia.

Sergio parred No. 14, then bogeyed No. 15, despite a brave 7-iron exit from trees on the right. Woods parred No. 14 and also No. 15. Garcia tempted fate when his wayward drive on No. 16 screeched to a grim halt at the base of that oak tree, but he followed with The Shot that sliced maybe 20 yards in the air to reach the green.

"One of my top five ever," said Garcia. "I thought about laying up there. I really did. I wasn't thinking about finishing second or making money. I was thinking about winning the PGA."

"I didn't think he could pull it off," said caddie Jerry Higginbotham, who carried the bag for both of O'Meara's major conquests in 1998. "I started

Out in 38, Cink finished with 73–280.

Price went 32-39 for a 71–281 total.

to tell him to just pitch out, but I've seen this kid pull off so many amazing things, I figured I'd let him go ahead. So, no, I'm not surprised. Sergio is too good for me to be surprised at anything he does."

When Garcia landed from his impromptu fairway sprint, he was walking on air the rest of the way. The galleries fell in love with him there and then, if not before. Thousands of fans had come to Medinah to witness a competition, and now they had one, along with a new hero.

"It was amazing," said Garcia. "It was like I was an American out there, the way they were cheering for me. I've never heard anything like it. They like me. I have no words to say what they did for me. That's why I took my hat off on most holes. They were incredible and I would like to dedicate this tournament to them … they deserve it."

"The vibes out there were insane," added Higginbotham. "I've been out here a long time,

Haas shot 70–280 for a share of third.

It was a shot that may define Garcia's career, as Sergio opened the clubface, closed his eyes, and sliced the ball from the tree base to the 16th green.

and I never remember anything like that. Nine out of 10 guys out here look at where that ball was underneath that tree, they pitch it out onto the fairway and take their chances from there."

"There's a lot of things these young guys do now that I can't identify with," said Crenshaw, the U.S. Ryder Cup Captain who was in the audience. "That shot at No. 16 by Garcia is one of them. It's one thing to be fearless and to try it. It's another thing to pull off something like that. He's terrific. No doubt about it."

Garcia was out of miracles. He went par-par on Nos. 17 and 18 and went to the scorer's tent with a 71 for a total of 10-under 276. He didn't know whether he would win or lose or embark on a playoff. But he knew he belonged.

"He's Seve with a smile," said Tom Lehman.

The No. 16 hole was not so kind to Woods, who bogeyed there to fall to 11-under. He had dropped four shots in five holes. He had also sampled the tumultuous merriment ahead of him.

Woods has been a Chicago favorite. When he won his first Motorola Western Open in 1997, crowds burst through the fairway ropes after he headed toward the 18th green and framed the moment, a standing ovation. At Medinah, Woods discovered during the last hour that fans can be fickle. A vast majority of fans were just happy to be there, but there were a few hecklers.

"I don't know whether they were betting on a close match, or maybe they had a few too many beers on a hot afternoon," said Weir. "But it was pretty rough. Not necessarily hostile towards Tiger, but a little like a football crowd once in a while. Or a hockey crowd. You also have to remember we were the last pairing, and the number of people kept multiplying. Tiger is the star attraction no matter what, and now there was a 19-year-old kid trying to catch him. I don't know whether it was because Garcia was the underdog or what, but there was plenty going on."

However, by way of confirming his powers of

concentration, Woods made that crucial putt on No. 17 to retain his slimmest of leads. Then he parred No. 18 with two putts from 20 feet and it was over. He'd taken 39 swings on the back nine, an inordinately high number for a winner on a Sunday of any championship, let alone a major. But Woods was a winner with 72 on a day when 50 of 71 players shot over par.

"Getting my No. 2 major was a relief, no doubt," said Woods. "Now I don't have to keep answering the questions anymore about when I'll follow up what I did at the Masters. I've been trying. I've been close. This week was my time. I played well, but I also had a few breaks. And to have them definitely helped propel me to victory."

Woods earned his second major title at the age of 23 years, seven months and 16 days and thus became the youngest player to win two majors since Ballesteros won the 1980 Masters at 23 years and four days. Nicklaus won his second major, the 1963 Masters, at 23 years, two months and 17 days.

"It was a tough week," said Woods, fulfilled but exhausted. "It's nice to play with all that pressure on you, because that means you're in it. If you don't like that and you don't have fun doing that, then I don't know why you're out there. I may not have shown it out there today, but I had fun. It's fun competing. It's fun winning. One thing that never gets old is winning."

And Woods did a fair amount of that, before and after the 1999 PGA Championship. He began his season by winning the Buick Invitational in San Diego. He won on the PGA European Tour in the Deutsche Bank-SAP Open in Germany, then won the Memorial Tournament. He tied for third at the U.S. Open, then won the Motorola Western Open in July, then gave it a run at the British Open before finishing in a tie for seventh. He followed by winning the PGA Championship in mid-August, followed by the NEC Invitational in Akron, Ohio. That made it five PGA Tour tri-

Garcia's enthusiasm won over the galleries.

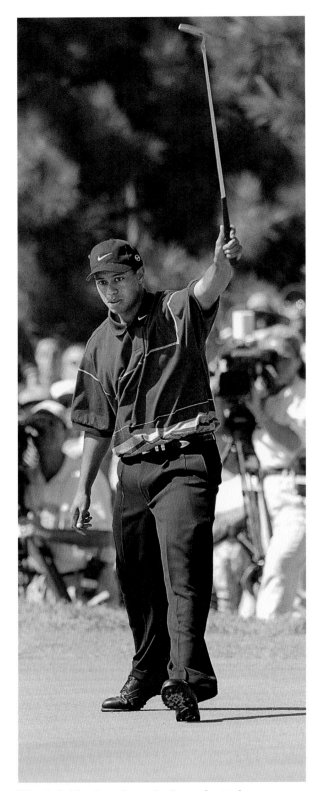

Woods led by five after a birdie at the 11th.

Steve Pate finished well, 69–284.

umphs and six overall for the season, and 12 on the PGA Tour and 15 worldwide in 72 professional starts.

The forecasters who had pegged Woods as the man most likely to pocket the $630,000 first prize from the PGA Championship because he was the strongest and straightest were correct. He led the Medinah field in driving distance with an average of 308.3, compared with 294.5 for Garcia, who is by no means short and is absolutely still filling out his lithe and spindly frame. Woods finished in the middle of the pack for reaching fairways, and he was high in greens in regulation with 52, though Garcia was even higher with 54. But there wasn't much question that, even when Medinah was soggy and slower early in the competition, Woods compressed the course with his controlled aggression. Also, while other professionals found fault with putting surfaces that were inconsistent in texture, Woods generally played through the problems without comment. Shades of Nicklaus, who always maintained that foes who complained

Bob Estes shot 69 to tie for sixth at 282.

Furyk finished in the top 10 at 284.

about certain facets of major venues were among the first he would discount as probable adversaries. The situation at Carnoustie was vaguely similar, albeit much louder. Contestants roundly knocked the course set-up, but Woods went about his business. He didn't win, but Woods didn't give in to the conditions, either.

The PGA Championship also enhanced the relatively new relationship between Woods and caddie Williams, who was hired in March. In their first tournament, the Bay Hill Invitational, Woods finished out of the top 20. Since then, and through the NEC Invitational, Woods had not dropped out of that elite circle.

"I can't tell you how much Steve has meant to Tiger," said Harmon, no small influence himself. "Steve has a calming influence and he's a great confidence builder."

Williams is as focused as his boss, too, though the New Zealander who races cars in his free time knows when to slip in an opinion.

"On No. 17 Sunday," Woods recalled, "some-

Montgomerie had a third 70 for 282.

Woods' eight-foot putt on the 17th secured the title.

The tension was gone as Woods received his prizes.

one yelled at me, 'I'll give you $1,000 to slice it in the water.' Stevie just said, 'Golf is a little different than it was 20 years ago. Some of it is for the good, and some of it isn't.'"

Woods didn't seem all that perturbed by divided loyalties.

"I guess golf has changed," he said. "Golf has become a 'booable' sport. I can understand why people like Sergio. He's a fighter, he shows his emotions, and he never gives up. Plus he's obviously a great player. He never dogged it. It was wonderful to see. But I think I still have a lot of good fans around Chicago and everywhere."

Next question: will Woods versus Garcia emerge into the rivalry of 2000 and beyond? If Palmer put the modern PGA Tour in a dress shirt by putting it on television like never before, the appearance of Nicklaus certainly nourished the sport. Gary Player created The Big Three, and if there's one man who gave Nicklaus fits, it was Lee Trevino. Tom Watson took the baton from Nicklaus, and then came Ballesteros and Nick Faldo from across the pond. Long before that, Bobby Jones vied with Gene Sarazen and Walter

At age 23 years, seven months and 16 days, Woods became the youngest to win two major titles since 1980.

Hagen. Ben Hogan went at it with Byron Nelson and Sam Snead.

"I said when I turned pro that I wanted to be No. 1," said Garcia. "So, I guess that means I want to be a rival of Tiger. I'm a little unhappy I didn't win. Inside of me, I feel like I won in a way. I'm 19 years old, I turned professional three months ago, I can't ask for anything more. If it becomes a rivalry between Tiger and me the next few years, fine. He's a great player. But I said I always wanted to be a rival being friends, like we did today."

Garcia, respectful in defeat, hugged Woods at the conclusion of the PGA Championship.

"Whether we'll be rivals, how can you predict something like that?" said Woods. "We're all rivals out here. Obviously, there's David Duval. But there are so many players in their 20s — Justin Leonard, Ernie Els, Phil Mickelson — and Sergio being in his teens, he's going to be a wonderful player for years. But you've also got Lee Westwood and Darren Clarke from overseas. Any given week, pick any two of those and that could be a rivalry. Sergio is great. He's enthusiastic. If we get to do this again over a period of years, that would be okay by me."

He is not alone.

"If Sergio and Tiger are the future of golf," offered Crenshaw, the historian, "golf is in good hands. Tiger has the weight of the world on his shoulders. Golf is so much more complicated for the players now than it was when I was that age. More options, more demands, more miles. I mean, in my time, the schedule was basically within the U.S. besides the British Open and it ended in October.

"Now golf is everywhere, all the time, and a lot of it is because of Tiger. I can't conceive of what he's got on his plate and how well he manages all of it. Sergio is fabulous, and in time, it might be the same for him as it is for Tiger. But Tiger is unbelievably mature for his age, and Sergio is a wonderful kid. He'll have a lot to deal with, and I expect he'll be able to deal with it.

"I care for this game, and they do, too. I'll say it again. I feel real comfortable with Tiger and Sergio and the rest of these kids. We can't forget that, you know. Great as they are, they're still kids. Isn't that wonderful?"

81st PGA Championship

August 12-15, 1999, Medinah Country Club, Medinah, Illinois

Contestant	Rounds				Total	Prize
Tiger Woods	70	67	68	72	277	$630,000.00
Sergio Garcia	66	73	68	71	278	378,000.00
Stewart Cink	69	70	68	73	280	203,000.00
Jay Haas	68	67	75	70	280	203,000.00
Nick Price	70	71	69	71	281	129,000.00
Bob Estes	71	70	72	69	282	112,000.00
Colin Montgomerie	72	70	70	70	282	112,000.00
Jim Furyk	71	70	69	74	284	96,500.00
Steve Pate	72	70	73	69	284	96,500.00
Miguel Angel Jimenez	70	70	75	70	285	72,166.67
Jesper Parnevik	72	70	73	70	285	72,166.67
Corey Pavin	69	74	71	71	285	72,166.67
Chris Perry	70	73	71	71	285	72,166.67
David Duval	70	71	72	72	285	72,166.66
Mike Weir	68	68	69	80	285	72,166.66
Mark Brooks	70	73	70	74	287	48,600.00
Gabriel Hjertstedt	72	70	73	72	287	48,600.00
Brandt Jobe	69	74	69	75	287	48,600.00
Greg Turner	73	69	70	75	287	48,600.00
Lee Westwood	70	68	74	75	287	48,600.00
David Frost	75	68	74	71	288	33,200.00
Scott Hoch	71	71	75	71	288	33,200.00
J.L. Lewis	73	70	74	71	288	33,200.00
Kevin Wentworth	72	70	72	74	288	33,200.00
Skip Kendall	74	65	71	78	288	33,200.00
Fred Couples	73	69	75	72	289	24,000.00
Carlos Franco	72	71	71	75	289	24,000.00
Jerry Kelly	69	74	71	75	289	24,000.00
Hal Sutton	72	73	73	71	289	24,000.00
Jean Van de Velde	74	70	75	70	289	24,000.00
Paul Goydos	73	70	71	76	290	20,000.00
Mark James	70	74	79	67	290	20,000.00
Ted Tryba	70	72	76	72	290	20,000.00
Tom Lehman	70	74	76	71	291	15,428.58
Paul Lawrie	73	72	72	74	291	15,428.57
Billy Mayfair	75	69	75	72	291	15,428.57
Kenny Perry	74	69	72	76	291	15,428.57
Scott Verplank	73	72	73	73	291	15,428.57
Lanny Wadkins	72	69	74	76	291	15,428.57
Steve Flesch	73	71	72	75	291	15,428.57
Paul Azinger	77	69	71	75	292	11,250.00
Angel Cabrera	73	73	74	72	292	11,250.00
Chris DiMarco	74	71	74	73	292	11,250.00
Nick Faldo	71	71	75	75	292	11,250.00
Hale Irwin	70	69	78	75	292	11,250.00
Robert Karlsson	70	76	73	73	292	11,250.00
Duffy Waldorf	74	71	70	77	292	11,250.00
Brian Watts	69	71	72	80	292	11,250.00
Olin Browne	73	72	74	74	293	8,180.00
Davis Love III	71	72	75	75	293	8,180.00
Rocco Mediate	71	72	78	72	293	8,180.00
Vijay Singh	74	70	77	72	293	8,180.00
Kirk Triplett	73	70	70	80	293	8,180.00
J.P. Hayes	68	76	76	74	294	7,400.00

Contestant	Rounds				Total	Prize
Andrew Magee	72	72	77	73	294	7,400.00
Jeff Sluman	72	73	73	76	294	7,400.00
Phil Mickelson	72	72	74	77	295	7,175.00
Payne Stewart	75	71	75	74	295	7,175.00
Bob Tway	73	71	80	71	295	7,175.00
Mark O'Meara	72	74	73	76	295	7,175.00
Mark Calcavecchia	71	75	76	74	296	6,975.00
Brad Faxon	72	73	77	74	296	6,975.00
Greg Kraft	74	70	75	77	295	6,975.00
Bernhard Langer	71	75	74	76	296	6,975.00
Alex Cejka	71	73	75	78	297	6,800.00
Andrew Coltart	72	74	80	71	297	6,800.00
Mike Reid	72	74	76	75	297	6,800.00
Scott Dunlap	74	72	71	81	298	6,675.00
Bruce Zabriski	70	75	77	76	298	6,675.00
Rich Beem	72	73	78	76	299	6,550.00
Thomas Bjorn	73	73	78	75	299	6,550.00
Naomichi (Joe) Ozaki	73	73	78	75	299	6,550.00
Fred Funk	75	69	76	80	300	6,450.00
Joey Sindelar	73	70	75		WD	1,750.00

Out of Final 36 Holes

Darren Clarke	72	75	147	Mike Gilmore	74	76	150
Retief Goosen	74	73	147	Frank Lickliter	73	77	150
Shigeki Maruyama	77	70	147	Jay Overton	75	75	150
Craig Parry	75	72	147	Ken Schall	75	75	150
Dennis Paulson	77	70	147	Robert Allenby	76	75	151
Loren Roberts	70	77	147	Billy Andrade	75	76	151
Sven Struver	71	76	147	Stuart Appleby	77	74	151
Tommy Tolles	78	69	147	Ben Crenshaw	77	74	151
Ian Woosnam	73	74	147	Tim Herron	74	77	151
Ernie Els	72	76	148	Shawn Kelly	74	77	151
Bob Ford	74	74	148	Stephen Keppler	73	78	151
Harrison Frazar	75	73	148	Brent Murray	76	75	151
Brent Geiberger	72	76	148	Jose Maria Olazabal	79	72	151
Dudley Hart	75	73	148	John Huston	72	80	152
Nolan Henke	73	75	148	Stephen Leaney	76	76	152
Toshimitsu Izawa	72	76	148	David Toms	76	76	152
Lee Janzen	73	75	148	George Bryan	76	77	153
Steve Jones	75	73	148	Scott Davis	81	72	153
Justin Leonard	73	75	148	Jeff Freeman	73	80	153
Peter O'Malley	75	73	148	Scott Gump	77	76	153
Eduardo Romero	71	77	148	Wayne Defrancesco	78	76	154
Steve Schneiter	74	74	148	Bradley Hughes	80	74	154
Steve Stricker	72	76	148	Tom Kite	77	77	154
Kevin Sutherland	74	74	148	Craig Stadler	77	77	154
Bob Boyd	74	75	149	Hidemichi Tanaka	78	76	154
Brandel Chamblee	78	71	149	Tommy Armour III	74	81	155
Bob Friend	71	78	149	Mike Baker	80	75	155
Per-Ulrik Johansson	76	73	149	Darrell Kestner	75	80	155
Jeffrey Lankford	78	71	149	Patrik Sjoland	78	77	155
Jeff Maggert	73	76	149	Tim Thelen	78	77	155
Greg Norman	75	74	149	Kim Thompson	78	77	155
Tom Pernice, Jr.	74	75	149	Larry Nelson	79	77	156
Jarmo Sandelin	77	72	149	Ronald Stelten	77	79	156
Chris Tucker	75	74	149	Christopher Toulson	79	78	157
Tom Watson	75	74	149	Brett Upper	79	78	157
Jim Carter	76	74	150	Scott Spence	80	79	159
John Cook	74	76	150	Milan Swilor	80	80	160
Glen Day	74	76	150	Bill Glasson			WD

Professionals completing 36 holes but not returning 72-hole scores received $1,750.

AMERICANS STAGE RECORD COMEBACK

By Joe Gordon

The United States juggernaut led by Tiger Woods and David Duval, the No. 1 and No. 2 ranked players in the world, was on the verge of closing out the year with an astonishing loss in the 33rd Ryder Cup Matches to a European Team comprised of seven rookies among its 12 members. The only rookie on the American side was Duval, who, arguably, on any given day, was the best player in the world.

Still, two days of sheer frustration in four-somes and four-ball matches Friday and Saturday left the Americans reeling, with a 10-6 deficit going into Sunday's singles. Another underdog European Team — this one with such questionable depth that Captain Mark James left out three players until Sunday's singles matches — was in position to keep the Ryder Cup out of The PGA of America's trophy case for another two years.

Not only that, but this was the same hallowed ground where Francis Ouimet put American golf on the map in 1913 when, as a 20-year-old amateur, he defeated England's Harry Vardon and Ted Ray in a playoff to win the U.S. Open. Yet,

Captain Ben Crenshaw, holding the Ryder Cup, was surround Jim Furyk, Davis Love III, David Duval, Hal Sutton, Tiger Woo

...his men, from left to right: Justin Leonard, Steve Pate, Payne Stewart, Phil Mickelson, Tom Lehman, Jeff Maggert, ...d Mark O'Meara.

The 33rd Ryder Cup Matches began on a bright morning with a large, enthusiastic gallery at The Country Club.

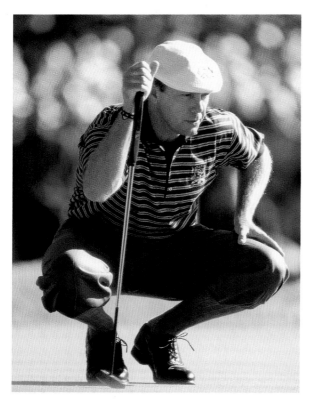

Payne Stewart helped earn a halve Friday morning.

by Sunday, only the greatest comeback in the 72-year history of the event could prevent Europe from winning the Ryder Cup Matches a third successive time. Another defeat would have relegated any further claim of the superiority of American golf to strict measurement against the litmus test of having lost six of the last eight meetings in the suddenly supercharged biennial events.

On the previous day, by the time Scotland's Colin Montgomerie birdied the 15th hole and countryman Paul Lawrie birdied the 16th to fashion a 2-and-1 win over Woods and partner Steve Pate in the final four-ball match as daylight waned, even the most stout-hearted American observers held out little hope for a Sunday comeback.

An hour after play ended Saturday, U.S. Captain Ben Crenshaw, whose personal love of golf history and architecture was born of his experience in the 1968 U.S. Junior Amateur at The Country Club when he was 16 years old, let the world know there was at least one man who still believed in miracles.

"I'm going to leave y'all with one thought, and I'm going to leave," intoned Crenshaw in his Texas drawl, while pointing first his right and then his left index finger at the assembled media. "I'm a big believer in fate. I have a good feeling about this. That's all I'm going to tell you."

Crenshaw then rose and left to face the night and the players he believed had made the transformation from 12 individuals to a team during their week in Brookline. We know some of what Crenshaw said and did with his team and their families that night in a suite in the Four Seasons Hotel in Boston. He prevailed upon Texas Governor George W. Bush to read a passage by William Barrett Travis recounting the heroic defense of the Alamo. Crenshaw invoked the name of his late mentor, Harvey Penick. His players, led by the generally stoic Duval, bared their souls.

The team stormed out Sunday and made Crenshaw's cryptic words about fate and good feelings ring through the early autumn skies. Triumphant in the first six matches, the U.S. did exactly what was needed to win, completing the greatest comeback in Ryder Cup history with an 8½-to-3½ singles thrashing of Europe for an unthinkable 14½-to-13½ victory.

To fully understand the depth of the emotions and the strength of the bonds the American Team displayed throughout that magnificent final day of 12 singles matches, which included a wild champagne shower from the balcony of the stately locker room building, one must first appreciate how much energy the team spent over the first two days and how few were the rewards.

Crenshaw went into the partner matches delighted with the practice efforts his team produced. He believed Hal Sutton and Jeff Maggert were teaming as well if not better than anybody he had and kept them together in both the foursomes and four-ball matches on Friday. He never would have believed the pair would produce America's lone win of the day.

The highlight match of the Friday morning foursomes was clearly match number two, pitting

Hal Sutton and Jeff Maggert secured the only first-day American victory, winning in the foursomes.

Jesper Parnevik and Sergio Garcia led with two wins on the first day, as Europe took a 6-2 margin.

European colors flew high for two days.

Spain's Sergio Garcia and Sweden's Jesper Parnevik against Woods and Tom Lehman. It was the closest Garcia and Woods would come to the dream head-to-head match everyone seemed to want. When Lehman chipped in a short-sided Woods' approach to the right of the first green for birdie to go 1-up, it appeared the shot would set the tone for the day. Woods and Lehman went 2-up with a par on the fifth, but before the mammoth gallery could settle down, the Europeans had won the next two holes with a par and birdie to square the match. Woods and Lehman never led again, dropping a 2-and-1 decision. Montgomerie and Lawrie beat Duval and Phil Mickelson, 3 and 2. Davis Love III and Payne Stewart halved Miguel Angel Jimenez of Spain and Padraig Harrington of Ireland when the Americans won

Europeans Paul Lawrie (left) and Colin Montgomerie collaborated on Friday for a victory and a halve.

Miguel Angel Jimenez (right) joined Jose Maria Olazabal on Friday afternoon to defeat Sutton and Maggert.

the 17th with a par. Maggert and Sutton went 4-under-par through the 16 holes it took them to win 3 and 2 over England's Lee Westwood and Northern Ireland's Darren Clarke, ending the morning with Europe leading 2½ to 1½.

The Europeans greeted the Americans in match two of the afternoon four-ball with a barrage by Garcia and Parnevik, who made seven birdies and two eagles in a 1-up victory over Jim Furyk and Mickelson, who made eight birdies by himself. It was an incredible show of scoring that could have been better had Mickelson not missed birdie putts of six feet on the 15th and four feet on the 16th.

Love and Justin Leonard were forced to birdie the 18th to halve with Montgomerie and Lawrie for the lone half point the Americans would gather on Friday afternoon, as Jimenez and countryman Jose Maria Olazabal beat Sutton and Maggert, 2 and 1, and Westwood and Clarke edged the seemingly invincible team of Duval and Woods, 1-up, for a 6-2 European lead.

"I thought we saw some great scoring out of both teams," Crenshaw said. "The score is 6-2 but

Lee Westwood was another early European hero.

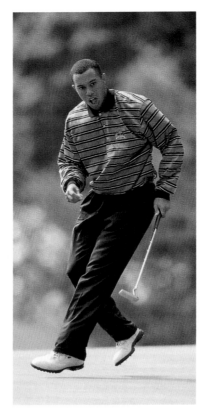

Tiger Woods' eagle at the 14th on Saturday morning invigorated the American squad.

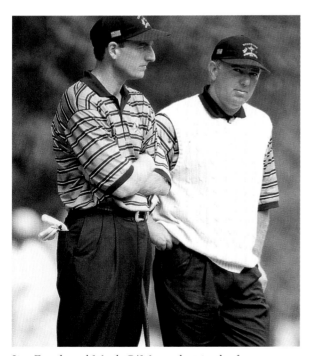

Jim Furyk and Mark O'Meara lost in the foursomes.

I just don't think from my position that it indicates how people played. My team thought they played very well. Again, it's a little bit of what I've said for a long time — holing out is the name of the game in match play."

Crenshaw called on former U.S. Captains Raymond Floyd and Lanny Wadkins to speak to his team during the weekend. He pulled out all the stops, used all the tricks he could muster to get his players relaxed enough to play their own games. He remained steadfast in his belief that his players were incredibly close to winning back precious points, yet when Saturday ended with both teams gaining four points, the gap had not closed.

Of the eight matches, there was only one in which the Americans never led, that coming in the morning foursomes when Garcia and Parnevik defeated Leonard and Stewart, 3 and 2. Sutton and Maggert again validated Crenshaw's faith when they beat Montgomerie and Lawrie 1-up.

Using Pate with Woods as a catalyst to relax

Darren Clarke punctuated another European win.

Captain Mark James watched Europe take a 10-6 lead.

his star, Crenshaw was rewarded with one point in a 1-up win over Jimenez and Harrington, while Clarke and Westwood easily defeated Furyk and Mark O'Meara, 3 and 2.

Mickelson, who had changed putters after Friday's matches, teamed with Lehman and started the Saturday afternoon four-ball matches with a 2-and-1 win over Clarke and Westwood. The next two matches — Love and Duval vs. Parnevik and Garcia and Leonard and Sutton vs. Jimenez and Olazabal — were halved. Then came the heartbreaker, when Montgomerie and Lawrie made birdies on the 15th and 16th to beat Pate and Woods, 2 and 1.

James, who later defended his decision to keep three of his men idle — Jean Van de Velde of France, Jarmo Sandelin of Sweden and Andrew Coltart of Scotland — while playing the spikes off the other nine, was, perhaps, just as prophetic in his Saturday evening address to the media as was Crenshaw in his finger-pointing vote of confidence.

"I think it would be a disappointment if we didn't win, because a four-point lead is a reasonable lead," James said. "But we're under no illusions. We know that the USA is going to fight back hard tomorrow. They have a lot of good players and we know they have a huge amount of work to do yet. And I'll be tucking the boys in with a glass of milk and saying, 'Get a good night's sleep. We have work to do tomorrow.'"

The comeback was so extraordinary it eclipsed the play-for-pay controversy which threatened to fragment the U.S. Team less than six weeks before the Matches and relegated a controversy over a premature celebration by the Americans on the 17th green Sunday to so much sour grapes. The European contingent left Brookline appalled after much of the American Team and some of their family members mobbed Leonard when his 45-foot birdie putt appeared to have clinched the coveted Ryder Cup.

Leonard's opponent, Olazabal, still had a chance to halve the hole and extend the suspense

Phil Mickelson and Tom Lehman won on Saturday.

Sutton and Justin Leonard got a four-ball halve.

with his own 20-footer for birdie. However, he had to wait about a minute for the euphoria to die down before he missed the putt. The untimely celebration, which even Olazabal admitted had no bearing on the outcome, as well as some unruly and thoughtless fans who baited European players, set off a stream of anti-American whining in the weeks which followed.

Six weeks earlier Crenshaw could feel the essence of the event he so dearly loved slipping into a state of deep unconsciousness — and that was among the best players on his team. A players' move to demand compensation for participation, possibly in the form of designated charitable donations, had been brewing all summer and it came to a head at the PGA Championship at Medinah Country Club outside Chicago. It prompted an emotional Crenshaw oration on Wednesday of that intense week at Medinah. The outburst risked alienating his players and fragmenting his team, but actually began a healing process which carried through a team practice session at The Country Club on Aug. 30 and culminated in

strong enough bonds to rally the Americans to victory against all odds on the final day.

Starting in 1979, when the Great Britain-Ireland Team was allowed to pool resources from all of Europe, only once before had either team managed such a lopsided singles day, and that was the first year of European presence when the U.S. won the singles 8½ to 3½. The U.S. had lost the singles matches only twice in the 10 previous Matches since 1979, but despite a clear head-to-head advantage, any expectation of matching the 1979 output seemed asking too much. Yet, that was the precise outcome necessary to forge the comeback. Even a half point less for the Americans would have meant a 14-14 draw and the defending Europeans would have retained the precious Ryder Cup. The Europeans needed just four points of a possible 12 to accomplish a stalemate and retain it.

With that knowledge, Crenshaw rolled the dice in Sunday's singles rotation, sending out his two most dogged competitors to start the day in the first two matches, both of which he knew had to

be won. Veterans Lehman, a Captain's pick, and Sutton went out first and second, and as fate would have it, they were matched against two of the strongest players on the European squad, Westwood and Clarke.

Lehman and Westwood halved the first three holes with pars before Lehman, 40, began displaying precisely why he has never lost a singles match in three Ryder Cup appearances. He birdied three consecutive par-4 holes, numbers four, five and six, halving the 310-yard sixth and taking a 2-up lead. After losing the seventh hole to a birdie, Lehman won the par-5 ninth with a par to take a 2-up lead. He won the 10th with a par 4 and the 13th with a birdie 3 to go 4-up with five holes remaining, and closed out Westwood with a par 3 for a halve on the 16th for a 3-and-1 win.

Sutton lost the par-4 first hole to a birdie, won

Montgomerie and Lawrie kept rolling along.

David Duval (left) joined Davis Love III to earn a Saturday afternoon halve against Garcia (right) and Parnevik.

America's prospects in the singles depended upon a strong start, and Lehman delivered from the lead-off position.

Woods provided a victory over Andrew Coltart.

Sutton came through in the second match.

Mickelson won the third and fourth holes, taking a 4-and-3 decision against Jarmo Sandelin.

the next three holes to go 2-up, halved the fifth and won the sixth to go 3-up, where the match remained until Sutton went 4-up with a par 4 on the uphill, twisting 486-yard 12th. Clarke won the 14th with a birdie, but Sutton ended the match when he won the 16th with a par 5 for a 4-and-2 win.

The American players who followed were heartened by what they witnessed on the scoreboard. It led to such a flurry of shotmaking by the Americans that the U.S. Team was a combined 14-under-par in the first six matches to 3-under-par by the Europeans.

"Tom Lehman led our troops today," said Crenshaw of his leadoff man in the singles. "We had to see something very forceful — the first four or five matches had to go out in good fortune in order to breed a chain reaction for the rest of the team. Obviously, you know, we had to get support in the air from the fans here. And it happened like a dream. It was like a force pulling us together."

Sutton, 41, whose personal comeback from a decade of mediocre play mirrored the U.S. Sunday comeback, was clearly the man of the Matches, posting a 3-1-1 record as one of only two American players involved in all five matches, along with Woods, who was 2-3. That stands in stark contrast to European Captain James' tactic of using seven of his 12 players in all five matches and leaving three of them without a match until Sunday, when every able body must tee it up.

"We can't tell you what a horse Hal Sutton is," Crenshaw said of the leading U.S. point-winner. "Gosh, Hal can stand there and just hit some great golf shots time after time. He's inspired and strong. We draw strength from that. Hal played wonderfully confident golf. He was a great inspiration as so many people were."

It was Sutton who took it upon himself before and during the Matches to inform his less experienced teammates that to succeed in a Ryder Cup setting they could not afford to simply try avoiding mistakes. He told them that fear of failure was

Cheers of "USA, USA" rang out as the Americans swept the first six matches.

paralyzing, that it was necessary to make things happen and be aggressive.

Americans Mickelson, Love, Woods and Duval did just that in the next four matches. Mickelson, Love and Woods were paired against the three Europeans who hadn't touched a club in the heat of battle all week. Mickelson disposed of Sandelin 4 and 3, Love dispatched Van de Velde 6 and 5, and Woods overcame Coltart's early tenacity for a 3-and-2 win.

Winning the first five singles matches gave the U.S. an 11-10 lead and created a buzz in the atmosphere around The Country Club, but it was the sixth match, Duval against Parnevik, who entered the singles with a 3-0-1 record, that really made people believe the Americans could pull off the impossible. Making two birdies and six pars in the first eight holes, Duval went an astounding 5-up on his way to a 5-and-4 win.

It wasn't until Duval halved Parnevik with birdie on the par-5 14th for the win that it became crystal clear exactly what had happened. Duval, who came into the Matches insisting the Ryder Cup was simply an exhibition, circled the green pumping his fists and uncharacteristically

playing to the crowd. He was a convert, caught up in the drama and panache of the competition.

"As many people have told me, it's something you can't explain and you can't appreciate until you've been a part of it," said Duval. "The great analogy I was given was that it's like when you have your first child, you just can't explain it to somebody. You have to go through it. To kind of feel the heat of it all, the magnitude and even the history of it, is something that I can't put into words. I don't have the vocabulary for that."

As the rest of the historic afternoon unfolded, with Europe leading in four of the remaining six matches, it became clear the U.S. would need a half point from somebody, anybody, to complete the comeback and refrain from wasting a tremendous start to the day. One of Crenshaw's Captain's picks, Pate, never trailed Jimenez in the eighth match and won 2 and 1. Furyk went 3-under-par on the first nine in match 11 against wunderkind Garcia, age 19. Garcia, who had been Parnevik's partner Friday and Saturday, going 3-0-1, didn't have enough left to fight off Furyk, who won 4 and 3.

That half point seemingly was going to have

to come from O'Meara, who trailed Harrington until he squared the match on the 13th, or Stewart, who spent virtually the entire day trailing Montgomerie until he squared the match with wins on the 14th and 15th holes. Montgomerie battled Stewart and fan harassment all day.

A fitting remembrance to Stewart, who died tragically in a plane crash on Oct. 25, was what he did for Montgomerie on the 18th green with the Ryder Cup already clinched. Montgomerie had a birdie putt for a 1-up victory, and Stewart had a makeable par putt to end the match all square, had Montgomerie missed. Stewart, without an apparent thought to his personal Ryder Cup record, bent down and picked up Monty's ball in a gesture of sportsmanship that the day

Duval stopped Parnevik in a pivotal match.

Padraig Harrington kept Europe's hopes alive.

Furyk started well to defeat Garcia.

Four down after 11 holes, Leonard stormed back to gain the final half-point for victory.

The American celebration was underway as the spectators responded to the drama on the golf course.

had often lacked outside the ropes.

"My personal Ryder Cup record doesn't mean anything," said Stewart, in his inimitable style that will be so sorely missed. "The gallery was tough on Colin all day. We'd already won and he didn't deserve to go through that."

Lawrie, the British Open Champion, ended match 12 early, beating Maggert 4 and 3, and Olazabal, the Masters Champion, was leading Leonard handily in match nine, beating the feisty Texan 4-up through 11 holes. No scriptwriter would have dared commit to pen and paper what transpired in the Leonard-Olazabal match after the 11th hole.

The entire serendipitous chain of events seemed to have been sparked by none other than Sutton, who, upon closing out his match with Clarke, raced to catch Leonard to offer support.

Sutton said, "I walked up to him at the 11th and said, 'Hey man, you can do it. You've got it inside.' Justin is a great player. He's got heart. He just had to believe how good he is."

Apparently, Sutton's words of encouragement bolstered Leonard's faith in himself. Leonard made par on that treacherous 12th to get back to 3-down and another par on the 13th to narrow the gap to 2-down, when Olazabal made his second straight bogey. Leonard birdied the par-5 14th to get to 1-down, and when Leonard holed a 35-foot birdie putt on the 15th, the match was all square and Olazabal had lost his momentum.

The players halved the 16th with pars and then approached the same 17th hole which had such a major effect on Ouimet's win in 1913 when he kept making birdie putts there and Vardon hit the ball into a fairway bunker (known ever since as the Vardon Bunker) and made a double bogey. Leonard spun his approach shot back some 50 feet from the hole, which was set on the back level of the two-tiered green with his ball resting on the front portion. Olazabal left his approach some 20 feet short of the cup.

"I was trying to make it, but I was also trying to get the ball close," said Leonard of the putt,

Olazabal and Leonard embraced at the finish.

which appeared to be going fast enough to have rolled at least five feet past the hole had it not hit dead center and gone in to give Leonard a 1-up lead and provide the half point that neither O'Meara nor Stewart could muster, both losing 1-down.

"It's a putt that we all, as a team, had hit during practice rounds," said Leonard about 90 minutes after the matches ended. "Everybody knew it went right at the top of the hill. I think the ball was destined to go in. I didn't have a great idea about the history of the 17th until Ben pulled me to the side of the locker room sometime in the last hour or so and showed me a picture of Francis Ouimet and told me about his putts at 17. And so I guess this may be the opener for all kinds of nicknames."

To most, the proper sobriquet would be Leonard's Green. To a vocal minority, the premature celebration it spawned demanded another name. Before Olazabal, still reeling from Leonard's putt but knowing he could counteract it by making his own putt, could begin preparing for the task, American players, wives and caddies who had gathered around the green to cheer Leonard raced to their heroic teammate in a spontaneous reaction of exultation. There was no need to apologize for the joy, only the poor timing of the celebration, and for that, they did extend an apology to their European combatants.

"The fact is, they played better — they won the matches today and they won the match," said Olazabal. "I understand that you are carried by your emotions and sometimes you do things like that. Nothing wrong with that. But just show some respect for the opponents. That's what I think we do out here, and that goes also for the crowds. I think they were very nice, but from time to time you get some very clever people that do certain things we all know is not right. I don't think it's needed, to be honest. It doesn't matter where you play, you just show respect."

From the clubhouse balcony, the victorious Americans sprayed champagne over the crowd.

When the celebration around the 17th had ended, Crenshaw paid homage to history in an interesting manner. He kneeled down and kissed the 17th green.

"I do believe in fate," he later explained. "The Country Club has been very, very kind to Americans. We all know about Francis Ouimet and his victory against two of the finest British players at the time. I'll tell you one thing, that's a little bit spooky that Justin Leonard made that putt on the 17th green. That was where Francis Ouimet made two 20-footers in 1913 to win the Open, and his house is right across that street.

"There's a lot of things in this life that I've been blessed with. Obviously, this day is a great blessing for the American Team. But I want to say one thing. These fellows who make up this team, it's a great blessing in my life that I know them and watched them perform. I told them all week that I've been admirers of their talent, their spirit, their will, their unshakable belief."

Woods, Sutton and Stewart shared the glory.

33rd Ryder Cup Matches

September 24-26, 1999, The Country Club, Brookline, Massachusetts

HOLE	1	2	3	4	5	6	7	8	9	10	11	12	13	14	15	16	17	18
PAR	4	3	4	4	4	4	3	4	5	4	4	4	4	5	4	3	4	4

FIRST DAY
Morning Foursomes

Colin Montgomerie and Paul Lawrie (Europe) defeated David Duval and Phil Mickelson (USA), 3 and 2

	1	2	3	4	5	6	7	8	9	10	11	12	13	14	15	16	17	18
Montgomerie/Lawrie	4	3	4	3	4	4	3	3	5	4	4	4	4	4	4	3		
Duval/Mickelson	4	3	4	3	4	3	4	4	4	5	4	5	4	5	4	3		

Sergio Garcia and Jesper Parnevik (Europe) defeated Tom Lehman and Tiger Woods (USA), 2 and 1

	1	2	3	4	5	6	7	8	9	10	11	12	13	14	15	16	17	18
Garcia/Parnevik	4	3	4	4	5	2	4	5	4	4	4	4	4	3	3			
Lehman/Woods	3	3	4	4	4	5	3	4	5	4	4	5	4	4	4	3	4	

Miguel Angel Jimenez and Padraig Harrington (Europe) halved with Davis Love III and Payne Stewart (USA)

	1	2	3	4	5	6	7	8	9	10	11	12	13	14	15	16	17	18
Jimenez/Harrington	4	3	4	4	5	3	3	4	5	3	4	4	4	4	4	3	5	4
Love/Stewart	4	3	3	3	5	3	4	5	4	4	4	5	4	4	4	3	4	4

Jeff Maggert and Hal Sutton (USA) defeated Lee Westwood and Darren Clarke (Europe), 3 and 2

	1	2	3	4	5	6	7	8	9	10	11	12	13	14	15	16	17	18
Westwood/Clarke	4	3	4	3	4	3	3	4	5	4	4	4	5	4	3			
Maggert/Sutton	5	3	4	4	3	2	3	5	4	4	4	4	4	4	2			

POINTS: Europe 2½, United States 1½

Afternoon Four-ball

Jesper Parnevik and Sergio Garcia (Europe) defeated Phil Mickelson and Jim Furyk (USA), 1-up

	1	2	3	4	5	6	7	8	9	10	11	12	13	14	15	16	17	18
Parnevik	3	3	4	3	4	3	3	2	4	3	4	4	4	4	5	3	4	4
Garcia	4	3	3	4	5	3	3	4	4	5	3	4	3	4	3	4	4	
Mickelson	3	2	4	3	3	3	3	3	4	4	4	4	4	4	3	4	4	
Furyk	3	3	4	4	3	3	3	3	5	4	4	4	3	4	4	3	4	4

Colin Montgomerie and Paul Lawrie (Europe) halved with Davis Love III and Justin Leonard (USA)

	1	2	3	4	5	6	7	8	9	10	11	12	13	14	15	16	17	18
Montgomerie	4	3	4	4	4	4	4	5	4	4	4	3	3	4	4	3	4	
Lawrie	4	3	4	4	4	3	3	4	5	5	4	4	3	4	3	4	4	
Love	4	3	4	4	3	4	5	4	4	4	4	4	3	4	3	4	3	
Leonard	4	3	4	3	4	3	4	4	4	4	4	4	4	4	4	3	4	4

Miguel Angel Jimenez and Jose Maria Olazabal (Europe) defeated Hal Sutton and Jeff Maggert (USA), 2 and 1

	1	2	3	4	5	6	7	8	9	10	11	12	13	14	15	16	17	18
Jimenez	3	3	4	3	4	3	3	4	5	5	5	4	5	5	4	3	4	
Olazabal	4	3	4	4	3	3	3	4	4	4	4	4	4	3	4			
Sutton	4	3	4	4	4	3	4	3	4	4	4	5	4	4	3	4		
Maggert	4	3	5	4	6	3	3	5	6	4	4	5	4	4	3	4		

Lee Westwood and Darren Clarke (Europe) defeated David Duval and Tiger Woods (USA), 1-up

	1	2	3	4	5	6	7	8	9	10	11	12	13	14	15	16	17	18
Westwood	4	3	4	5	4	5	3	4	4	4	3	4	4	4	3	4	4	
Clarke	4	3	3	5	3	4	3	3	4	4	3	4	5	4	4	3	3	4
Duval	4	3	4	4	3	3	4	4	4	5	4	4	4	4	3	4	5	
Woods	4	3	4	4	5	3	3	3	5	3	5	3	4	4	3	4	4	

POINTS: Europe 6, United States 2

SECOND DAY
Morning Foursomes

Hal Sutton and Jeff Maggert (USA) defeated Colin Montgomerie and Paul Lawrie (Europe), 1-up

	1	2	3	4	5	6	7	8	9	10	11	12	13	14	15	16	17	18
Montgomerie/Lawrie	4	2	4	4	4	3	3	4	5	4	5	4	4	5	3	3	4	3
Sutton/Maggert	4	3	4	4	4	3	3	4	4	4	5	4	5	3	3	3	3	

Darren Clarke and Lee Westwood (Europe) defeated Jim Furyk and Mark O'Meara (USA), 3 and 2

	1	2	3	4	5	6	7	8	9	10	11	12	13	14	15	16	17	18
Clarke/Westwood	4	3	5	4	3	3	3	4	4	4	4	4	4	4	3			
Furyk/O'Meara	4	3	4	4	4	3	4	4	5	4	4	5	4	5	3			

Tiger Woods and Steve Pate (USA) defeated Miguel Angel Jimenez and Padraig Harrington (Europe), 1-up

	1	2	3	4	5	6	7	8	9	10	11	12	13	14	15	16	17	18
Jimenez/Harrington	4	3	5	3	5	3	3	3	5	4	4	5	4	4	4	3	5	4
Woods/Pate	3	2	3	3	5	4	3	4	5	4	5	5	4	3	4	3	5	4

Jesper Parnevik and Sergio Garcia (Europe) defeated Payne Stewart and Justin Leonard (USA), 3 and 2

	1	2	3	4	5	6	7	8	9	10	11	12	13	14	15	16	17	18
Parnevik/Garcia	4	4	4	4	3	4	3	4	4	3	4	5	4	4	4	3		
Stewart/Leonard	5	3	4	4	4	5	3	4	6	4	5	5	3	4	4	3		

POINTS: Europe 8, United States 4

Afternoon Four-ball

Phil Mickelson and Tom Lehman (USA) defeated Darren Clarke and Lee Westwood (Europe), 2 and 1

Clarke	4	3	4	4	4	4	3	4	4	4	4	5	4	4	4	3	4	
Westwood	4	3	4	4	4	4	3	5	5	5	4	4	5	4	4	2	4	
Mickelson	4	4	3	4	4	4	3	3	4	3	4	4	4	4	4	3	4	
Lehman	4	3	4	4	4	4	3	3	4	3	4	4	4	5	4	3	4	

Jesper Parnevik and Sergio Garcia (Europe) halved with Davis Love III and David Duval (USA)

Parnevik	4	3	4	4	4	3	3	4	5	4	3	4	4	4	4	3	4	4
Garcia	4	3	4	4	3	4	3	3	5	4	4	4	4	5	4	3	4	3
Love	3	4	4	4	4	4	3	4	3	4	4	4	5	4	2	4	4
Duval	3	3	4	3	4	4	3	4	5	3	4	4	3	5	4	2	5	4

Miguel Angel Jimenez and Jose Maria Olazabal (Europe) halved with Justin Leonard and Hal Sutton (USA)

Jimenez	4	4	4	3	3	3	3	4	5	4	4	4	4	5	3	4	4	
Olazabal	4	4	5	4	3		4	4	5	4	4	4	6	4	3	5	4	5
Leonard	4	4	4	4	4	3	4	4	5	4	5	4	5	4	3	4	4	
Sutton	4	3	4	4	4	4		4	5	4	4	4	5	5	2	4	4	

Colin Montgomerie and Paul Lawrie (Europe) defeated Steve Pate and Tiger Woods (USA), 2 and 1

Montgomerie	5	3	3	3	4	4	3	3	5	3	5	5	4	4	3	3	4	
Lawrie	4	3	4	4	4	3	4	5	4	4	5	4	5	4	2	4		
Pate	3	3	4	4	3	2	4	5	4	3	4	5	4	3	4			
Woods	3	3	4	4	4	3	3	4	5	4	4	3	4	4	3	4		

POINTS: Europe 10, United States 6

THIRD DAY
Singles

Tom Lehman (USA) defeated Lee Westwood (Europe), 3 and 2

Westwood	4	3	4	4	4	3	2	4	6	5	4	4	4	4	4	3
Lehman	4	3	4	3	3	3	3	4	5	4	4	4	3	5	4	3

Hal Sutton (USA) defeated Darren Clarke (Europe), 4 and 2

Clarke	3	3	5	5	4	4	3	4	5	4	4	5	5	4	4	4
Sutton	4	2	4	4	4	3	3	4	5	4	4	4	5	5	4	3

Phil Mickelson (USA) defeated Jarmo Sandelin (Europe), 4 and 3

Sandelin	4	3	5	4	4	3	3	4	4	6	5	5	3	5	4
Mickelson	4	3	4	3	4	4	3	4	4	5	4	4	4	4	4

Davis Love III (USA) defeated Jean Van de Velde (Europe), 6 and 5

Van de Velde	5	3	3	4	4	3	4	4	5	4	4	5	5	
Love	4	3	4	3	3	3	3	4	5	3	3	4	4	

Tiger Woods (USA) defeated Andrew Coltart (Europe), 3 and 2

Coltart	5	3	4	3	4	3	4	4	6	4	4	4	4	4	3	
Woods	5	3	4	3	4	3	3	3	4	4	4	4	4	4	3	

David Duval (USA) defeated Jesper Parnevik (Europe), 5 and 4

Parnevik	4	3	5	4	4	5	4	5	4	4	4	4	3	4
Duval	4	2	4	3	4	4	3	4	5	4	3	4	4	4

Padraig Harrington (Europe) defeated Mark O'Meara (USA), 1-up

Harrington	3	4	4	3	3	4	3	4	3	4	4	4	5	6	4	3	4	4
O'Meara	4	3	3	4	4	3	3	3	4	4	4	4	6	4	3	4	5

Steve Pate (USA) defeated Miguel Angel Jimenez (Europe), 2 and 1

Jimenez	4	3	4	5	4	3	2	5	4	5	4	5	4	6	4	3	4
Pate	4	3	4	4	2	4	4	5	4	4	4	4	4	4	4	4

Jose Maria Olazabal (Europe) halved with Justin Leonard (USA)

Olazabal	4	3	4	4	3	3	4	4	5	5	5	5	4	3	4	3
Leonard	5	2	4	5	4	4	3	4	6	5	5	4	4	3	3	3	4

Colin Montgomerie (Europe) defeated Payne Stewart (USA), 1-up

Montgomerie	5	3	3	4	3	3	3	4	5	4	4	4	5	5	3	4	3
Stewart	5	3	3	4	4	4	4	3	4	4	5	4	4	4	3	4	4

Jim Furyk (USA) defeated Sergio Garcia (Europe), 4 and 3

Garcia	4	3	4	4	4	3	3	4	5	5	5	4	4	5	4
Furyk	4	3	4	3	4	3	3	3	4	5	4	3	4	5	4

Paul Lawrie (Europe) defeated Jeff Maggert (USA), 4 and 3

Lawrie	5	2	4	3	4	4	3	3	4	5	4	5	5	4	4
Maggert	5	3	4	4	4	4	3	3	4	5	4	5	4	C	4

TOTAL POINTS: United States 14½, Europe 13½

LEGEND: C—conceded hole to opponent; W—won hole by concession without holing out.

WOODS POSTS GRAND FINALE TO HIS YEAR

By Bill Kwon

What better way for PGA Champion Tiger Woods to top off one of the grandest years ever recorded in golf than by winning the PGA Grand Slam?

Woods' 3-and-2 victory over Davis Love III at the Poipu Bay Resort Golf Course and Hyatt Regency Resort & Spa in Kauai, Hawaii, Nov. 23-24 capped a remarkable year. Truly, 1999 was the Year of the Tiger. The PGA Grand Slam victory gave Woods the $400,000 top prize, increasing his worldwide winnings to $7.68 million, making him golf's first $7 million man for a single season.

"It has been an incredible year, a wonderful year," said Woods, who won both The PGA Player of the Year Award and the Vardon Trophy, in addition to obliterating the PGA Tour money record by winning $6.6 million.

"He's the most dominant player in the world the last two, three years," said Love, the first alternate who replaced the late U.S. Open Champion Payne Stewart in the two-day, match-play format featuring the winners of golf's four major championships. "When he gets ahead, he's tough to beat."

Woods took a 5-up lead after eight holes before closing out Love, who won the 1997 PGA Championship but was winless in 1999, at the par-4 16th with a halving par.

Love admitted that playing Woods in the match-play format — let alone stroke play — was intimidating. "We know we can beat him on any given day," Love said, "but we have to play 110 percent. That's why this year has been so incredible for him.

"When I lost the seventh hole I was thinking what would Payne do?" Love said. "He wouldn't have given up. So I promptly drove it in the bunker and lost the next hole."

Woods recorded eight birdies and an eagle in 32 holes over the two days, defeating British Open Champion Paul Lawrie in the first-round match by the same 3-and-2 score.

He came close to making a bogey only once in his two matches. It came at the par-4 eighth hole in his match against Love when he missed the green on his approach shot from 137 yards out. But Woods made a great pitch from a downhill lie just outside of the left greenside bunker and

Young and old, the Poipu Bay gallery came to see Tiger Woods win his second consecutive PGA Grand Slam title.

The year's major championship winners — Jose Maria Olazabal, Paul Lawrie, Woods and Davis Love III (in place of Payne Stewart) — gathered in Hawaii.

Woods was a weary traveler the first day.

drained his 12-foot putt for par.

Woods began a long day that started in Japan, arriving at 6 a.m. Tuesday, Hawaii time, just four and a half hours before the start of his first-round match against Lawrie.

"This was the longest Tuesday of my life," said Woods. "I was a little spacey early and it showed on the greens and the way I was executing my shots. I started to wake up and played a little better."

Woods won 11 tournaments in 1999 — eight on the PGA Tour — and a remarkable 10 of his last 14 events. "I'm counting 12," Woods insisted. He felt that the team and individual titles in the World Cup at Kuala Lumpur, Malaysia, just before he came to Hawaii, should be regarded as separate events.

"It was just a matter of time before I thought the things I was working on with Butch Harmon were going to come together," Woods said. "And they were able to (come together) at the middle of the year. ... This has been an incredible year, especially at the end of it. I thought, going into the year, I could probably win about seven times. And I even superseded my own goals. I don't do that very often."

It's not surprising that the back-to-back PGA

Hitting here from a bunker, Love had little trouble in opening with a 6-and-5 victory.

Grand Slam victories by Woods came after the match-play format was adopted two years ago. "I feel I have a better advantage in match play than in stroke play," said Woods, who credited his success as an amateur in that format. It helped him to recall and rely on a lot of positive memories.

"I've done this before, I've been here before, I've done it, and I can definitely do it now since I'm a better player," he said.

"The course also sets up well for my game because most of the trouble is about 260, 270 yards out," added Woods, only the second player since Greg Norman (1993-94) to win back-to-back PGA Grand Slam titles. "I can carry the bunkers with relative ease if the wind's not blowing hard. A lot of fairway bunkers weren't in play."

His length proved the difference in his match against Lawrie as Woods hit 10 wedge shots, seven with a sand iron, to the greens on 13 holes, not counting the par-3s.

Woods became only the 11th player to be the PGA Player of the Year and Vardon Trophy winner in the same year. "It's pretty exciting because those are two distinguishing awards," said Woods about his double-dip accomplishment.

"More importantly, it's hard to win them both in the same year. I was able to do that because I

Olazabal congratulated Love at the 13th.

Precise driving helped Olazabal to a 1-up lead after nine holes in the third-place match.

Lawrie had to concede because of injury.

had a great year. I got very lucky, to be honest with you, because a lot of things went my way and I was able to capitalize on them. This year I worked very hard on my game and was able to play some pretty good golf."

A little more than just "pretty good."

"It's an outstanding accomplishment for Tiger," said Will Mann, PGA of America president. "He worked very hard for this and dedicated himself to improving his skills. That's a great testament of his ability as young as he is. It's a great tribute to him."

Love had advanced to the title match against Woods by routing Olazabal, 6 and 5, giving the Americans a 2-0 win in a mini-match of Ryder Cup Team members.

Olazabal won the consolation match and the $150,000 third-place money when Lawrie was unable to continue after twisting his right ankle stepping on a large rock on his way to the 10th tee.

Lawrie, who had just double-bogeyed the ninth hole to go 1-down, conceded the match when he

Woods took a 5-up lead over Love after just eight holes. He recorded eight birdies and one eagle in the two matches.

couldn't continue. "We were having a good match," said the 30-year-old Scot, who suffered strained ligaments.

All four matches failed to reach Poipu Bay's signature 17th and 18th holes. This was the sixth year in a row that the PGA Grand Slam was held at the 6,957-yard oceanside course designed by Robert Trent Jones, Jr.

Love said he had Stewart in his thoughts during both matches.

"I didn't just come here to fill a spot," said Love, whose father died in a plane crash as well.

"I want to play with the same passion and desire like Payne would have played. That's one of the reasons why I came here," Love said before teeing off on the first day. "At the end of Payne's life I got to know him a little better and I felt it was an important step for golf and for me — for everybody — to go on."

Love wore a "Jesus" bracelet, which he called "my security blanket," that he received with others at the memorial service or "celebration of life" for Stewart. He had worn it pretty much every

Love had Stewart on his mind while playing.

The victory concluded a remarkable year for Woods — 11 victories and $7.68 million in prize money worldwide.

minute of the day since then, including the Tour Championship. In a rush to get to the first tee for the match with Olazabal, Love left the bracelet in his hotel room. No time to go back and get it, he said at first. He had second thoughts.

Love went back to get it. He felt the need to be reminded how he got here and the need to keep Stewart in his thoughts.

When Woods took a 5-up lead on him the next day, Love's 11-year-old daughter, Alexia, tried to convince her father that he needed a second bracelet.

"That's all right. I don't need it," he told her.

"Oh, yes, you do," she replied.

Love blitzed Olazabal with a 7-under 29 at the turn, adding two more birdies at the 10th and 12th holes before closing out the two-time Masters Champion on the 13th hole.

"What can I say?" Olazabal shrugged. Even an eagle-3 he got was only good for a halve. He was on the green in two at the par-5 second, looking at an eagle putt from eight feet. Love holed out his bunker shot to get his eagle first.

Love's performance against Olazabal caught Woods' attention in their match the following morning, again under ideal sunny conditions. Only the third alternate to play in the PGA Grand Slam under its present format, Love had hoped it would be a good omen since the other two — Greg Norman in 1994 and Woods in 1998 — went on to win.

This third time wasn't a charm.

It was just a case of Tiger being too much, practically unstoppable in his triumphal march in the world of golf.

The PGA Grand Slam victory culminated a six-week, round-the-world whirlwind tour for Woods, who went from playing in the National Car Rental Classic in Orlando to the Tour Championship in Houston, to Spain for the American Express Championship, to Taiwan for the Johnnie Walker Classic, to Malaysia for the World Cup, and finally his "grand" finish in Hawaii after a stop-over in Japan.

"I truly enjoy, not the grind and grueling schedule, but traveling the world and seeing different sights. I've traveled the globe, but Taiwan and Malaysia were two places I've never been before. That's what really excites me," Woods said.

But it can be difficult at times, according to Woods. "I've had it so bad that, sometimes, I'll call the hotel front desk because I don't know where I'm at. I'll wake up and ask, 'What city is this?'" he said.

Woods made it a point to add that despite his world-hopping as golf's traveling ambassador, his first obligation is to the American PGA Tour.

"If you look at my schedule, I've only played in one event, excluding the British Open, during our calendar tour year outside the United States," Woods said. That was the Deutsche Bank–SAP Open in Germany, which he won, by the way.

"All my global hopping was after the season was over. That's usually what I like to do."

The year 1999 was simply his and he made a sweep of it in his final event of the year in Hawaii. The scary thing for Tiger's peers is that he thinks there is still a lot of room for improvement in his game.

PGA Grand Slam
November 23-24, 1999,
Poipu Bay Resort, Kauai, Hawaii

First Round Matches
Tiger Woods defeated Paul Lawrie, 3 and 2
Davis Love III defeated Jose Maria Olazabal, 6 and 5

Championship Match
Woods defeated Love, 3 and 2
(Woods received $400,000; Love $250,000)

Third-Place Match
Olazabal defeated Lawrie, match conceded
(Olazabal received $200,000; Lawrie $150,000)

PGA Seniors' Championship

Year	Champion	Score	Venue
1937	Jock Hutchison	223	Augusta National GC, Augusta, GA
1938	*Freddie McLeod	154	Augusta National GC, Augusta, GA
1940	*Otto Hackbarth	146	Bobby Jones GC & North Shore CC, Sarasota, FL
1941	Jack Burke, Sr.	142	Bobby Jones GC & Sarasota Bay CC, Sarasota, FL
1942	Eddie Williams	138	Fort Myers CC, Fort Myers, FL
1943-44	No Championship — World War II		
1945	Eddie Williams	150	PGA National GC, Dunedin, FL
1946	*Eddie Williams	146	PGA National GC, Dunedin, FL
1947	Jock Hutchison	145	PGA National GC, Dunedin, FL
1948	Charles McKenna	141	PGA National GC, Dunedin, FL
1949	Marshall Crichton	145	PGA National GC, Dunedin, FL
1950	Al Watrous	142	PGA National GC, Dunedin, FL
1951	*Al Watrous	142	PGA National GC, Dunedin, FL
1952	Ernie Newnham	146	PGA National GC, Dunedin, FL
1953	Harry Schwab	142	PGA National GC, Dunedin, FL
1954	Gene Sarazen	214	PGA National GC, Dunedin, FL
1955	Mortie Dutra	213	PGA National GC, Dunedin, FL
1956	Pete Burke	215	PGA National GC, Dunedin, FL
1957	*Al Watrous	210	PGA National GC, Dunedin, FL
1958	Gene Sarazen	288	PGA National GC, Dunedin, FL
1959	Willie Goggin	284	PGA National GC, Dunedin, FL
1960	Dick Metz	284	PGA National GC, Dunedin, FL
1961	Paul Runyan	278	PGA National GC, Dunedin, FL
1962	Paul Runyan	278	PGA National GC, Dunedin, FL
1963	Herman Barron	272	Port St. Lucie CC, Port St. Lucie, FL
1964	Sam Snead	279	PGA National GC, Palm Beach Gardens, FL
1965	Sam Snead	278	Fort Lauderdale CC, Fort Lauderdale, FL
1966	Fred Haas, Jr.	286	PGA National GC, Palm Beach Gardens, FL
1967	Sam Snead	279	PGA National GC, Palm Beach Gardens, FL
1968	Chandler Harper	279	PGA National GC, Palm Beach Gardens, FL
1969	Tommy Bolt	278	PGA Chantional GC, Palm Beach Gardens, FL
1970	Sam Snead	290	PGA National GC, Palm Beach Gardens, FL
1971	Julius Boros	285	PGA National GC, Palm Beach Gardens, FL
1972	Sam Snead	286	PGA National GC, Palm Beach Gardens, FL
1973	Sam Snead	268	PGA National GC, Palm Beach Gardens, FL
1974	Roberto de Vicenzo	273	Port St. Lucie CC, Port St. Lucie, FL
1975	*Charles Sifford	280	Walt Disney World, Orlando, FL
1976	Pete Cooper	283	Walt Disney World, Orlando, FL
1977	Julius Boros	283	Walt Disney World, Orlando, FL
1978	*Joe Jimenez	286	Walt Disney World, Orlando, FL
1979	*Jack Fleck	289	Walt Disney World, Orlando, FL

Year	Champion	Score	Venue
1979	Don January	270	Turnberry Isle CC, North Miami Beach, FL
1980	*Arnold Palmer	289	Turnberry Isle CC, North Miami Beach, FL
1981	Miller Barber	281	Turnberry Isle CC, North Miami Beach, FL
1982	Don January	288	PGA National GC, Palm Beach Gardens, FL
1984	Arnold Palmer	282	PGA National GC, Palm Beach Gardens, FL
1984	Peter Thomson	286	PGA National GC, Palm Beach Gardens, FL
1986	Gary Player	281	PGA National GC, Palm Beach Gardens, FL
1987	Chi Chi Rodriguez	282	PGA National GC, Palm Beach Gardens, FL
1988	Gary Player	284	PGA National GC, Palm Beach Gardens, FL
1989	Larry Mowry	281	PGA National GC, Palm Beach Gardens, FL
1990	Gary Player	281	PGA National GC, Palm Beach Gardens, FL
1991	Jack Nicklaus	271	PGA National GC, Palm Beach Gardens, FL
1992	Lee Trevino	278	PGA National GC, Palm Beach Gardens, FL
1993	*Tom Wargo	275	PGA National GC, Palm Beach Gardens, FL
1994	Lee Trevino	279	PGA National GC, Palm Beach Gardens, FL
1995	Raymond Floyd	277	PGA National GC, Palm Beach Gardens, FL
1996	Hale Irwin	280	PGA National GC, Palm Beach Gardens, FL
1997	Hale Irwin	274	PGA National GC, Palm Beach Gardens, FL
1998	Hale Irwin	275	PGA National GC, Palm Beach Gardens, FL
1999	Allen Doyle	274	PGA National GC, Palm Beach Gardens, FL

(* Playoff)

PGA Championship

Year	Champion	Score	Venue
1916	James M. Barnes	1-up	Siwanoy CC, Bronxville, New York, NY
1917-18	No Championship — World War I		
1919	James M. Barnes	6 and 5	Engineers CC, Roslyn, NY
1920	Jock Hutchison	1-up	Flossmoor CC, Flossmoor, IL
1921	Walter Hagen	3 and 2	Inwood CC, Far Rockaway, NY
1922	Gene Sarazen	4 and 3	Oakmont CC, Oakmont, PA
1923	Gene Sarazen	38 holes	Pelham CC, Pelham Manor, NY
1924	Walter Hagen	2-up	French Lick CC, French Lick, IN
1925	Walter Hagen	6 and 5	Olympia Fields CC, Olympia Fields, IL
1926	Walter Hagen	5 and 3	Salisbury GC, Westbury, NY
1927	Walter Hagen	1-up	Cedar Crest CC, Dallas, TX
1928	Leo Diegel	6 and 5	Five Farms CC, Baltimore, MD
1929	Leo Diegel	6 and 4	Hillcrest CC, Los Angeles, CA
1930	Tommy Armour	1-up	Fresh Meadow CC, Flushing, NY
1931	Tom Creavy	2 and 1	Wannamoisett CC, Rumford, RI
1932	Olin Dutra	4 and 3	Keller GC, St. Paul, MN
1933	Gene Sarazen	5 and 4	Blue Mound CC, Milwaukee, WI
1934	Paul Runyan	38 holes	Park CC, Williamsville, NY
1935	Johnny Revolta	5 and 4	Twin Hills CC, Oklahoma City, OK
1936	Denny Shute	3 and 2	Pinehurst CC, Pinehurst, NC
1937	Denny Shute	37 holes	Pittsburgh FC, Aspinwall, PA
1938	Paul Runyan	8 and 7	Shawnee CC, Shawnee-On-Delaware, PA
1939	Henry Picard	37 holes	Pomonok CC, Flushing, NY
1940	Byron Nelson	1-up	Hershey CC, Hershey, PA
1941	Vic Ghezzi	38 holes	Cherry Hills CC, Denver, CO
1942	Sam Snead	2 and 1	Seaview CC, Atlantic City, NJ
1943	No Championship — World War II		
1944	Bob Hamilton	1-up	Manito G and CC, Spokane, WA
1945	Byron Nelson	4 and 3	Moraine CC, Dayton, OH
1946	Ben Hogan	6 and 4	Portland GC, Portland, OR
1947	Jim Ferrier	2 and 1	Plum Hollow CC, Detroit, MI
1948	Ben Hogan	7 and 6	Norwood Hills CC, St. Louis, MO
1949	Sam Snead	3 and 2	Hermitage CC, Richmond, VA
1950	Chandler Harper	4 and 3	Scioto CC, Columbus, OH
1951	Sam Snead	7 and 6	Oakmont CC, Oakmont, PA
1952	Jim Turnesa	1-up	Big Spring CC, Louisville, KY
1953	Walter Burkemo	2 and 1	Birmingham CC, Birmingham, AL
1954	Chick Harbert	4 and 3	Keller GC, St. Paul, MN
1955	Doug Ford	4 and 3	Meadowbrook CC, Detroit, MI
1956	Jack Burke	3 and 2	Blue Hill CC, Boston, MA
1957	Lionel Hebert	2 and 1	Miami Valley CC, Dayton, OH
1958	Dow Finsterwald	276	Llanerch CC, Havertown, PA
1959	Bob Rosburg	277	Minneapolis GC, St. Louis Park, MN

Year	Champion	Score	Venue
1960	Jay Hebert	281	Firestone CC, Akron, OH
1961	*Jerry Barber	277	Olympia Fields CC, Olympia Fields, IL
1962	Gary Player	278	Aronimink GC, Newtown Square, PA
1963	Jack Nicklaus	279	Dallas Athletic Club, Dallas, TX
1964	Bobby Nichols	271	Columbus CC, Columbus, OH
1965	Dave Marr	280	Laurel Valley CC, Ligonier, PA
1966	Al Geiberger	280	Firestone CC, Akron, OH
1967	*Don January	281	Columbine CC, Littleton, CO
1968	Julius Boros	281	Pecan Valley CC, San Antonio, TX
1969	Raymond Floyd	276	NCR CC, Dayton, OH
1970	Dave Stockton	279	Southern Hills CC, Tulsa, OK
1971	Jack Nicklaus	281	PGA National GC, Palm Beach Gardens, FL
1972	Gary Player	281	Oakland Hills CC, Birmingham, MI
1973	Jack Nicklaus	277	Canterbury GC, Cleveland, OH
1974	Lee Trevino	276	Tanglewood GC, Winston-Salem, NC
1975	Jack Nicklaus	276	Firestone CC, Akron, OH
1976	Dave Stockton	281	Congressional CC, Bethesda, MD
1977	*Lanny Wadkins	282	Pebble Beach GL, Pebble Beach, CA
1978	*John Mahaffey	276	Oakmont CC, Oakmont, PA
1979	*David Graham	272	Oakland Hills CC, Birmingham, MI
1980	Jack Nicklaus	274	Oak Hill CC, Rochester, NY
1981	Larry Nelson	273	Atlanta Athletic Club, Duluth, GA
1982	Raymond Floyd	272	Southern Hills CC, Tulsa, OK
1983	Hal Sutton	274	Riviera CC, Pacific Palisades, CA
1984	Lee Trevino	273	Shoal Creek CC, Birmingham, AL
1985	Hubert Green	278	Cherry Hills CC, Denver, CO
1986	Bob Tway	276	Inverness Club, Toledo, OH
1987	*Larry Nelson	287	PGA National GC, Palm Beach Gardens, FL
1988	Jeff Sluman	272	Oak Tree GC, Edmond, OK
1989	Payne Stewart	276	Kemper Lakes GC, Hawthorn Woods, IL
1990	Wayne Grady	282	Shoal Creek CC, Birmingham, AL
1991	John Daly	276	Crooked Stick GC, Carmel, IN
1992	Nick Price	278	Bellerive CC, St. Louis, MO
1993	*Paul Azinger	272	Inverness Club, Toledo, OH
1994	Nick Price	269	Southern Hills CC, Tulsa, OK
1995	*Steve Elkington	267	Riviera CC, Pacific Palisades, CA
1996	*Mark Brooks	277	Valhalla GC, Louisville, KY
1997	Davis Love III	269	Winged Foot GC, Mamaroneck, NY
1998	Vijay Singh	271	Sahalee CC, Redmond, WA
1999	Tiger Woods	277	Medinah CC, Medinah, IL

(* Playoff)

Ryder Cup Matches

Year	Venue		Results		
1927	Worcester CC, Worcester, MA	U.S.	9½	Britain	2½
1929	Moortown GC, Leeds, England	Britain	7	U.S.	5
1931	Scioto CC, Columbus, OH	U.S.	9	Britain	3
1933	Southport & Ainsdale GC, Southport, England	Britain	6½	U.S.	5½
1935	Ridgewood CC, Ridgewood, NJ	U.S.	9	Britain	3
1937	Southport & Ainsdale GC, Southport, England	U.S.	8	Britain	4
1939-1945	No Matches — World War II				
1947	Portland GC, Portland, OR	U.S.	11	Britain	1
1949	Ganton GC, Scarborough, England	U.S.	7	Britain	5
1951	Pinehurst CC, Pinehurst, NC	U.S.	9½	Britain	2½
1953	Wentworth GC, Wentworth, England	U.S.	6½	Britain	5½
1955	Thunderbird CC, Palm Springs, CA	U.S.	8	Britain	4
1957	Lindrick GC, Yorkshire, England	Britain	7½	U.S.	4½
1959	Eldorado CC, Palm Desert, CA	U.S.	8½	Britain	3½
1961	Royal Lytham & St. Annes, St. Annes, England	U.S.	14½	Britain	9½
1963	East Lake CC, Atlanta, GA	U.S.	23	Britain	9
1965	Royal Birkdale GC, Southport, England	U.S.	19½	Britain	12½
1967	Champions GC, Houston, TX	U.S.	23½	Britain	8½
1969	Royal Birkdale GC, Southport, England	U.S.	16	Britain	16
1971	Old Warson CC, St. Louis, MO	U.S.	18½	Britain	13½
1973	Muirfield, Scotland	U.S.	19	G.B. & I.	13
1975	Laurel Valley GC, Ligonier, PA	U.S.	21	G.B. & I.	11
1977	Royal Lytham & St. Annes, St. Annes, England	U.S.	12½	G.B. & I.	7½
1979	The Greenbrier, White Sulphur Springs, WV	U.S.	17	Europe	11
1981	Walton Health GC, Surrey, England	U.S.	18½	Europe	9½
1983	PGA National GC, Palm Beach Gardens, FL	U.S.	14½	Europe	13½
1985	The Belfry, Sutton Coldfield, England	Europe	16½	U.S.	11½
1987	Muirfield Village GC, Dublin, OH	Europe	15	U.S.	13
1989	The Belfry, Sutton Coldfield, England	Europe	14	U.S.	14
1991	The Ocean Course, Kiawah Island, SC	U.S.	14½	Europe	13½
1993	The Belfry, Sutton Coldfield, England	U.S.	15	Europe	13
1995	Oak Hill CC, Rochester, NY	Europe	14½	U.S.	13½
1997	Valderrama GC, Sotogrande, Spain	Europe	14½	U.S.	13½
1999	The Country Club, Brookline, MA	U.S.	14½	Europe	13½

PGA Grand Slam

Year	Champion	Score	Venue
1979	Gary Player	73	Oak Hill CC, Rochester, NY
1980	Lanny Wadkins	71	Hazeltine National GC, Chaska, MN
1981	Lee Trevino	68	Breakers West GC, West Palm Beach, FL
1982	Bill Rogers	71	PGA National, Palm Beach Gardens, FL
1986	Greg Norman	70	Kemper Lakes GC, Hawthorn Woods, IL
1988	Larry Nelson	69	Kemper Lakes GC, Hawthorn Woods, IL
1989	Curtis Strange	73	Kemper Lakes GC, Hawthorn Woods, IL
1990	Andy North	70	Kemper Lakes GC, Hawthorn Woods, IL
1991	Ian Woosnam	135	Kauai Lagoons Resort, Kauai, HI
1992	*Nick Price	137	PGA West, La Quinta, CA
1993	Greg Norman	145	PGA West, La Quinta, CA
1994	Greg Norman	136	Poipu Bay Resort, Kauai, HI
1995	Ben Crenshaw	140	Poipu Bay Resort, Kauai, HI
1996	Tom Lehman	134	Poipu Bay Resort, Kauai, HI
1997	Ernie Els	133	Poipu Bay Resort, Kauai, HI
1998	Tiger Woods	2-up	Poipu Bay Resort, Kauai, HI
1999	Tiger Woods	3 and 2	Poipu Bay Resort, Kauai, HI

(* Playoff)

PGA NATIONAL RESORT & SPA
Palm Beach Gardens, Florida

Hole	Par	Yardage	Hole	Par	Yardage
1	4	346	10	5	549
2	4	419	11	4	412
3	5	539	12	4	397
4	4	355	13	4	370
5	3	171	14	4	422
6	5	478	15	3	164
7	3	185	16	4	412
8	4	422	17	3	152
9	4	381	18	5	528
	36	3,296		36	3,406
				72	6,702

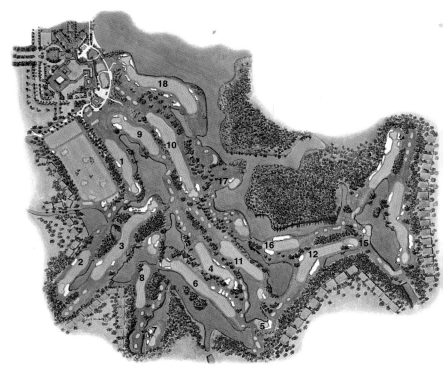

MEDINAH COUNTRY CLUB
Medinah, Illinois

Hole	Par	Yardage	Hole	Par	Yardage
1	4	388	10	5	582
2	3	188	11	4	407
3	4	415	12	4	468
4	4	447	13	3	219
5	5	530	14	5	583
6	4	449	15	4	389
7	5	588	16	4	452
8	3	206	17	3	206
9	4	439	18	4	445
	36	3,650		36	3,751
				72	7,401